水土保持治沟骨干工程技术规范

应 用 指 南

主编　周月鲁　郑新民

黄河水利出版社

图书在版编目(CIP)数据

水土保持治沟骨干工程技术规范应用指南/周月鲁,
郑新民主编.—郑州:黄河水利出版社,2006.6
ISBN 7 - 80734 - 056 - 8

Ⅰ.水 … Ⅱ.①周 …②郑… Ⅲ.水土保持 - 工程
技术 - 规范 - 中国 - 指南 Ⅳ.S157 - 65

中国版本图书馆 CIP 数据核字(2006)第 016388 号

出 版 社:黄河水利出版社
　　　　　地址:河南省郑州市金水路 11 号　　邮政编码:450003
发行单位:黄河水利出版社
　　　　　发行部电话:0371 - 66026940　　传真:0371 - 66022620
　　　　　E-mail:yrcp@public.zz.ha.cn
承印单位:河南第二新华印刷厂
开本:850 mm×1 168 mm　1/32
印张:8.75
字数:218 千字　　　　　　　　　　印数:1—2 000
版次:2006 年 6 月第 1 版　　　　　印次:2006 年 6 月第 1 次印刷

书号:ISBN 7 - 80734 - 056 - 8/S·79　　　　定　价:25.00 元

主　　编　　周月鲁　郑新民

副 主 编　　王答相　蒋　钢　魏　涛

编写人员　　周月鲁　郑新民　王答相

　　　　　　蒋　钢　魏　涛　薛顺康

　　　　　　李　靖　梁其春　王逸冰

前　言

　　《水土保持治沟骨干工程技术规范》(SL289－2003)(以下简称《规范》)的颁布实施,是水利部贯彻落实国务院《建设工程质量管理条例》的一项重要措施,是从全局和战略高度将黄土高原淤地坝建设作为今后一个时期我国水利建设的亮点工程之一的必然要求。一年多来的实践证明,在大规模开展水土保持治沟骨干工程(以下简称骨干坝)建设的新形势下,《规范》充分反映了多年来工程建设的成熟经验和技术成果,适应了当前骨干坝快速发展的需要。对于提高骨干坝建设管理水平、促进水利水土保持标准化体制改革,发挥了积极作用。《规范》的实施已经产生了明显的经济效益和广泛的社会效应,得到了科技人员的普遍认可,并荣获黄河水利委员会创新成果奖。

　　《规范》是由《水土保持治沟骨干工程暂行技术规范》(SD175－86)(以下简称《暂行规范》)修订编写而成,是骨干坝事业发展与水利技术标准不断充实和完善的产物。为反映近 20 年的技术成果,满足骨干坝建设管理特别是规划设计的需要,在《规范》编制过程中,主要增加了骨干坝设计条件和建筑物级别、按侵蚀强度对单坝控制面积进行划分、坝系工程布设、洪水调查法推算设计洪峰流量及采用经验公式推算设计洪水总量、坝体渗流和沉降量计算、配套加固工程设计以及《规范》的条文说明等内容。《规范》起草的主要依据是:《水利水电工程等级划分及洪水标准》(SL252－2000),《碾压式土石坝设计规范》(SL274－2001),《溢洪道设计规范》(SL253－2000)和《水利水电技术标准编写规定》(SL1－2002)。

　　《规范》是骨干坝建设全过程中重要的技术文件,是参与骨干坝建设的业主和勘测、设计、施工、监理等单位必须执行的技术依据，也是各级水行政主管部门对执行骨干坝建设技术标准实施监督的依据。贯彻执行《规范》的关键是有关工程技术和管理人员对《规范》的学习、理解和掌握的程度。为更好地开展《规范》宣传贯彻和培训工作，黄河上中游管理局应广大水土保持工作者的要求，按照上级的安排，专门成立了《水土保持治沟骨干工程技术规范应用指南》(以下简称《应用指南》)编写组，从各地执行《暂行规范》的实际情况出发，着重围绕新增加的内容进行解释说明、方法介绍和实例示范。《应用指南》共分 11 章：第一章为概述，介绍了《规范》的运用对象、编制过程及特点；第二章到第八章，逐条对照，阐明修订的内容、原因和运用的方法，必要时还列举实例；第九章至第十一章，列举了小流域坝系工程布设实例、单项工程扩大初步设计实例和土坝断面工程图的开发实例，供小流域坝系规划、骨干坝工程设计时参考。《应用指南》力求深入浅出、通俗易懂、宣贯并举、实用为先，以期能对从事骨干坝设计、施工、管理等方面的专业技术人员有所帮助，对关心骨干坝建设的广大读者有所启迪。

　　《应用指南》在编写过程中，得到了黄河上中游管理局副局长、教授级高级工程师陈伯让，教授级高级工程师阎文哲、王正呆，高级工程师马慕铎，以及陕西省水土保持局原总工程师张大全等的大力支持和帮助，他们为编写工作提出了不少宝贵意见，倾注了大量心血，在此一并表示衷心感谢！

　　由于水平有限，成书时间仓促，错漏之处在所难免，敬请各位读者批评指正。

编　者
2005 年 8 月

目　录

第一章　概　述

第一节　骨干坝建设的发展与成效

治沟骨干工程亦称骨干坝(骨干淤地坝),相对于一般淤地坝而言,由于其建设规模大和防洪标准高,在小流域中起上拦下保的骨干控制作用,而成为黄土高原地区治理水土流失的重要工程措施。1984年黄河上中游管理局主持编制了《黄土高原水土保持专项治理规划》,并进行立项。1985年国家计划委员会[计土1225]号文批复原水电部《关于将"黄土高原水土流失综合治理工程"列入国家专项计划的请示》,将治沟骨干工程列入国家基本建设计划,作为小型项目管理,1986年开始专项建设。

一、建设过程

第一阶段:1986年至1990年,为"七五"试点建设阶段。这一期间建设范围仅限于陕西、山西、内蒙古和甘肃四省(区),主要开展了建章立制和规范化试点工作,先后编制完成了《水土保持治沟骨干工程暂行技术规范》、《黄河流域水土保持治沟骨干工程建设和管理规定》等技术标准和管理规定,为项目建设提供了可靠的技术保障。"七五"期间,共安排治沟骨干工程322座,占17年(1986～2002年)工程建设总数量的21.1%。

第二阶段:1991年至1995年,为"八五"重点建设阶段。建设重点是无定河、三川河、皇甫川、窟野河、秃尾河、孤山川、县川河、延河等八条重点支流,布局范围扩大到黄河流域七省(区)。这一期间总结试点经验,提出了以小流域为单元、沟坡兼治进行坝系建设的思路,以效益定项目,以项目定投资;加大治沟骨干工程科研力度,积极推广水坠筑坝技术。重点建设期间,共安排治沟骨干工程530座,占17年工程建设总数量的34.7%。

第三阶段:1996年至今,为规模发展阶段。这一期间,随着国家西部大开发战略的实施,治沟骨干工程建设范围和力度不断加大,建设规模达到每年200～300座,建成了一批初具规模的坝系样板流域。项目建设的突出特点:一是注重前期工作,加强了项目储备;二是进一步规范管理,出台了一系列工程建设项目管理办法,对工程的立项、审批、实施与竣工验收等作了严格的规定;三是创新机制,推行了以工程建设监理为主的"三项制度"改革。规模建设期间,共安排治沟骨干工程676座,占17年工程建设总数量的44.2%。

二、建设概况

截至2002年底,在黄土高原地区共安排治沟骨干工程1 528座,其中新建工程1 137座,旧坝加固工程391座,涉及黄河流域内七省(区)的30个地(盟)、130个县(市、旗)。工程布局80%集中在侵蚀模数在5 000t/(km² · a)以上的多沙粗沙区,90%以上的工程分布在黄土丘陵沟壑区的五个副区内,涉及面积大于1 000 km²的重点支流31条。骨干坝在各省(区)、类型区、支流分布情况分别见表1-1、表1-2和表1-3。

三、建设成效

已建成的1 528座骨干坝总控制水土流失面积9 993km²,建设总库容约15.14亿m³,其中,拦泥库容8.49亿m³;工程总造价5.33亿元,其中国家补助投资3.46亿元。可发展灌溉面积2.55万hm²,保护下游川、台、沟、坝地1.98万hm²,可淤地1.45万hm²。

表 1-1　　　　　黄土高原七省(区)骨干坝分布情况

省(区)	新建(座)	加固(座)	合计(座)	占总座数的百分比(%)
青海	49	5	54	3.5
甘肃	173	44	217	14.2
宁夏	61	11	72	4.7
内蒙古	252	75	327	21.4
陕西	257	160	417	27.3
山西	320	79	399	26.1
河南	25	17	42	2.8
合计	1 137	391	1 528	100

表 1-2　　　　　骨干坝按水土保持类型区分布的情况

类型区	1986~2002 年			控制面积(km^2)	总库容(万 m^3)	拦泥库容(万 m^3)
	小计(座)	新建(座)	配套(座)			
黄土丘陵沟壑区	1 426	1 061	365	9 098	141 454	80 637
黄土高塬沟壑区	36	28	8	229	2 978	1 242
黄土阶地区	52	35	17	570	5 847	2 548
土石山区	8	8	0	67	648	306
风沙区	6	5	1	29	426	212
合 计	1 528	1 137	391	9 993	151 353	84 945

表1-3　　　　　　　　骨干坝在各主要支流的分布情况

支流名称		1986～2002 年			支流名称		1986～2002 年		
		小计 (座)	新建 (座)	配套 (座)			小计 (座)	新建 (座)	配套 (座)
上游	湟水河	62	56	6	中游	偏关河	8	4	4
	祖厉河	52	42	10		县川河	78	60	18
	洮河	11	7	4		朱家川	47	31	16
	清水河	19	16	3		岚漪河	22	18	4
	浑河	93	76	17		蔚汾河	20	14	6
	葫芦河	16	15	1		湫水河	30	22	8
	昆都仑河	10	9	1		三川河	46	34	12
	十大孔兑	20	18	2		屈产河	13	8	5
中游	皇甫川	84	54	30		昕水河	39	38	1
	窟野河	118	95	23		泾河	101	74	27
	孤山川	2	1	1		北洛河	56	40	16
	秃尾河	5	2	3		鄂河	11	10	1
	佳芦河	21	8	13		汾河	17	17	
	无定河	169	102	67		涑水河	3	3	
	清涧河	50	29	21	下游	伊洛河	20	15	5
	延河	61	35	26	其他一级支流		164	136	28
	渭河	60	48	12	合计		1 528	1 137	391

第二节　《规范》修订工作概况

2001 年,《规范》被列入水利部修订计划,由水利部水土保持

司和黄河上中游管理局共同组织修订。按照修订起草、征求意见
和完善送审三个阶段开展工作。

一、修订起草阶段

2001年4月,黄河上中游管理局与水利部国际合作与科技
司、北京水利水电规划设计总院和水利部水土保持司签订了项目
合同。随后,成立了《规范》修订编写组,确定了《规范》修订要考虑
到使用的连续性,尽量维持《暂行规范》原貌,充分吸纳工程规划、
勘测、设计、施工和管理中普遍应用的技术和原则。2001年10月
至12月,编写组先后4次分赴有关省(区),对《暂行规范》使用情
况进行调研,与多年从事骨干坝建设和管理、有丰富实践经验的工
程技术人员进行座谈,广泛征求有关省(区)的意见,对山西省离石
市西麻沟、内蒙古清水河县麻地壕等20余座骨干坝和陕西省绥德
县韭园沟、内蒙古东胜区阿布亥沟等14条小流域的坝系进行了实
地考察,获取了大量的第一手资料。同时也搜集、查阅了大量的相
关法律法规、技术规范和相关资料。2002年2月,编写完成了《水
土保持治沟骨干工程技术规范(初稿)》(以下简称《初稿》)。

二、征求意见阶段

2002年3月,编写组在西安组织召开了水土保持治沟骨干工
程技术规范修订咨询会议,对《初稿》进行了技术咨询。会后,编写
组对专家的意见逐条、逐句地进行了认真的讨论,在充分吸收专家
有益意见和建议的基础上,对《初稿》进行了修改,完成了《水土保
持治沟骨干工程技术规范(征求意见稿)》(以下简称《征求意见
稿》)的撰写。2002年4月至6月,编写组采用信函的形式,将《征
求意见稿》分送56位专家进行了技术咨询,其中,送水利部有关部
门6份,占10.7%;送北京林业大学、河海大学、西安理工大学、中
国科学院水利部水土保持研究所等大专院校和科研院所8份,占

14.3%;送长江水利委员会、松辽水利委员会、海河水利委员会、黄河水利委员会等流域机构 17 份,占 30.3%;送陕西、山西、内蒙古、甘肃、宁夏、青海和河南等有关省(区)业务部门 25 份,占 44.7%。

三、完善送审阶段

2002 年 7 月,编写组对专家咨询意见进行了整理汇总,共收到专家的修改意见和建议 128 条,可归纳为以下几个方面:一是对《征求意见稿》的结构和内容给予了认可,认为符合有关编写规定的要求,新增加坝系工程布设、旧坝配套加固设计等内容是完全必要的;二是增加在技术上已成熟且目前在工程设计中已经被采用的施工场地水土保持绿化处理、土坝渗流计算、沉降计算等内容,对坝系相对稳定原理在骨干坝建设中的作用提出了一些建设性的意见;三是对《征求意见稿》中文字、符号、单位、公式和图表的书写格式提出了具体的修改意见。编写组经过逐条讨论,采纳意见 82 条,达到所收修改意见和建议的 64%。对于部分专家提出的将坝系相对稳定理论和坝系优化规划方法写入《规范》的建议,考虑到该理论和方法还处于研究阶段,不够成熟,故没有采纳或只给出原则规定。同时,在充分吸收专家意见的基础上,完成了《水土保持治沟骨干工程技术规范(送审稿)》(以下简称《送审稿》)。另外,还编写了《治沟骨干工程单坝控制面积论证》、《沟道坝系工程布设论证》和《治沟骨干工程配套加固论证》三个专题论证材料,摘录了强制性条文,编写了《规范》修订说明。

2002 年 12 月 18 日,由水利部水土保持司在北京主持召开了《送审稿》审查会,参加会议的有水利部和黄河水利委员会的有关主管部门以及有关省(区)业务部门、大专院校、科研院所、规划设计部门和规范编写小组成员等 16 个单位的 25 名代表。与会代表对《送审稿》逐条逐句地进行了认真的讨论和修改,会后,修订编写小组将专家们提出的意见和建议进行了汇总,对《送审稿》作了进一步修改和调整,完成了《水土保持治沟骨干工程技术规范(报批稿)》(以下简称《报批稿》)。《报批稿》2003年5月由水利部水土保持司在北京组织召开的审查会审查通过,由水利部于2003年10月20日批准发布,自2004年1月1日起实施。

第三节　《规范》的特点

《规范》与《暂行规范》相比,具有以下鲜明特点。

一、结构突出层次性

《规范》(SL289-2003)增加了"前言"和"条文说明"。在正文部分,将《暂行规范》第2章"工程规划"改为"坝系工程布设",将《暂行规范》中"附加说明"部分的内容合并到"前言"中。结构改变情况如图1-1所示。

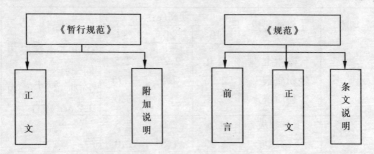

图1-1　修订前后结构变化

二、格式趋于标准化

(1)《规范》在层次格式方面,根据章、节、条、款的书写格式要求,进行了重新编排。修订前后格式变化示例如图1-2所示。

4 工程设计	4 工程设计
4.1 土坝设计	4.1 土坝设计
4.1.1 坝型选择:土料丰富、土质适宜、水源有保证时,应优先选用水坠坝;缺乏水源时,宜选用碾压式土坝。	4.1.1 当土料丰富、土质适宜、水源有保证时,应优先选用水坠坝;缺乏水源时,宜选用碾压式土坝。
4.1.2 土料选择及填筑标准	4.1.2 土料选择及填筑标准应满足以下要求:
4.1.2.1 水坠坝:	1 水坠坝土料选择与填筑标准:
a 修建水坠坝的土料(黄土、类黄土)应满足表4.1-1的要求:	1)修建水坠坝的土料(黄土、类黄土)应符合表4.1.2的规定。
《暂行规范》	《规范》

图1-2 修订前后章节书写格式变化对比

(2)对表格书写格式做了修订。表格按照《编写规定》所规定的书写格式、典型用语编制,并对表格中的坝高变幅进行了统一。形式如图1-3所示。

表4.1-3		坝坡坡率表			
坝型	土料或部位	坝高(m)			备注
		10	20	30	
水坠坝	砂壤土	2.0	2.25	2.5	①上下游坡采用同一坡度; ②冲填速度为0.2m/d左右
	轻粉质壤土	2.25	2.5	2.75	
	中粉质壤土	2.5	2.75	3.0	
碾压坝	上游坝坡	1.5	2.0	2.5	
	下游坝坡	1.25	1.5	2.0	

表4.1-4		水坠坝埂宽表			
土料名称	黏粒含量(%)	在下列坝高情况下的边埂宽度(m)			
		<15	16~30	31~40	41~50
砂壤土	3~10	3~4	4~6	6~8	8~10
轻粉质壤土	10~15	3~5	5~7	7~10	10~13
中粉质壤土	15~20	4~6	7~10	10~13	13~18

表 4.1.3-3 　　　　　　　　　　坝坡坡率

坝型	土料或部位	坝高(m)		
		10～20	20～30	30～40
水坠坝	砂壤土	2.00～2.25	2.25～2.50	2.50～2.75
	轻粉质壤土	2.25～2.50	2.50～2.75	2.75～3.00
	中粉质壤土	2.50～2.75	2.75～3.00	3.00～3.25
碾压坝	上游坝坡	1.50～2.00	2.00～2.50	2.50～3.00
	下游坝坡	1.25～1.50	1.50～2.00	2.00～2.50

注:水坠坝上下游坝坡一般采用相同坡率,砂壤土采用碾压筑坝时,坝坡坡率还应经稳定分析后确定。

　　4　水坠坝边埂顶宽可按表 4.1.4-4 的规定确定:

表 4.1.4-4 　　　　　　　　水坠坝边埂顶宽

土料名称	黏粒含量（%）	在下列坝高情况下的边埂宽度(m)		
		10～20	20～30	30～40
砂壤土	3～10	3～4	4～6	6～8
轻粉质壤土	10～15	3～5	5～7	7～10
中粉质壤土	15～20	4～6	7～10	10～13

《规范》

图 1-3　修订前后表格书写格式变化对比

　　(3)对公式书写格式做了修订。按照《编写规定》的要求,注释中不得出现公式,将公式从注释中移出。形式如图 1-4 所示。

　　(4)对图形标注进行了修改。全部采用计算机制图,插入条文内容之后,将图形中的文字标注全部改为数字序号,将解释内容移到图名的下方。

a.消力池深度 d:

$$d = 1.1 \times h_2 - h \qquad (4.2\text{-}3)$$

式中　　h——下游水深,m;

$\quad\quad\ \ h_2$——第二共轭水深,m。

$$h_2 = \frac{h_0}{2}\left(\sqrt{1 + \frac{8aq^2}{gh_0^3}} - 1\right) \qquad (4.2\text{-}4)$$

式中　　a——流速不均匀系数,可取 $a = 1.0 \sim 1.1$;

$\quad\quad\ \ h_0$——陡坡末端水深,m;

　　　其他符号含义同前。

《暂行规范》

1)消力池深度 d 可按下列公式计算:

$$d = 1.1 \times h_2 - h \qquad (4.2.4\text{-}1)$$

$$h_2 = \frac{h_0}{2}\left(\sqrt{1 + \frac{8aq^2}{gh_0^3}} - 1\right) \qquad (4.2.4\text{-}2)$$

式中　　h_2——第二共轭水深,m;

$\quad\quad\ \ h$——下游水深,m;

$\quad\quad\ \ h_0$——陡坡末端水深,m;

$\quad\quad\ \ a$——流速不均匀系数,可取 $1.0 \sim 1.1$。

　　　其他符号意义同前。

　　　计算简图见图4.2.1。

《规范》

图1-4　修订前后公式书写格式变化对比

三、内容富有新成果

1.增加了坝系工程布设的内容

　　一是通过多年的工程建设实践,确立了坚持以小流域为单元开展坝系建设的指导思想。按小流域坝系编制可行性研究报告已经成为骨干坝建设的前提和基础,也是国家基本建设项目前期工作的必经阶段。为此,各工程设计和管理部门要求对骨干坝坝系布设和运用的原则予以明确和规范。

二是坝系工程布设方面的研究,早在 1990 年就被列入国家"八五"攻关项目,经过十余年的研究,在坝系工程科学布设方面取得了初步成果并通过了鉴定。

三是 16 年来,在坝系建设中出现了大批成功典型(如内蒙古准格尔旗川掌沟、山西离石市洪水沟、陕西延安市碾庄沟等),使坝系工程布设的原理和方法得到了实践验证。

2.增加了旧坝配套加固设计的内容

旧坝配套加固工程从 1988 年起被列入骨干坝建设项目,此后旧坝配套加固的数量逐年增加。将旧坝配套加固设计内容列入规范,主要是基于以下考虑:

一是旧坝配套加固工程是骨干坝建设的一个重要组成部分,是提高旧坝防洪标准,保证单坝安全运行的客观需要。

二是坝系完善配套的需要。开展坝系建设,必须对坝系内原有坝库综合考虑,合理配置,旧坝配套加固工程是坝系建设中一个不可缺少的内容,是坝系安全、拦泥减蚀的需要。

三是经过十几年数百座工程的配套加固实践,设计和施工技术已经成熟,具备了写入《规范》的条件。

3.对单坝控制面积按不同侵蚀类型区确定

对单坝控制面积按不同侵蚀类型区如图 1-5 修改。

截至 2001 年,黄河流域已兴建完成骨干工程 1 369 座,工程主要分布在侵蚀模数大于 5 000t/(km²·a) 的强度水土流失区内,根据对多沙粗沙区重点支流骨干坝资料的统计分析,单坝控制面积在不同侵蚀区内存在着一定的差异:强度侵蚀区单坝控制流域面积在 4.6～8.1km²;极强度侵蚀区单坝控制流域面积4.7～5.0km²;剧烈侵蚀区单坝控制流域面积 3.4～3.6km²。基于这一实践成果,本次《规范》修订,对单坝控制流域面积按侵蚀强度分级进行了规定。

1.3 修建骨干工程的要求 a.单坝控制流域面积,一般 为3~5km^2。	1.0.7 骨干工程单坝控制流域面积,在剧烈 侵蚀区[侵蚀模数大于15 000t/(km^2·a)]一 般为3km^2;在极强度侵蚀区[侵蚀模数8 000 ~15 000t/(km^2·a)一般为3~5km^2;强度侵 蚀区[侵蚀模数5 000~8 000t/(km^2·a)]一般 为3~8km^2。
《暂行规范》	《规范》

图1-5 修订前后坝控面积修改情况对比

4.其他方面的补充与完善

《规范》在水文计算、工程设计和工程检查及验收等方面,增加或修改了部分内容,主要包括以下几方面:

(1)在"水文计算"中,增加了工程设计中经常采用的洪水调查法推算设计洪水的内容。对应于洪峰流量计算,在洪量计算中增加了设计洪量计算经验公式。

(2)在"工程设计"中,考虑到工程建设的实际需要,增加了坝体渗流计算和挑流消能设计的部分内容。

(3)在"工程设计"中,考虑到坝体在自重作用下,使坝体和坝基产生沉降变形,应计算坝体与坝基的总沉降量和施工期的沉降量,故增加了坝体沉降量计算的内容。

(4)按照对开发建设项目施工场地水土保持的要求,在"工程施工"中增加了对施工场地的处理要求。

第四节 《规范》的适用范围

本《规范》的适用范围是黄河流域侵蚀模数大于5 000 t/(km^2·a)的水土流失严重地区的新建和配套加固骨干坝的建设

和管理。其他流域或地区,在执行本《规范》时应专门论证,并报主管部门批准。

　　根据水利部 1992 年 11 月完成的黄河中游重点水土流失区治理工程可行性研究报告,黄河流域年侵蚀模数大于 5 000 t/(km²·a)的水土流失严重地区,涉及面积 21.22 万 km²,除 1.57 万 km² 的林区外,治理范围 19.65 万 km²,其中水土流失面积 17.65万 km²。主要分布在河口镇至龙门区间,其次在泾、渭、北洛河上游,还有威胁黄河干支流水库的一些支流,如湟水、祖厉河、清水河、洛河等局部地区。涉及陕西、山西、内蒙古、甘肃、宁夏、青海、河南 7 个省(区)的 31 个地(盟、市),123 个县(市、旗),1 980 个乡(镇),25 260 个村,1 942.6 万人(见表 1-4)。

表 1-4　　　　　水土流失严重地区涉及的县(市、旗)

省(区)	涉及的县(市、旗)名称
陕西	府谷、佳县、吴堡、米脂、子洲、绥德、清涧、神木、榆林、横山、靖边、子长、延川、延长、吴旗、志丹、延安、宜川、长武、安塞、韩城、定边、彬县、旬邑
山西	河曲、偏关、保德、五寨、神池、岢岚、兴县、临县、柳林、离石、中阳、石楼、右玉、永和、隰县、大宁、吉县、宁武、静乐、岚县、方山、交口、平鲁、汾西、蒲县、芮城、平陆、乡宁
内蒙古	清水河、准格尔、东胜、伊金霍洛、托克托、和林格尔、凉城、乌审、鄂托克前旗
甘肃	环县、华池、庆阳、合水、镇原、秦城、秦安、通渭、静宁、庄浪、永靖、东乡、会宁、泾川、宁县、平凉、兰州、陇西、漳县、武山、张家川、清水、临夏市(积石山)、广河、临夏县、康乐、和政、临洮、靖远、榆中、定西、崇信、灵台、渭源
宁夏	彭阳、固原、隆德、海原、同心、盐池、西吉
青海	西宁、湟中、平安、乐都、互助、民和、化隆、循化、尖扎、贵德
河南	义马、三门峡、陕县、灵宝、渑池、洛宁、宜阳、新安、伊川、嵩县、孟津

第五节 执行《规范》应注意的若干问题

一、关于小流域坝系建设

黄土高原地区的淤地坝建设已有 400 多年的历史,经多年的实践探索,已形成了以支流为骨架、以小流域为单元、以骨干坝为主体,开展坝系建设的成功治理模式。淤地坝的建设重点也由过去的单坝建设转向以小流域为单元,骨干坝和中小型淤地坝相互配套,上中下游兼顾,拦蓄排结合,形成完整的沟道坝群防护体系建设。但由于以小流域为单元的沟道坝系建设研究的时间不足20 年,很多技术问题仍处于探索阶段,在理论上尚不成熟,故在《规范》修订中,未将坝系规划方法、坝系相对稳定等理论写入《规范》,仅将坝系工程布设的内容写入《规范》。在《规范》第二章"总则"里,明确了坝系的定义,专门作出了"骨干坝建设应首先进行坝系规划"的规定。在工程建设中,应严格按照水利部《水土保持工程建设前期工作暂行规定》的要求认真开展前期工作,以《黄土高原水土保持淤地坝规划》为依据,按照各省(区)规划(项目建议书)、小流域坝系建设可行性研究和单坝初步设计三个阶段进行。

总结已建成坝系的成功经验,在坝系建设中小流域面积不宜过大,一般以 50～100km^2 为宜,且应为完整的小流域单元,以便于最大可能地控制洪水泥沙,尽快形成相对稳定的坝系;同时,应优先考虑沟道工程基础条件较好的小流域,优先安排投资少、效益好的旧坝加固配套工程,巩固和扩大已有治理成果,达到坝系安全运行、持续利用的目的;对沟道工程基础条件较差的小流域,应重点进行骨干坝框架的建设,随后根据实际需要合理配置中小型淤地坝,从而达到更好地防洪拦泥淤地与坝系工程安全的效果。

二、关于骨干坝单坝控制面积指标

单坝控制面积和库容是坝系规划阶段与可行性研究阶段坝系布设和坝址选择的重要控制性指标,直接影响到坝系的布坝密度、工程结构和工程规模。《规范》对于骨干坝库容规模的规定是原则性的,而对单坝控制流域面积的规定较为具体。在坝系工程布设中,骨干坝原则上应同时满足坝控面积和总库容两个条件,即坝控面积在 $3km^2$ 以上,总库容在 50 万 m^3 以上。但在具体实践中往往难以控制。由于受沟道地形、工程地质条件及淹没损失等因素的影响,或者根据坝系建设的需要,一些在主沟道中起控制作用的骨干坝,同时满足库容和坝控面积两个条件有一定困难时,经分析论证并报主管部门批准后,可考虑至少满足库容一个条件。

三、关于旧坝加固配套

在旧坝加固配套设计中,如何处理好近期利益与长远利益的关系,生产效益与坝系持续拦泥效益的关系,是工程建设中经常遇到的问题。为使旧坝淤出的坝地尽早得到利用,当地群众和地方有关部门往往要求开设溢洪道对旧坝进行改建。对于确无加高条件且不能继续拦泥的单坝工程这样设计是必要的,但在一个坝系中,对于还可以继续拦泥的工程,仅仅出于对坝地的利用要求而开设溢洪道,使工程丧失持续拦泥的功能,对坝系的整体布局和防洪能力都会带来一定的影响。因此,在坝系中旧坝加固配套设计时,应把坝系的可持续拦泥方案作为优先方案;同时,在确定其设计标准与淤积年限时,应考虑坝系的安全和防洪保收指标,适当控制在合理的范围内,避免漠视安全或无节制地提高防洪标准的现象。在有些情况下,对旧坝进行可持续拦泥改建时,会涉及到淹没损失、移民搬迁、投资过高等一系列问题,这时应对加固配套方案进行科学选比后合理确定。

第二章　总　则

第一节　骨干坝建设与坝系工程布设

《规范》1.0.5 条规定了骨干坝建设应首先进行坝系工程布设。按坝系进行布设，分工负责，形成坝系的整体防御洪水能力，可以充分利用和开发沟道水沙资源，提高沟道工程建设效益。

一、按小流域进行坝系建设能整体提高防御标准和沟道工程效益

淤地坝建设发展过程中，曾出现过大暴雨下不同程度的工程水毁现象，尤其是 20 世纪 70 年代遇到几次罕见的特大暴雨，发生了部分坝系连锁垮坝事故。

1977 年 7 月 4 日至 6 日，陕北地区普降暴雨，50mm 以上降雨笼罩面积约 9 万 km², 100mm 以上暴雨笼罩面积约 2.3 万 km²。据暴雨后调查，陕北 13 个重灾县 3 万多座坝库工程中有上千座毁损，毁坏最严重的是连锁垮坝。陕西绥德县韭园沟流域，原有坝库 333 座，由于连锁反应，造成垮坝 243 座，占 73%，干沟淤地坝垮坝形成沟口高达 1 100m³/s 的洪峰流量。究其水毁原因有两点，一是暴雨洪水超过设计标准；二是工程布局不合理，缺乏控制性的骨干工程。

治沟骨干工程试点建设自 1986 年开始，充分吸取了上述教训和经验，注意按坝系进行布局和建设。如内蒙古准格尔旗的川掌沟流域，总面积 147km²，截至 1999 年底，共兴建骨干坝 36 座，淤地坝 110 座，控制流域面积 132km²，总库容达 3 422 万 m³，其中骨

干坝拦泥库容达 2 430.79 万 m³。目前,该流域沟道坝库已形成较完整的防御体系。1989 年 7 月 21 日,皇甫川降了特大暴雨,处在暴雨中心的川掌沟流域平均日降雨 118.9mm,最大雨量为 141.2mm,最大降雨强度为 0.47mm/min,推算暴雨频率为 150 年一遇,流域产洪总量为 1 233.77 万 m³,骨干坝共拦蓄洪水 593.22 万 m³,缓洪 514.58 万 m³,削洪量达 89.7%,使 333hm² 农田免遭水患,减灾效益达到 200 万元以上。

二、按小流域进行坝系建设可充分开发利用水沙资源

坝系中的骨干坝,有 60% 以上的库容可用于拦蓄泥沙,同时,在运行初期还可蓄水灌溉。黄土高原沙随水来,用水必须用洪用沙,骨干坝能很好地利用黄土高原这一水沙规律,变害为利。淤地坝的全部库容用于拦蓄泥沙;小水库和塘坝可利用骨干坝和淤地坝的蓄洪排清,拦蓄清水,充分利用该地区有限的水资源,解决人畜饮水,灌溉农作物。陕西横山县赵石畔小流域坝系,流域面积 60.68km²,已建成各类沟道工程 45 座,其中骨干坝 8 座,淤地坝 31 座,塘坝 6 座,总库容 2 982.5 万 m³,已拦泥 1 510.4 万 m³,可淤地 260hm²,已淤地 143hm²,新增灌溉面积 27hm²,养殖水面 13.3hm²,坝系内产粮、灌溉、水面养殖年总产值 88.25 万元,流域已形成了拦、蓄、种的利用格局,坝系防洪能力达到 200 年一遇洪水标准,流域内 90% 以上的洪水泥沙基本实现了就地拦蓄,坝地利用率及保收率均达到 95% 以上。

三、十几年坝系建设实践,为制定《规范》提供了技术支撑

1996 年以来,黄河上中游地区的青海、甘肃、宁夏、内蒙古、山西、陕西等 6 省(区)开展了 14 条小流域的坝系建设,并对部分老坝系进行了配套完善,现已初显成效。通过这些坝系建设,在坝系布设原则、建坝密度、工程布局等方面总结了一套比较成熟的技

术和方法。黄河上中游管理局组织有关技术人员经过研究提出，坝系规划和建设要选择合理规模，结合小流域实际确定结构布局和建坝时序，以实现坝系相对稳定和坝系水土资源的有效利用。

第二节　骨干坝建设与坡面治理

《规范》1.0.6 条保留了骨干坝建设应与其上游坡面治理同步进行的规定，并对有关内容进行了修改。在本条修订时，删除了《暂行规范》中骨干坝上游坡面治理面积应达到 40％以上的要求。主要考虑两方面：一方面，随着骨干坝建设数量和布局范围的不断扩大，对其上游坡面的治理面积应达到 40％以上的要求，在现实条件下难以满足；另一方面，没有注意发挥生态系统自我修复的能力。

在近几年骨干坝建设中，也显露出重沟道工程、轻坡面治理的倾向。坡面治理与沟道工程是相互依存、相互作用、相互促进的关系。不治理坡面，只搞沟道工程，大量的泥沙淤积使工程寿命大大缩短，甚至会因为泥沙无限而库容有限，造成洪水摧毁工程的现象。据有关观测资料，上游坡面林草措施较好的工程要比林草措施差的工程运行年限延长两倍以上。因此，保留骨干坝的建设应与上游坡面治理同步进行的规定，既是生态环境标本兼治的需要，也是保证骨干坝长期安全运行的要求，有利于建立小流域完整的水土保持防护体系。同时，将以生态自我修复、坡耕地退耕为主的坡面治理措施纳入小流域坝系建设规划，统一规划设计、合理安排、科学布设，也能为沟道坝系建设提供良好的条件。

第三节　骨干坝建设与单坝控制面积

《规范》1.0.7 条更具体明确了骨干坝单坝控制面积。将《暂行规范》1.3—a 单坝控制流域面积一般为 3～5km^2,改为按侵蚀强度分级进行分别确定,目的是为了确保工程防洪安全,控制工程投资,适应目前施工技术和管理水平。

一、确保防洪安全

骨干坝总库容由拦泥库容和滞洪库容两部分组成,而拦泥库容是由侵蚀模数、淤积年限和坝控流域面积确定的,在一定区域范围内,侵蚀模数通过调查、实测和分析论证后确定。侵蚀模数确定后,坝控流域面积和淤积年限可依据工程实际进行调整。

剧烈侵蚀区,侵蚀模数一般在 15 000t/(km^2·a)以上,最高可达 30 000t/(km^2·a),分布在陕西、山西等省的窟野河、孤山川、县川河等支流,属黄土丘陵沟壑区第一副区。该区丘陵起伏,沟壑纵横,沟壑密度 3.4～4.0km/km^2,局部沟壑密度达到 6～8km/km^2。面积为 3.67 万 km^2 的剧烈侵蚀区,年输沙量达 5.6 亿 t,其中 50% 左右是粒径大于 0.05mm 的粗泥沙。一座控制流域面积 3km^2 的骨干坝,按五等工程设计,淤积年限为 10～20 年,侵蚀模数 15 000t/(km^2·a)时,拦泥库容为 33 万～66 万 m^3,总库容可达 54 万～87 万 m^3;若考虑 30 000t/(km^2·a)的侵蚀模数,拦泥库容为 67 万～134 万 m^3,总库容可达 88 万～160 万 m^3。

强度侵蚀区,侵蚀模数一般在 5 000～8 000t/(km^2·a),分布在青海、甘肃、宁夏、陕西、山西、内蒙古等省(区)的湟水、祖厉河、泾河、汾河、浑河等支流,属黄土高塬沟壑区和黄土丘陵沟壑区第二、四、五副区。高塬沟壑区,塬面平坦,但沟壑纵横,沟壑密度 0.5～2km/km^2,80% 以上的泥沙来源于沟谷。一座控制流域面积 8km^2 的骨干坝,按五等工程设计,侵蚀模数取 5 000t/(km^2·a),拦泥库容为 30 万～60 万 m^3,总库容为 90 万～132 万 m^3;若考虑 8 000t/(km^2·a)的侵蚀模数,拦泥库容为 47 万～94 万 m^3,总库容可达 119 万～166 万 m^3。

剧烈侵蚀区、强度侵蚀区的工程测算见表 2-1。

表 2-1　　　剧烈侵蚀区、强度侵蚀区工程规模测算结果

| 项目 | 控制面积 (km²) | 多年平均降雨量 (mm) | 设计标准 | | | 年侵蚀模数 (t/km²) | 拦泥库容 (万 m³) | 总库容 (万 m³) |
			淤积年限 (年)	200 年校核洪量模数 (万 m³/km²)	300 年校核洪量模数 (万 m³/km²)			
剧烈侵蚀区	3	390	10~20	7.0	8.5	15 000	33~66	54~87
						30 000	67~134	88~160
强度侵蚀区	8	400	10~20	7.5	9.0	5 000	30~60	90~132
						8 000	47~94	119~166

　　如按最不利组合来考虑,即按坝控流域面积、侵蚀模数、淤积年限和设计标准按规范的极值同时遭遇的小概率事件的工程规模进行分析,总库容也可控制在 100 万 m³ 左右,与《规范》1.0.8 款对工程规模的要求符合。因此,对单坝控制面积按侵蚀强度分级进行区分,可有效控制单项工程规模,确保工程防洪安全。

二、适应当前投资能力和政策

　　骨干坝属国家补助性质的基本建设项目,国家投资占总投资的 70%~80%,其余的 20%~30% 需地方政府和农民群众负担。工程规模越大,其坝体工程量和放水工程量势必增大。同时,有的工程控制流域面积增大,还需要增设溢洪道等泄洪工程,投资将越来越大。骨干坝试点初期的 20 世纪 80 年代,一座骨干坝的总投资在 30 万元左右,国补投资一般控制在 20 万元以下;90 年代,一座骨干坝的总投资在 40 万元左右,国补投资控制在 30 万元以下;目前,由于人工、材料、机械等费用的增加,勘测设计和相关管理费

用也相应加大,一座骨干坝的总投资在 50 万元以上,国补投资一般在 35 万元以上,还需地方政府和群众负担十几万元。

工程规模越大,投资越大,在国家现在投资水平下,势必加大地方政府和农民群众的经济负担。

三、反映现阶段施工技术和管理水平

支毛沟越发育,侵蚀模数越大。骨干坝多兴建在 $3\sim5km^2$ 的支毛沟,库容多数为 50 万~100 万 m^3,工程结构简单,一般由"两大件"组成——坝体和放水工程,施工技术普遍为广大群众掌握。运用、管理的技术也为广大群众所熟悉,特别是可有效防治坝地盐碱化,提高坝地利用率。

第三章 坝系工程布设

第一节 基本资料

《规范》2.1.1~2.1.6条对小流域坝系建设可行性研究的基础资料收集进行了规定。基础资料收集主要包括如下内容。

一、流域自然条件和社会经济状况

1. 自然条件

收集流域的地貌特征、沟壑密度、坡度组成等资料,用于分析流域的水土流失状况、土壤侵蚀的类型和侵蚀强度。

收集流域的水文、气象资料,作为计算流域设计洪水的依据。

收集流域沟道地形、地质资料,作为分析建坝潜力和工程枢纽结构组成的依据。

2. 自然资源

收集流域的土地资源、矿产资源及水资源资料,作为建坝布局的依据。

3. 社会经济状况

收集流域内人口密度与分布情况、人均土地面积和人均收入等资料,作为确定坝系工程重点布局区域和流域淤地目标的依据。

二、水土流失状况

收集有关水土流失成因、强度、危害等方面的资料,作为确定坝系工程建设的依据。

三、坝系工程布局和运行现状

收集现有坝系工程布局、建设规模,以及运行状况等方面的资料,作为确定坝系工程总体布局和制定建设与运行管护模式的依据。

第二节　工程布设

一、《规范》2.3.1和2.3.2条对坝系工程布设中建坝密度和建设规模确定提出了明确要求

在具体设计中应掌握以下有关技术。

1.淤地坝建设条件分析

淤地坝建设条件分析的目的是为了获取小流域淤地坝可实现的能力。淤地坝布局设计是根据一定的目标需求而进行的,布设淤地坝建设总量必须在淤地坝建设资源允许的条件下进行。

淤地坝建设条件分析有实地调查法和典型推算法两种,前者适用于小流域坝系可行性研究,后者适用于省级或区域坝系规划。这里重点介绍一下实地调查法。

实地调查法就是对小流域进行实地踏勘,根据地形地质条件、流域面积大小、淹没损失情况、水资源条件等,依据有关规范的规定和经验初步确定骨干坝、中小型淤地坝及塘坝的坝址,通过分析、平衡,最后汇总获得各类淤地坝建设的规模。

实地调查法主要分为三个步骤,一是收集1/10 000地形图,通过地图对小流域的空间分布、沟道基本特征有一个宏观了解;二是进行小流域实地踏勘调查,把确定的坝址、坝名及坝的类别逐个标注在图上,填写在调查表格内;三是汇总各类淤地坝的建设数量,获得淤地坝建设的总规模。

2. 小流域坝系建设目标

小流域坝系建设的目标,主要是拦沙和淤地造田。由于淤地造田与拦沙量的多少有关,所以最主要的目标是拦沙。在此基础上,再确定其他的经济和生态效益目标。提高水资源利用率、扩大灌溉面积、巩固退耕还林成果等可作为附带目标。以下主要介绍拦沙与淤地造田两个主要目标。

通过对流域水土流失状况、工程建设现状、经济社会现状及发展趋势对坝系建设的需求以及工程建设资源分析,初步确定设计水平年年末的新增年拦沙能力 $W(\mathrm{m}^3)$ 和同期末的新增坝地面积 $A(\mathrm{hm}^2)$。

1)拦沙目标

可采用下式计算:

$$W = \frac{M_0(S - S_0)}{\gamma} = \frac{\sum K_L}{y} \tag{3-1}$$

式中: W 为坝系年新增拦沙能力, m^3/a; M_0 为流域平均侵蚀模数, $\mathrm{t}/(\mathrm{km}^2 \cdot \mathrm{a})$; S 为流域坝系工程拟控制面积, km^2; S_0 为流域坝系工程已控制面积, km^2; γ 为泥沙干容重, t/m^3; $\sum K_L$ 为设计年限内坝系工程累计新增拦沙量, m^3; y 为设计年限,一般取 20～30 年。

2)淤地造田目标

淤地目标即设计水平年流域内新增坝地面积,可采用下式计算:

$$A = \eta \frac{\sum K_L}{\omega} \tag{3-2}$$

式中: A 为新增坝地面积, hm^2; η 为淤地折算系数,为已建淤地坝实地调查的淤地模数与设计淤地模数之比,当调查统计资料来源于本流域或来源于地形条件十分相似的流域时,可取 $\eta = 1$; ω 为设计淤地模数,即设计单位淤地面积所需的拦泥量, $\mathrm{m}^3/\mathrm{hm}^2$;其他符号含义同前。

3.工程建设规模

小流域坝系由骨干坝和中小型淤地坝(含塘坝)构成,其建设规模的确定方法如下。

1)子坝系与单元坝系的划分

一条小流域一般由主沟及若干条支毛沟组成。通常,将在小流域中较大一级支沟内所建设的骨干坝和中小型淤地坝称为子坝系,子坝系应该是一个完整的单元。一条子坝系可以由若干个单元坝系构成,也可自成一个单元坝系。如果在一条一级支沟内没有单元坝系,仅有中小型淤地坝,就不应将其划为子坝系。

将一座骨干坝,或一座骨干坝及其所控制集水区域内的若干中小型淤地坝,称为单元坝系。

2)单元坝系数量的确定

(1)单元坝系数量初步拟定。小流域内骨干坝单坝平均控制面积的大小,决定了单元坝系的数量,而骨干坝与中小型淤地坝的配置比例,又决定了中小型淤地坝的建设数量。根据黄土高原已建淤地坝现状调查,不同土壤侵蚀区,骨干坝平均单坝控制面积及其与中小型淤地坝的配置比例不同,不同侵蚀强度区的建坝条件是不同的,从而影响到骨干坝单坝对水沙的控制能力。小流域内单元坝系数量的初步拟定,可按下式计算:

$$N_g = \frac{S - S_0}{\bar{a}} \tag{3-3}$$

式中:N_g 为单元坝系的数量,座;S 为坝系工程拟控制流域面积,km^2;S_0 为坝系工程已控制流域面积,km^2;$\bar{a}$ 为骨干坝平均单坝控制面积,km^2/座。

(2)单元坝系数量调整。单元坝系置身于子坝系中,而子坝系的面积不可能恰好是单元坝系面积的整数倍。因此,在将单元坝系分配到子坝系的过程中应进行数量上的调整,按以下公式计算:

$$N_{gi} = \frac{S_i}{\bar{a}} \tag{3-4}$$

$$N'_g = \sum_{i=1}^{n} N_{gi} \tag{3-5}$$

式中：N_{gi} 为每条子坝系中的单元坝系数量，个；S_i 为子坝系面积，km^2，$i = 1, 2, \cdots, n$；N'_g 为经调整后单元坝系的数量，个；其余符号含义同前。

由于 $\bar{a}$ 是骨干坝单坝控制面积的平均值，在实际工程建设中，面积有一定的上下浮动范围，因此在调整过程中，子坝系内单元坝系的数量 N_{gi} 也存在一个允许取值的范围。确定子坝系内单元坝系的数量 N_{gi} 有几种方法：①采用四舍五入法对 N_{gi} 进行整取；②如果所在流域属于剧烈侵蚀区，骨干坝单坝控制面积一般应大于 $3km^2$，此时应取 N_{gi} 的整数部分；③当计算结果小于 1 时，应将该子坝系删除。

(3)中小型淤地坝数量的拟定。

根据配置比例推算中小型淤地坝数量(简称"比例推算")：

中小型淤地坝的数量可根据流域所处侵蚀类型区，现场查勘后初步拟定。按下式计算：

$$N_{zx} = N'_g \cdot C \tag{3-6}$$

式中：N_{zx} 为中小型淤地坝数量，座；C 为中小型淤地坝与骨干坝的配置比例值，可参考已成坝系经验值；其他符号含义同前。

根据建设目标推算中小型淤地坝数量(简称"目标推算")：

对坝系工程的拦沙和淤地两大目标而言，与单坝之间存在着以下关系式：

对拦沙目标

$$W = W_g \cdot N_g + W_z \cdot N_z + W_x \cdot N_x \tag{3-7}$$

对淤地目标

$$A = A_g \cdot N_g + A_z \cdot N_z + A_x \cdot N_x \tag{3-8}$$

也可转化为：

$$A = \frac{W_g}{\omega_g} \cdot N_g + \frac{W_z}{\omega_z} \cdot N_z + \frac{W_x}{\omega_x} \cdot N_x \quad (3-9)$$

$$N_{zx}{'} = N_z + N_x \quad (3-10)$$

式中：W_g、W_z、W_x 分别为骨干坝、中型淤地坝和小型淤地坝的平均拦沙量，m^3；N_g、N_z、N_x 分别为骨干坝、中型淤地坝和小型淤地坝数量，座；A_g、A_z、A_x 分别为骨干坝、中型淤地坝和小型淤地坝的平均淤地面积，hm^2；ω_g、ω_z、ω_x 分别为骨干坝、中型淤地坝和小型淤地坝的淤地模数，m^3/hm^2；$N_{zx}{'}$ 为中小型淤地坝数量，座。

将以上方程联立求解，即可计算出中小型淤地坝的数量。

中小型淤地坝数量的调整：

由于两种推算方法的出发点不同，推算结果是不吻合的，应对中小型淤地坝的数量作进一步的调整，并将中小型淤地坝分配到每个单元坝系中。

中小型淤地坝数量调整基本思路：

一是数量上的调整。以目标推算的结果为基数，对淤地坝的数量进行调整。在调整的过程中应遵循以下原则：①人口密集、用地需求较大的区域适当增加，反之适当减少；②水土流失强度大的区域适当增加，反之适当减少；③沟壑密度较大的区域适当增加，反之适当减少；④受地形、村庄、道路等建筑物影响，建坝条件较差的沟道适当核减；⑤林区或植被较好的区域可少建甚至不建中小型淤地坝。

二是结构上的调整。在中小型淤地坝数量确定后，通过中小型淤地坝相互之间数量上的调整，基本达到拦沙、淤地和座数上的平衡是可行的。

中型淤地坝与小型淤地坝的拦泥库容和单坝淤地面积在数量上存在着较大的差异，增加中型淤地坝的座数较增加小型淤地坝的座数在拦沙量和淤地量上都要大得多，反之亦然。

三是综合调整。即同时采用结构调整和数量调整两种方法，确定中小型淤地坝数量(方法同上，在此不再赘述)。

小流域坝系工程布设目标、建设规模是坝系总体布局的前提与基础，需充分考虑到流域的自然条件、工程现状、经济状况、人口分布及建坝资源条件等诸多因素，同时还应将实现坝系相对稳定作为一种期望或逐步趋近的方向，其目的是确定坝系工程的建设总量、各类坝的建设配置等。在规模确定中，骨干坝的坝址条件是影响坝系布局的关键因素，在实际应用中，应结合坝址的实地勘测，不断优化调整坝系建设目标和建设规模。

二、《规范》2.3.3和2.3.4条对坝系布设中建坝顺序的原则及工程布设方案提出了明确要求

在具体规划中，应重点对骨干坝的建坝顺序和布局方案进行必要的论证与分析。

1. 建坝顺序安排

1) 建坝顺序分析的必要性

小流域坝系具有一定的建设规模，从投资和坝系利用等方面考虑，所有工程建设项目不可能也不允许在一年内一次完成。

(1)受国家投资和地方配套能力的限制。坝系工程建设量大面广，所需投资量很大。目前，虽然国家在坝系工程建设方面的投资力度加大了，但仍然有限。加之坝系工程是采用国家补助、地方配套和群众自筹的形式共同兴建，而建设的重点区域往往又是贫困地区，地方配套能力有限，群众自筹困难。因此，必须根据水土流失状况和建设目标，区分轻重缓急，选择重点建设项目和建设内容。

(2)坝系形成和发展需要一个过程。坝系的形成和发展需要经历初建、成熟和相对稳定三个阶段，是一个长期的过程。而坝系工程建设的目的不仅仅是拦沙，而且还要用沙，也就是说，要快速

拦沙、集中拦沙，达到尽早形成坝地，发挥效益的目的。如果坝系工程一次建设到位，势必造成一些工程的库容长期处于闲置状态，难以淤满形成坝地，出现"空坝"现象。

由此可见，坝系工程布设不仅仅是空间的布局，而且也应包括时序上的布局。应通过合理的建设顺序安排，达到水沙资源的优化调配，最大限度地发挥投资效益，促进地方经济发展。

2)建坝顺序安排的基本形式

建坝顺序安排的基本思路有两个，一是确保坝系工程的防洪安全，二是最大限度地发挥投资效益。

小流域坝系作为一个结构复杂、功能完善的系统，沟道中的各类工程根据各自的特点、功能和作用在其中扮演着不同的角色，并随着时间的进程而不断地发生改变和转化。它们之间组合形式的不同、相对位置的变化、建设先后的差异，均可影响坝系的拦沙和淤地目标。目前，黄土高原地区坝系工程安排一般有以下几种基本形式：

(1)上淤下种、淤种结合。对流域面积小于 $20km^2$、坡面治理较好、来水较少的沟道，一般多采取由沟口至沟头，自下游至上游分期打坝，当下游坝淤满耕种后，再在回水线以上建第二座坝拦洪，保证卜坝安全生产，依次由沟口到沟掌逐步形成坝系。

(2)上坝生产、下坝拦泥。对流域面积大于 $20km^2$、坡面治理较差、来水较多的沟道，坝系布局应从保证工程安全的角度考虑，采取从上游至下游分期打坝的方式，待上游坝淤满利用时，再建下游坝，将上坝洪水导入下坝，滞洪拦泥，从沟掌到沟口逐步形成坝系。

(3)轮蓄轮种、蓄种结合。在流域面积不大的沟道同时分段建坝拦洪淤地，待淤满可利用后，再分别在其上游另建新坝，形成隔坝拦蓄，其水可灌溉下游坝地。待上游坝淤满后，其功能由滞洪转为生产，此时再将下游坝加高、滞洪，如此交替加高，轮蓄轮种，是一种利用率较高的运用模式。

(4)清洪分治、蓄排结合。在地质条件许可、水源条件较好、距村庄和农耕地较近的地段,采用上游修筑控制性工程,拦蓄上游的洪水泥沙,并通过库容的调蓄将洪水转化为清水加以利用;在该坝的下游不远处,修建蓄水塘坝或小水库,积蓄上游坝经洪水调节后下泄的清水,实现洪水和清水的分别治理。

(5)支沟滞洪、主沟生产。对已经初步形成坝系的小流域,其主沟一般治理较好,形成了大片的坝地,在农业生产中发挥了重要作用。但同时由于受地形、村庄、道路和工程建设规模等因素的限制,该类型流域的主沟也是坝系工程建设的难点,往往不能实施大规模的工程建设,一般只能进行一些旧坝的维修和改建。流域的布局应重点考虑现状工程的维修加固和改建,进行坝系的配套完善。在支沟内修建以滞洪为主的骨干坝,控制洪水泥沙,保证主沟坝地安全生产和沟道建筑物的防洪安全,坝系工程实现拦、蓄、淤、排相结合,发挥坝系的综合效益。

对于陕西、内蒙古等省(区)的一些小流域,支沟沟道比降较大且建坝条件不理想,但主沟宽阔,库容条件好,一般多采取在主沟建设坝库发展生产,或采用淤漫的方式进行治河造地。

1995~2000年期间,黄河水利委员会黄河上中游管理局设立专项基金,进行小流域坝系布设方法研究。通过典型流域优化设计,对小流域坝系建设顺序安排提出了"在保证防洪安全的基础上并不存在自上游向下游或自下游向上游的固定模式,而是多与各坝的经济效益顺序相一致,但个别效益一般而见效很快的小规模坝也有排在效益更好的坝前面兴建的可能"的观点。该观点可以作为建坝顺序安排的参考。

3)建坝顺序对工程安全的影响

从坝系工程布局的相对位置方面分析,建坝顺序对工程安全的影响有两种情况。一种是先上游后下游、先支沟后主沟的建设顺序。这是一种比较安全的形式,建议采用这种方式。另一种是先下游后上游、先主沟后支沟的建设顺序,这种形式前期下游坝的控制面积将包括上游拟建坝的控制面积。因此,增加了下游坝前期拦控的泥沙量和洪水量,从而影响工程的建设规模,如果设计不当将威胁工程安全。

2. 布局方案设计

采用综合平衡法进行坝系工程布设,要进行坝系布局方案比选。在广泛征求地方和群众意见的基础上,从工程结构、坝的布局等方面考虑,拟定两种以上坝系布局方案。拟定的方案要有可比性,要通过综合分析确定最佳布局方案。切忌拟定的方案没有可比性,为了比选而比选。

根据黄土高原地区小流域坝系工程布设实践,设置和优选坝系布局应从以下两个方面来考虑。

1)从工程结构上考虑

例如,×××小流域上游植被较好,水量比较充沛,人烟稀少;中下游水土流失严重,沟道坝系工程集中,村庄、道路密集。征求地方和群众意见后,设置了两个布局方案:

方案Ⅰ:在该小流域上游以骨干坝为主,配置少量中小型淤地坝。上游的骨干坝均采用坝体和放水工程"两大件"结构形式;中下游由于人口密集、人地矛盾突出,在支沟合适位置布置骨干坝,加大中小型淤地坝布坝密度。把主沟道现有的大型淤地坝配套改建为骨干坝,并设置溢洪道,发挥其坝地生产效益。

方案Ⅱ:流域上游的布局与方案Ⅰ一样;中下游的骨干坝均采用坝体和放水工程"两大件"结构形式。把主沟道现有的大型淤地坝配套改建为骨干坝,但不设置溢洪道。

通过以上两个布局方案分析,虽然两个方案的工程布局一样,数量相等,投资也大致相当,但设计思路却存在着本质的差别。方案Ⅰ能够利用已经淤成的坝地发展生产,对现有的公路和个别农户等也不会造成淹没,符合群众的当前利益,便于实施,缺点是中下游的泥沙得不到控制。方案Ⅱ虽然在近期淹没一些公共设施,已经淤成的坝地不能得到最大限度的利用,在目前会给群众的生产和生活带来一些问题,但从坝系建设的目的和流域长远利益的角度考虑,该方案能够最大限度地控制洪水泥沙,而且可增加坝地面积,效益显著。

2)从坝的布局上考虑

例如,×××小流域,在一个"丫"字形沟道的三岔地段选择了三个坝址,两个坝址位于支沟,第三个坝址位于两沟的交汇部位。设置了两个方案:

方案Ⅰ:在两个支沟各布置一座骨干坝。

方案Ⅱ:在两支沟交汇部位布置一座骨干坝。

总体来看,这两个方案所控制的流域面积大致相等,因此洪水泥沙的控制能力也基本相同,但两个方案却各有特长。方案Ⅰ骨干坝的规模适度,单坝投资标准也控制在现行骨干坝的投资范围之内,有利于建设计划的批复与实施;方案Ⅱ单坝的控制面积较大,因此规模也相应加大,虽然方案Ⅱ总投资较方案Ⅰ两个坝的投资之和要小,益本比也高于方案Ⅰ,但单坝投资却超出了现行骨干坝的投资标准,是否可行还需进行论证。

坝系布局方案设计,由于每个流域的具体情况各不相同、千差万别,目前还没有一个比较定型的设计方法,需要进一步探讨。

第四章　水文计算

第一节　基本资料

《规范》3.1.1～3.1.5条对水文资料的收集作了原则性要求。一般情况下,水文资料的来源主要有两个方面,即通过实际观测和调查进行分析和整编。由于黄河上中游地区的小流域水文观测资料普遍短缺,因此水文资料的搜集主要通过当地水文手册和洪水调查进行。

一、水文手册

水文年鉴一般只包括大中河流的水文资料。水文站网也不能布设非常稠密,因此小流域上的中小型水利水保工程常遇到水文资料不足的情况,甚至无资料可用。为此,各省(区)的水利部门在分析综合历年区域性水文资料的基础上,编印有适合本省(区)的区域性水文手册,供规划设计查用。水文手册中一般包括:区域性地理和气候资料;降水、径流、暴雨、洪水、泥沙、地下水、冰情等方面水文特征值的统计表和等值线图;适合当地情况用以计算水文特征值的经验公式、经验系数、关系曲线、参考资料和计算方法等。有时,还将其中的图专门编成水文图集。当短缺水文资料时,可用水文手册进行水文估算,估算成果作为主要参考依据之一。

二、历史洪水的调查和估算

我国幅员辽阔、河流密布,沿河居民点稠密,对水情的记载有悠久的历史,有着极为丰富的资料。对历史上发生的大洪水和大旱情,不仅有详细的文字记载,而且在某些古建筑物或岩壁上,还留有极宝贵的洪枯水痕标志。例如,黄河 1843 年出现特大洪水,以及某支流自 1853 年以来历次特大洪水,在历史资料中都有记载。这些历史资料是设计洪水和可能最大暴雨等计算的重要依据,对小流域坝系建设和单项工程设计也有一定的参考价值。

1. 调查访问和野外测量工作

调查前,要做好准备工作,收集流域有关的基本资料,如流域及调查河段的地形图、河道的纵横剖面图、沿河水准点高程及位置等。要查阅有关历史文献,了解历史洪水的次数、发生年代、洪水的大小次序等情况。要明确调查任务,制定出工作计划,并准备必要的测量仪器、工具等。在查勘河段时,应特别注意选择顺直河段,有古庙等建筑物、卡口及陡坡等,因为这些地方往往能留下较可靠的洪水痕迹。要访问附近居民点上亲身经历过当地历史洪水的老人,通过召开座谈会,共同回忆,互相启发,弄清情况。了解的内容应包括历史上发生过大洪水的年月日,大小次序,最高洪水位的位置和洪水涨落过程等情况,并到现场指认确定洪水痕迹的位置。洪水痕迹的可靠程度根据调查情况的综合分析,可分为三级:可靠、较可靠和供参考。

调查访问以后,接着进行测量工作,包括:测量洪水痕迹的高程和河道纵横断面图,并确定洪水痕迹在纵断面图上的位置。

2. 历史洪水的估算

对于一次历史洪水,需要估算的内容包括:洪峰流量、洪水过程线及洪水总量。

如果调查所得的洪水痕迹靠近某一水文站,则可先根据几个洪痕点确定纵向水面线,求出水文站基本水尺断面处该次历史洪水的最高水位。然后,利用水文站实测的水位—流量关系曲线,并向上延长,求得该次历史洪水的洪峰流量。

如果附近没有水文站,则可利用明渠均匀流量公式推求洪峰流量:

$$Q_峰 = \omega C(Ri)^{1/2} \tag{4-1}$$

式中：ω 为相应于最高洪水位时的过水断面面积，m^2；R 为相应的水力半径，m；$R = \omega/X$，X 为过水断面湿周；i 为水力比降，由上下断面洪痕点的高差除以两断面间沿河间距而得，即 $i = \Delta h/L$，一般认为，有三个以上洪痕点决定的比降才比较可靠；n 为糙率，应根据调查了解的历史洪水发生时的河道情况，查水力学手册中 n 表确定；C 为系数，可采用公式 $C = \dfrac{1}{n}R^{1/6}$ 来计算。

如果横断面的形状是复式的，由于主河槽和两岸滩地水流条件有差别，应将断面上主河槽和两岸滩地分成三部分，分别用上式计算各部分流量，然后相加求出断面洪峰流量。如果河段内沿途水深、流速变化较大时，应按非均匀流计算洪峰流量，具体计算方法可参考有关书籍。

如果有调查到的洪水涨落变化情况，即何时起涨、何时到达顶峰、何时落尽，以及涨几次水等，则可根据洪峰流量值并参考该河实测洪水过程线的形状，大致绘出历史洪水的变化过程。计算洪水过程线下的面积，即可算得该次洪水总量。

在调查历史洪水的同时，也应尽可能地调查了解历史暴雨的情况，以供分析之用。

3.调查洪水频率 P 的确定

$$P = m/(n + 1) \times 100\% \tag{4-2}$$

式中：P 为调查洪水的经验频率；m 为该次洪水在已调查的几次洪水系列中由大至小的顺位；n 为调查年代与该次洪水发生年代之差(年)。

调查洪水的重现期 N 与经验频率 P 有以下关系：

$$N = 100/P$$

对计算出的调查洪水经验频率应与邻近地区相似流域进行分析比较，从而正确地决定调查洪水的重现期。

第二节　设计洪峰流量计算

设计洪峰流量计算,在保留《暂行规范》条文内容的基础上,主要对推理公式法中汇流历时 τ 和汇流参数 m 的确定进行了补充,增加了调查洪水法测定洪峰流量和洪水频率的计算公式及经验公式法推算设计洪水总量的公式,便于设计中的实际应用。骨干坝由于集水面积较小,实测资料短缺,所以通常遇到的是无资料情况下的洪水计算。无资料地区设计洪峰流量应采用不同的方法进行计算、比较、分析后合理确定。在一般常用的几种水文计算方法中,经验公式法和洪水调查法推算洪水资料,适用于面积较大的小流域,而治沟骨干工程和淤地坝大多修筑在 $10km^2$ 以下的支毛沟中,流域面积相对较小,因此以上两种方法只能作为估算,作为对比、分析的参考数据。在治沟骨干工程水文计算中较常用的是以24 小时暴雨资料推求设计洪水的方法。

一、设计暴雨量的计算

根据雨量资料先推算设计暴雨,再由设计暴雨间接推算设计洪水时,通常假定设计暴雨和设计洪水的频率相应。对于兴建治沟骨干工程的小流域,因为面积小,集流时间短,一般只有几小时,因此对形成极大流量最不利的是几个小时的短历时暴雨。这样,可以假定暴雨在时间上、空间上都不变化,因而小面积的设计暴雨就大为简化,只要用暴雨公式就能定出设计暴雨了。设计暴雨量计算可采用各地水文手册中给定的方法和参数进行。计算时,先按工程所在小流域位置,由水文手册中查出小流域所在地的年最大 24 小时暴雨量均值 H_{24} 及变差系数 C_v、偏差系数 C_s 与变差系数 C_v 的比值 C_s/C_v 等,由 C_v 及设计暴雨频率 $P\%$,从皮尔逊 – Ⅲ型曲线上查出相应的模比系数 K_P 值;然后用公式(4-3)计算设计频率的 24 小时暴雨量。

$$H_{24P} = K_P \cdot H_{24} \tag{4-3}$$

式中：H_{24P} 为频率 P 的 24 小时暴雨量，mm；H_{24} 为多年最大 24 小时暴雨均值，mm；K_P 为频率为 P 的皮尔逊－Ⅲ型曲线模比系数。

二、设计洪峰流量的计算

用暴雨资料计算洪峰流量，经多年实践表明适用于小流域治沟骨干工程和淤地坝建设，能够充分利用各地现有的降雨资料，其关键在于结合各地的水文特点和实际情况，正确地选用计算方法和所用参数。这里需要指出的是，推理公式种类繁多，《规范》介绍的公式仅是一种通用公式。在具体计算中，各地区可根据通用公式的因子，结合工程实际情况，选定适宜本地区的经验值，也可绘成暴雨洪水查算图表。

例如：内蒙古水文手册中规定在全面汇流时，推理公式如下：

$$Q_m = 0.278 \times \frac{h}{\tau} F = 0.278 \psi I_\tau F \tag{4-4}$$

式中：Q_m 为洪峰流量，m^3/s；h 为 τ 时间内最大净雨量，mm；τ 为流域汇流历时，h；ψ 为洪峰径流系数；F 为集水面积，km^2；I_τ 为 τ 时间内最大毛雨量平均强度，mm/h。

局部产流时，推理公式如下：

$$Q_m = 0.278 \psi I_{tb} F_0 \tag{4-5}$$

式中：F_0 为相应于 t_b 的面积形成洪峰的最大径流面积，km^2；I_{tb} 为 t_b 时段内最大平均降雨强度，mm/h；其他符号含义同前。

采用推理公式计算设计洪峰流量时，必须确定暴雨强度 I_{tb}，洪峰径流系数 ψ，流域汇流历时 τ。

山西省计算设计洪峰流量时推理公式通常采用下式：

$$Q_P = 0.278 \varphi (S_P / \tau^n) \cdot F \tag{4-6}$$

式中:Q_P 为频率为 P 的洪峰流量,m^3/s;0.278 为单位换算系数;φ 为洪峰径流系数,是反映流域内降雨损失大小的一种参数,即暴雨变成洪水应打的折扣,它与地形、地貌、地质、土壤、植被、水土保持情况等因素有关,一般在 0.9~0.95 之间;S_P 为频率为 P 的最大时暴雨量,或称雨力(mm/h),由省水文手册查得,如《山西省水文手册》短历时暴雨等值线图中列有频率为 0.5%、1%、2%、5% 的 1 小时最大降雨量等值线,当设计频率不是 0.5%、1%、2%、5% 时,可利用 24 小时雨量通过计算求得 S_P,即 $S_P = H_{24P}/24^{1-n}$;τ 为流域汇流时间,h,它与流域的最远流程和沿流程的水力条件有关,它也会影响 φ 值,一般可用 $\tau = 0.278L/v$ 来推求;L 为流程长度,km;v 为流域平均汇流速度,m/s,其数值与集水面积上坡面、沟槽的坡度以及植被情况有关,一般取 1.0~2.0m/s,地形平坦的地区取较小值,地形陡峻的地区取最大值;n 为暴雨递减指数,它反映长短历时雨量的分配比例关系,可从省水文手册查得,一般在 0.6~0.7 之间;F 为集水面积,km^2。

其他省(区)也一样,这里不再赘述。

第三节　设计洪水总量计算

小流域设计洪水总量一般采用设计暴雨间接推求,其频率与设计洪峰的频率相同。至于设计暴雨的时段应取多长,需根据流域淤地坝工程规模及泄洪能力的大小而确定。一般采用 24 小时的设计暴雨所产生的洪量作为设计洪水总量。对于不设溢洪道的淤地坝工程,为了保证工程安全,应采用 3 天降雨量计算洪水总量。在具体计算中,应按照规范推荐的方法或参考当地水文手册,至少选择两种方法计算设计洪水总量,并将计算结果互相校核,最终确定合理的设计洪水总量。

以下是部分省(区)常用的经验公式法推求设计洪水总量的计

算公式,在规划设计中可适当参考。

一、甘肃省淤地坝设计洪水总量计算

根据《甘肃省水文图集》的规定,各地计算洪水总量的经验公式中参数的选择略有不同,现将甘肃省各主要站点的不同频率洪量计算公式列于表4-1、表4-2,供设计时参考。

表 4-1　　　　甘肃省主要站点不同频率洪量计算公式

频率	5%	2%	0.5%	0.2%	备注
平凉	$q=\dfrac{4.25}{F^{0.266}}$	$q=\dfrac{5.97}{F^{0.266}}$	$q=\dfrac{8.92}{F^{0.266}}$	$q=\dfrac{11.1}{F^{0.266}}$	计算面积 $F>250\text{km}^2$
	$T=7.63F^{0.344}$		$W_P=0.004\,43Q_P^{0.978}(T+9)^{1.69}$		
西峰	$q=43.7/F^{0.517}$	$q=60.5/F^{0.517}$	$q=90.7/F^{0.517}$	$q=11.22/F^{0.517}$	计算面积 $F>100\text{km}^2$
	$T=2.14F^{0.344}$		$W_P=0.004\,43Q_P^{0.978}(T+9)^{1.69}$		
天水	$q=73.5/F^{0.596}$	$q=98.7/F^{0.596}$	$q=140.1/F^{0.596}$	$q=170.5/F^{0.596}$	计算面积 $F>100\text{km}^2$
	$T=2.14F^{0.344}$		$W_P=0.004\,43Q_P^{0.596}(T+11)^{1.75}$		
临夏	$q=2.02/F^{0.382}$	$q=2.62/F^{0.382}$	$q=3.64/F^{0.382}$	$q=4.34/F^{0.382}$	计算面积 $F>100\text{km}^2$
	$T=10.9F^{0.344}$		$W_P=0.017\,7Q_P^{0.952}(T+7)^{1.43}$		
武都	$q=0.841/F^{0.22}$	$q=1.03/F^{0.22}$	$q=1.32/F^{0.22}$	$q=1.46/F^{0.22}$	计算面积 $F>100\text{km}^2$
	$T=7.63F^{0.344}$		$W_P=0.008\,53Q_P^{0.936}(T+10)^{1.59}$		
兰州	$q=1.43/F^{0.200}$	$q=1.91/F^{0.200}$	$q=2.63/F^{0.200}$	$q=3.10/F^{0.200}$	计算面积 $F>100\text{km}^2$
	$T=2.14F^{0.344}$		$W_P=0.017\,7Q_P^{0.82}(T+7)^{1.43}$		
定西	$q=148/F^{0.740}$	$q=196/F^{0.740}$	$q=264/F^{0.740}$	$q=315/F^{0.740}$	计算面积 $F>100\text{km}^2$
	$T=2.14F^{0.344}$		$W_P=0.017\,7Q_P^{0.952}(T+7)^{1.43}$		

注:q 为洪峰流量模数,$\text{m}^3/\text{s}\cdot\text{km}^2$;$T$ 为设计洪水历时,h;W_P 为某一设计频率洪水总量,万 m^3;Q_P 为某一设计频率洪峰流量,m^3/s。

表 4-2　甘肃省河东地区主要站点不同频率单位面积洪量计算结果

（经验公式计算成果）　　（单位:万 m³/km²）

地区	5%最大洪量	2%最大洪量	0.5%最大洪量	0.2%最大洪量
平凉	3.89	5.40	8.10	9.91
西峰	2.36	3.24	4.82	5.92
天水	2.92	3.87	5.41	6.53
临夏	1.82	2.32	3.20	3.78
武都	0.95	1.15	1.47	1.61
兰州	0.49	0.65	0.89	1.03
定西	3.83	5.02	6.66	7.88

　　上述经验公式多来源于较大流域,所得数值一般偏小,而淤地坝坝系的流域面积一般在 100km² 以下,因此在实际设计中仅作参考。

二、内蒙古自治区淤地坝设计洪水总量计算

　　内蒙古自治区设计洪水总量计算经验公式为:

$$W_P = 0.1 \cdot h_P \cdot F \qquad (4-7)$$

式中: W_P 为洪水总量,万 m³; h_P 为频率为 P 的 24 小时降雨径流深,mm,由表 4-3 查得; F 为坝控面积,km²。

表 4-3　　内蒙古部分地区旗(县、市)降雨与径流关系　　（单位:mm）

地区	降雨量(mm)								
	100	125	150	175	200	225	250	275	300
达旗西部、东胜市西部、伊旗西北部	22	30	42	55	68	75	89	102	114
凉城县、和林格尔县、清水河县丘陵区;达旗东部、东胜市东南部、伊旗东南部;准旗沿黄河支流	32	42	55	68	76	89	102	118	131
准旗皇甫川流域	40	52	64	78	89	100	114	132	145

三、山西省淤地坝设计洪水总量计算

山西省设计洪水总量计算公式为:

$$W_P = \frac{1}{10}aH_{24P} \cdot F \tag{4-8}$$

式中:W_P 为设计频率 P 的一次暴雨洪水总量,万 m^3;1/10 为单位换算系数;a 为暴雨径流系数,可从表 4-4 查得;H_{24P} 为频率为 P 的最大 24 小时暴雨量;F 为集水面积,km^2。

表 4-4   降雨历时等于 24 小时(H_{24})的径流系数 a 值

区域		H_{24}(mm)				
		100~200	200~300	300~400	400~500	>500
山区	黏土类	0.65~0.80	0.80~0.85	0.85~0.90	0.90~0.95	>0.95
	壤土类	0.55~0.70	0.70~0.75	0.75~0.80	0.80~0.85	>0.85
	砂壤土类	0.40~0.60	0.60~0.70	0.70~0.75	0.75~0.80	>0.80
丘陵区	黏土类	0.60~0.75	0.75~0.80	0.80~0.85	0.85~0.90	>0.90
	壤土类	0.30~0.55	0.55~0.65	0.65~0.70	0.70~0.75	>0.75
	砂壤土类	0.15~0.35	0.35~0.50	0.50~0.60	0.65~0.70	>0.70

四、陕西省淤地坝设计洪水总量计算

陕西省设计洪水总量计算中主要采用经验公式,下面推荐三个经验公式,供计算时选用。

1. 陕北丘陵沟壑区经验公式

公式如下:

$$W_P = CF^mQ_P^n \tag{4-9}$$

式中:W_P 为重现期为 P 的洪水总量,万 m^3;Q_P 为重现期为 P 的

洪峰流量,m^3/s;C 为经验参数,其值见表 4-5;F 为流域面积,km^2;m、n 为指数,其值见表 4-5。

表 4-5　陕北黄土丘陵沟壑区设计洪水量及洪水过程线特征值

行政区域	洪水总量计算公式 (m^3)	多边形概化洪水过程线总历时计算公式(h)	三角形概化洪水过程线		适用地区
			总历时 t (h)	洪水涨水历时系数 a_t	
榆林地区	① $W_P=0.28F^{0.47}Q_P^{1.31}$	$T=11.1W_P/Q_P$		0.297	皇甫川、孤山川、窟野河中上游地区,榆林、横山、靖边县
	② $W_P=0.08F^{0.47}Q_P^{1.31}$	$T=13.9W_P/Q_P$		0.211	
	③ $W_P=0.1F^{0.47}Q_P^{0.86}$	$T=16.7W_P/Q_P$		0.353	绥德、米脂、子洲、清涧的无定河中下游地区,清涧河下游地区
延安地区	④ $W_P=0.14F^{0.49}Q_P^{0.78}$	$T=19.4W_P/Q_P$	$T=5.5$ W_P/Q_P	0.155	府谷、神木、佳县、吴堡等县黄河沿岸地区
				0.139	
	⑤ $W_P=0.14F^{0.49}Q_P^{0.78}$	$T=19.4W_P/Q_P$		0.139	子长、安塞、延川县
	⑥ $W_P=0.1F^{0.47}Q_P^{0.86}$	$T=16.7W_P/Q_P$			吴旗县城以北、北洛河河源、榆林新桥水库上游
				0.167	
	⑦ $W_P=0.28F^{0.49}Q_P^{1.37}$	$T=11.1W_P/Q_P$			吴旗县以南、志丹、延安、延长、宜川、甘泉、黄陵、宜君、洛川、富县等

2.榆林地区经验公式

公式如下：

$$W_P = a\overline{W_P}F \qquad (4\text{-}10)$$

式中：W_P 为重现期为 P 的洪水总量，万 m^3；F 为流域面积，km^2；$\overline{W_P}$ 为单位面积重现期为 P 的一次洪水总量，万 m^3/km^2，其值见表4-6；a 为面积不均匀系数，可参考表4-7。

表4-6　　　单位面积重现期为 P 的一次洪水总量 $\overline{W_P}$

重现期 P	100	50	20	10	平均值
黄土丘陵沟壑区（赵石畔、青阳岔以下）	6.0	5.0	3.8	3.0	1.3
黄土丘陵沟壑区（赵石畔、青阳岔以上）	4.7	4.0	3.0	2.4	1.0
黄河沿岸土石山区	11.0	9.2	7.0	5.5	2.4

表4-7　　　　　　面积不均系数 a 值

流域面积 $F(km^2)$	<10	10～20	20～30	30～40	40～50
a	1.3	1.2	1.15	1.10	1.05

注：≥50km² 的按《榆林地区水文手册》中的曲线查算。

3.延安地区经验公式

公式如下：

$$W_P = 1\,000h_{TC}F \qquad (4\text{-}11)$$

式中：W_P 为洪水总量，m^3；h_{TC} 为相应于 TC 时段的净雨，mm；其他符号含义同前。

在计算时，应用洪水过程线进行量算，以求得设计洪水总量和公式(4-11)计算出的洪水总量进行比较，其误差不大于 10% 方可。

$$\frac{过程线总量 - 1\,000h_{TC}F}{过程线总量} \leqslant \pm\,10\% \tag{4-12}$$

具体计算方法见《延安地区实用水文手册》。

在实际计算中,各地区应以本地区的公式为主,公式(4-12)作为计算过程中分析对比时参考。

五、河南省淤地坝设计洪水总量计算

河南省24小时设计洪水总量用下式计算:

$$W_{24} = 1\,000RF \tag{4-13}$$

式中:W_{24} 为相应24小时设计洪水总量,m^3;R 为24小时净雨深,mm;F 为流域面积,km^2。

一般用24小时降雨量查出山丘区次降雨径流关系 $P + P_a$——R 曲线求得。P 为24小时设计雨量,P_a 为设计前期影响雨量,由《河南省水文手册》查得。

第四节　调洪演算

《规范》3.5.1和3.5.2条规定了单坝和坝系调洪演算的基本方法。调洪演算一般采用水量平衡法,《规范》中介绍的公式是坝系调洪的简化方法,常用在溢洪道底面和坝地淤泥面相平时的计算。但在实际应用中有时会碰到复式断面溢洪道的调洪演算。即在有常流水的沟道,为了保证非洪水条件下坝地安全生产,防止坝地盐碱化,在坝地一侧开挖排水渠,与复式溢洪道的小断面衔接,排泄常流水和小洪水。采用复式断面的溢洪道断面形式,溢洪道最低底坎高程低于设计淤泥面高程1.5～2.5m(见图4-1)。

此种情况下的泄水滞洪过程,在非汛期或洪水初期,洪水经由排水渠通过溢洪道下泄,库容不滞洪;随着入库流量加大,当排水渠流量不能满足泄洪要求时,库内水位升高,溢洪道泄量也随之加

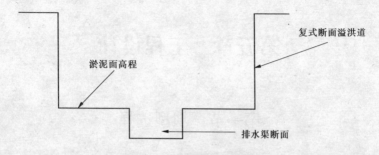

图 4-1　复式断面溢洪道形式

大,采用全断面过水;当溢洪道流量达到最大值,坝内水位亦达到最高水位,不再上升;随着入库洪水的逐渐减少,坝内水位持续降低,直至完成整个洪水调蓄过程。

第五章 工程设计

第一节 坝型选择

《规范》4.1.1条对土坝的坝型选择作了原则性的规定。

坝型选择应本着因地制宜、就地取材的原则,结合当地的自然经济条件、坝址地形地质条件,以及施工技术条件,进行技术经济比较,合理选择。

黄土高原地区主要以均质土坝为主,占到工程建设总数的99%;个别情况下,当沟道两岸及河床均为岩石基础,且石料丰富,采集容易时,可考虑采用浆砌石拱坝或砌石重力坝。定向爆破土坝和土石混合坝在个别地区也进行过一些试验,但由于施工技术较难掌握,并有特殊的地形、地质条件要求,故目前尚未大范围推广。

土坝施工根据条件可采用碾压法和水坠法。碾压坝便于维修加高和改建,对土质条件要求较低,能适应地基变形,但造价相对比水坠坝高,坝身不能溢流,淤满后需另设溢洪道;水坠坝施工技术简单,造价较低,但对土料的黏粒含量有要求(一般要低于20%),且要有充足水源条件。

不同坝型的特点和适用范围见表5-1。

表 5-1 不同坝型特点和适用范围

坝型		特点	适用范围
均质土坝	碾压坝	就地取材,结构简单,便于维修加高和改建;对土质条件要求较低,能适应地基变形,但造价相对水坠坝高,坝身不能溢流,需另设溢洪道	黄土高原地区
	水坠坝	就地取材,结构简单,施工技术简单,造价较低;但对土料的黏粒含量有要求(一般要低于20%),且要有充足水源条件	黄河中游多沙粗沙区的陕西、内蒙古、山西和甘肃的部分地区得到广泛应用
	定向爆破—水坠筑坝	就地取材,结构简单,建坝工期短,对施工机构和交通条件要求较低,但对地形条件和施工技术要求较高	黄河中游交通困难、施工机械缺乏、干旱缺水的贫困山区
土石混合坝		就地取材,充分利用坝址附近的土石料和弃渣,但施工技术比较复杂,坝身不能溢流,需另设溢洪道	晋、陕、豫三省的黄河干流和渭河干流沿岸,当地石料、土料丰富,适合修建土石坝
浆砌石拱坝		坝体较薄,轻巧美观,可节省工程量;但施工工艺较难,对地形、地质条件要求较高,施工技术复杂	适用于晋、陕、豫三省的黄河干流沿岸,当地沟床较窄,多为石沟床,石料丰富,砌筑拱坝条件优越

第二节 土料选择

《规范》4.1.2条规定了土料的选择和填筑标准。土坝是就地取材的建筑物,筑坝地点大都储藏着几种土料,因此选择哪一种或哪几种土料作为筑坝材料,是设计土坝的一个重要组成部分。由于不同性质的土料有其不同的适用条件,例如,透水性大的土料不适于作防渗材料,黏粒含量太大的土料不适于放在坝的坡面上,细砂、粉砂用来筑坝需要具备一定的技术条件,而达到这些条件往往要花费很大的代价,使得用这种土料筑坝实际上成为不合理,因而筑坝土料应该按照坝的重要性及各种不同部位来合理选择。

一、碾压坝的筑坝材料和填筑标准

一般的黄土、类黄土、砂土、风化残积土均可作为碾压式土坝的筑坝材料,规定有机质混合物含量不超过 5%,易溶盐类和中溶盐类总和不超过 8%,颗粒组成要求不均匀系数达到 30～100 的土料就是级配好的,均质土坝黏粒含量 10%～30% 的砂质或粉质壤土最适宜。

碾压式土坝填筑标准主要以压实干容重(或密实度)控制,通过击实试验和现场碾压试验确定,坝体干容重应按最优含水量控制,其上下限偏离最优含水量不超过 ±(2～3)%,一般不应小于 $1.55t/m^3$。黏性土填筑含水量的上限取决于:①不影响压实和运输机械的正常运行;②施工期坝体内不致产生过大的孔隙压力而影响坝坡的稳定;③在压实过程中不易产生剪切破坏。黏性土填筑含水量的下限取决于:①填土浸水后不致产生大量湿陷变形;②不致使填土难以压实,甚至产生干松土层。

二、水坠坝的筑坝材料和填筑标准

水坠坝对土料的要求更严格,一般黄土不均匀系数(d_{60}/d_{10})9.3～24,级配良好,渗透系数 10^{-5}～20^{-7} cm/s,流限 25%～32%,塑限 16%～21%,塑性指数 7～12,有机质、水溶盐含量一般小于2%,崩解速度小于 30min,多数均可以作为筑填土料。

水坠坝的坝体作为挡水建筑物,既要防止有害渗透、保证拦泥蓄水安全,又要在施工期脱水固结快,强度增长快,故要求土料易于崩解,具有适宜透水性,塑性指数小一些,一般黏粒含量小于

20%的黄土最适宜。在不同地区,不同层次的黄土,它的物理力学性质和矿化性质是不同的,设计时应根据土料特性,采取相应的措施。如果土料的黏粒含量高,坝体透水性差,脱水固结慢,影响施工进度,就要采取人工排水措施或加大边埂宽度,以保证施工期坝体的稳定性。如果土料的粗粒(颗粒直径大于0.05mm的土粒)含量过多,土质松散,透水性大,脱水固结虽然较快,但坝体渗漏大,就要加大坝身断面或改用非均质坝型。水坠坝体冲填质量以起始含水率作为主要控制指标,各种土料起始含水率可参考有关规定。

边埂多采用机械上土和碾压,利用坝端岸坡土场筑埂时,多用推土机直接将土料推至筑埂地点。用黏性较大的土料筑埂,最好使用羊脚碾和气胎碾碾压。砂性较大的土料可采用履带拖拉机碾压。用机械压埂,埂顶宽度不应小于6.0m,一层铺土厚度不应超过0.3m,碾压遍数要根据设计质量要求由试验确定。碾压路线多是平行坝轴方向,要注意压迹错距,机械碾压不到之处,要用人工补夯。

第三节　坝体断面设计

《规范》4.1.4条介绍了坝体断面设计。坝体的基本剖面应根据坝高、建筑物级别、坝基情况及施工、运行条件等参照现有工程的经验初步拟定,然后通过渗流和稳定分析,最终确定合理的剖面形状。

一、碾压坝坝体断面设计

碾压土坝的坝坡选择一般遵循上游坝坡应比下游坝坡缓的原则,黏性土料做成的坝坡,常沿高度分成数段从上而下逐段放缓;由粉土、砂、轻壤土修建的均质坝适当放缓下游坝坡,坝基或坝体土料分布不一致时,应分段采用不同坡率,在各段间设过渡区,使坝坡缓慢变化;斜墙坝的上游坝坡一般较心墙坝缓,而心墙坝的下游坝坡一般较斜墙坝缓。

二、水坠坝坝体断面设计

水坠坝当采用砂壤土、壤土筑坝时,上、下游坝坡可采用同一坝坡。不像碾压坝那样修成迎水坡缓、背水坡陡,上部陡、下部缓。这是因为水坠坝在施工期间迎水坡与背水坡滑坡的可能性大体上是相同的。

坝体设排水设施主要起到排出渗流、降低坝体浸润线、稳定坝脚等作用。水坠坝施工中,为加快脱水固结速度,多采用砂井、砂沟等排水设施,这给砂石料缺乏的地区修建水坠坝带来了一定的困难。为提高排渗效果,降低工程造价,近几年来部分省(区)在水坠坝施工中采用了聚乙烯微孔波纹管(盲管)排水系统,效果良好,建议有条件的地方可采用此法。

三、水坠坝冲填体的脱水固结

水坠坝冲填体的脱水固结过程是一个含水量降低、密度增加、孔隙水压力消散、强度增长的过程。泥浆刚进入坝面时,具有较高的含水量,远超过流限,而且有很大的流动性。黄土高原地区黄土泥浆进入坝面时的含水量可达 40% 左右,此时形成的冲填体中具有大量的自由水,土骨架尚未形成。在固体颗粒的自重作用下,一部分自由水被固体颗粒所置换而析出表面,经大气蒸发或人工排走,此时泥浆含水量可降低到 ω_0。根据水量平衡关系,可以用以下公式计算 ω_0。

$$\omega_0 = \omega_1 - (1/\Delta_s + \omega_1/G)(H_0 + Q_0)/10V \qquad (5-1)$$

式中:ω_1 为刚进冲填池的泥浆含水量;H_0 为泥面日蒸发量,m/d;Q_0 为表面单位排水量,L/($m^2 \cdot d$);V 为冲填速度,cm/d;Δ_s 为土料密度；G 为饱和度。

　　由大气蒸发的水分主要决定于当地的气候条件，通常泥面蒸发的水量比水面蒸发还更大一些。黄土高原地区，夏天日蒸发量可超过 10mm。如以上坝泥浆含水量为 40%，每日冲填体升高为 15cm，日蒸发量 10mm，没有表面排水，仅仅由于蒸发作用，通过计算得出泥浆含水量可降低至 34.9%，可见蒸发作用是不能忽视的。因此，气温高、蒸发量大的季节往往是水坠坝施工的良好时机。但蒸发作用只限于表层，或一定的毛细管作用范围内，随着坝体的升高，下层土体在上层土体的重量作用下，固体之间的孔隙水将引起压力水头，即为孔隙水压力。而在透水地基边埂等处，孔隙水压力则为零或很小，在毛细作用处甚至为负值。所以对整个坝体来讲，不同部位的孔隙水压力是不同的，这样就产生压差，由压差引起渗透作用，由于渗透作用，孔隙中的一部分水被排走，从而使坝体含水量逐渐降低，孔隙水压力逐渐消散，干容重相应增加，强度逐渐增长，从而提高了坝体的稳定性。这就是水坠坝脱水固结的基本规律。

第四节　坝基和岸坡处理

　　《规范》4.1.5 条提出了坝基和岸坡处理的要求。土坝的底面积较大，坝基应力较小，加之坝身具有一定的适应变形的能力，因此对坝基处理的要求相对较低。黄土高原地区的淤地坝大多为直接修建在不透水地基上的均质土坝，在坝体填筑前，一般可以不采取专门的防渗措施，只对坝基的草皮、腐殖土等进行开挖清除，深度 0.5～1.0m 即可满足施工要求。但对坝基透水或是其他松软坝基，则应进行技术处理，处理的主要要求是：①控制渗流，避免管涌、流土等有害的渗流变形；②保持坝体和坝基的稳定，不产生明显的不均匀沉陷，竣工后坝基和坝体的总沉陷量一般不宜大于坝高的 3%;③在保证坝体安全运行的情况下节省投资。

一、岩石地基

有些土坝直接位于岩基上,由于岩石软硬不同,存在不同程度的风化、节理裂隙、断层破碎带、软弱夹层等,都需要进行处理,以保证土坝与岩基结合面以及岩基本身的渗透稳定。

土坝与基岩的接触面要求结合紧密。表层强风化、裂隙密集的岩石碎屑及易冲物质,应予挖除。在岩面不平整或存在微小裂缝处,可通过灌浆、喷水泥砂浆或浇混凝土进行处理,防止表层裂缝渗水直接冲刷坝体。

二、土基

土坝经常修建在黏土、壤土、砂壤土、砾石土等土基上。要求沿土基的渗流量及渗流出逸比降不超过允许值,筑坝后不会产生过大沉降变形,不会因土基剪切破坏导致土坝滑坡。

要做好土基表面清理:挖除树根草皮、表层腐殖土、淤泥、粉粒砂、乱石砖瓦等,对水井、泉眼、洞穴、地道、冲沟、凹塘应进行开挖,回填上坝土料并夯实。若水井、泉眼水量较大,应采用排水管排水处理。清基厚度视需要而定,一般为 0.5~1.0m。沿经过表面清理后的土基挖若干小槽,用土回填夯实,以利结合。经表面清理后,用碾压机具压实土基表层,加水湿润至适宜含水量,并进行刨毛后,才填筑坝体第一层填土。

土基一般不作防渗处理。如土基透水性过大,可开挖截水槽,以透水性较小的土料回填夯实,槽底最好位于相对不透水层,以切断渗流,如相对不透水层埋藏较深,挖槽不经济,可改用混凝土防渗墙或高压喷射灌浆穿透地基,与相对不透水层连接;也可做成悬挂式截水槽或修建铺盖以延长土基渗径,减少渗流量。在土基与下游透水坝壳接触面,或在下游坝脚以外一定范围内,渗流出逸比降超过允许值的土基表面,都应铺设反滤层。

三、砂砾石地基

许多土坝建在砂砾石地基上,对这类地基的处理主要解决渗流问题,控制渗流量,保证地基的稳定性。一般需同时采取防渗及排渗措施。此类地基在骨干坝建设中较少见,以下介绍的方法在水库中采用较多,仅供参考。

1.防渗措施

一般有水平及垂直两种方案,前者如水平铺盖,用以延长砂砾坝基渗径,适用于组成比较简单的深厚砂砾层上的中低坝;后者为截水槽、混凝土防渗墙等,完全切断砂砾层,防渗最为彻底,适用于多种地层组成的坝基、各种坝高或对坝基渗漏量控制比较严的情况。

1)水平铺盖

水平铺盖是一种水平防渗措施,其结构简单,造价较低,当采用垂直防渗设施有困难或不经济时,可采用这种形式。这种处理方式不能完整截断渗流,但可延长渗径,降低渗透比降,减少渗流量。铺盖由黏土和壤土组成,其渗透系数与地基渗透系数之比最好在1 000倍以上。铺盖的合理长度应根据允许渗流量以及渗流稳定条件,与排水设备配合起来,由计算决定,一般为4~6倍水头。铺盖的长度由允许渗透坡降决定。铺盖上游端部按构造要求不得小于0.5m。填筑铺盖前必须清基,在砂砾石地基上应设过滤层,铺盖上面应设保护层。

淤地坝以拦泥为主,可以利用拦蓄的泥沙作为水平铺盖防渗,但必须论证其可行性,并加强淤地坝的运行管理和渗流观测。

2)截水槽

在砂砾覆盖层中开挖明槽,切断砂砾层,再用筑坝土料回填压实,同坝体相连,形成可靠的垂直防渗,效果显著。

截水槽底宽应根据回填土的允许渗透比降而定。回填黏土及重壤土,底宽不小于 $1/8\sim1/10H$,中、轻壤土不小于 $1/5\sim1/6H$(H 为上下游水头差)。为满足施工要求,槽宽不应小于 3m。截水槽上下游坡度取决于开挖时边坡稳定要求,一般采用 $1:1\sim1:2$。

截水槽位置视工程地质和水文地质及坝型而定。均质坝常将截水槽设在坝轴上游,一般离上游坝脚不小于 1/3 坝底宽。

2.排渗措施

砂砾石坝基除了采取如上述的防渗措施外,尚需针对不同防渗方案,相应采取各种排渗措施,安全排泄渗水,降低坝基扬压力,保证坝基渗流稳定。对于垂直防渗方案,砂砾层渗水被完全截断,坝基渗流得到较彻底控制,下游排渗措施可适当简化,而水平铺盖由于砂砾覆盖层未被截断,一般在下游设水平褥垫排水、反滤排水沟、减压井或透水盖重等。

1)水平褥垫排水

适用于均质或上层透水大于下层的双层地基。水平褥垫排水的核心为堆石或卵石,外包反滤层,满足与坝体及坝基之间的反滤过渡要求。

2)反滤排水沟

砂砾覆盖层为双层结构,且上层比下层透水性小,同时上层又不厚时,可在下游坝趾设平行于坝轴的反滤排水沟,穿过上层弱透水层,排泄下层透水层渗水,削减可能产生的承压水,沿沟四周与坝基接触面填反滤层,再在沟内填堆石或卵砾石。沟底宽应满足减压排水需要并方便施工,一般不小于 $1\sim2m$,下游坝面排水沟宜同反滤排水沟分开,分别排水,避免排泄坝面雨水时将泥带入反滤排水沟中。

反滤排水沟也可做成暗沟,设在坝内,接间隔式水平排水褥垫,将渗水排除坝外。暗沟设在坝内更有利于削减坝基扬压力,增加下游坝坡稳定。

反滤排水沟不宜用于上部不透水层比较厚,或存在许多透水夹层和渗流集中带的多层结构砂砾地基。

四、湿陷性黄土

天然黄土遇水后,其钙质胶结物被溶解软化,颗粒之间的黏结力遭到破坏,强度显著降低,土体产生明显沉陷变形,作为坝基应该处理,否则蓄水后将由于坝基湿陷使坝体开裂甚至塌滑,引起坝体失事。

处理湿陷性黄土坝基应综合考虑黄土层厚、黄土性质和湿陷特性、施工条件及运行要求。常用的处理方法有:开挖回填、表面重锤夯实、预先浸水及强力夯实等。

1.开挖回填

将坝基湿陷性黄土全部或部分清除,然后以含水量接近于最优含水量的土回填压实,以消除湿陷性。回填后干容重以及填筑质量控制同坝体一样。一般适用于需要处理的土层不太厚的情况。

2.表面重锤夯实

该法可增加黄土密实度,改善其物理力学性质,减少或消除坝基黄土的湿陷性。对位于地下水位以上、饱和度不超过 0.6 的黄土,如采用重达 2t 以上的重锤夯打,一般夯实厚度能达 1~1.5m。

3.预先浸水法

该法可用以处理强或中等湿陷而厚度又较大的黄土地基。在坝体填筑前,将待处理坝基划分条块,沿其四周筑小土埝,灌水对湿陷性黄土层进行预先浸泡,使其在坝体施工前及施工过程中消除大部分湿馅性,保证坝库蓄水后的第二次湿陷变形为最小。

五、软土地基

软土是指天然含水量大于液限,孔隙比大于 1 的黏性土。其抗剪强度低,压缩性高,透水性小,灵敏度高,工程特性恶劣。作为坝基可能产生以下问题:①由于强度低,使坝基产生局部塑性破坏和大坝整体滑坡;②出现较大沉降和不均匀沉陷,使坝体出现大的纵横向裂缝,破坏整体性;③透水性小,固结缓慢,竣工后坝的沉降将持续很长时间;④因为灵敏度高,施工期间由于扰动会使坝基软土强度迅速降低,导致剪切破坏。

黄土高原淤地坝有些修建在原淤地坝的淤泥面上,这种坝基一般属软土地基,应进行处理,以提高其强度,降低压缩性,减少沉降及不均匀沉陷,防止产生大的裂缝。常用的处理方法有:开挖换土、铺排水垫层、设镇压台、打砂井、铺垫土工合成材料等。

1. 开挖换土

如软土不厚,可全部或部分挖除,用土料回填并夯实。如有条件,可用砂、砾石或碎石等回填,防止持力层剪切破坏,还可起排水作用,加速下卧软土固结。通过开挖换土,使受附加应力较大的上部软土被密实的土料所替换,可减少坝基沉降量。

2. 铺排水垫层

填筑排水褥垫可防止由于填土引起局部破坏,并可加速在填土荷载作用下软土的排水固结。排水垫层厚可采用 0.8~1.5m,其宽度应大于坝底宽。垫层材料一般用砂、砾石、碎石等,要求碎石粒径不超过 10cm。当采用碎石垫层时,为防止软土挤入碎石,影响排水功能,可先填薄层砂作反滤,再添碎石。

3. 设镇压台

在坝两侧用土或砂、砂砾石、石渣等在软土上填成镇压台,形成反压荷载。镇压台的作用是提高地基抗滑力,防止地基软土侧向挤入而破坏,增加坝的抗滑稳定。

镇压台宽度和厚度应通过稳定分析确定。一般情况下其厚度为坝高的 1/3~1/2,如果一级镇压台的厚度超过地基的允许承载力,应改用多级较低的镇压台。镇压台的宽度一般为高度的 2~4

倍。以上数值供初选时参考,最终由稳定计算确定。

4.打砂井

在软土中打孔,用砂土回填形成砂井,上接排水褥垫,分别通向上下游,这样就可缩短软土层排水距离,改善排水条件,使软土中的水,可通过砂井和排水褥垫向外排,在荷载作用下迅速固结,增加抗剪强度,使大部分沉降在填土过程中完成。在软土深厚固结系数又比较大的情况下,打砂井是行之有效的处理措施。

5.铺垫土工合成材料

在位于软基上的坝底面铺设土工合成材料(土工织物、土工网等)和砂石等组成加筋垫层,使其底面保持完整连续,约束浅层地基软土的侧向变形,改善软基浅部的应力分布,提高地基强度和承载力,加强抗滑稳定,并调整不均匀沉降。此外,在软土地基与坝体之间铺设土工织物可以加速地基土的排水固结。该法如与上述其他方法联合使用,则处理效果更为显著。

第五节　渗流计算

《规范》4.1.6条提出了渗流计算的要求。黄土高原地区的骨干坝多修建在无常流水的干沟中,洪水暴涨速退,坝体内形不成浸润线,故一般不做渗流计算。随着骨干坝建设范围的不断扩大,在沟道有常流水、骨干坝运用前期需长期蓄水时,应考虑进行渗流计算。渗流计算的目的在于:①对初选的土坝形式与尺寸进行检验,确定对坝坡稳定有重要影响的渗流作用力,为核算坝坡稳定提供依据。②进行坝体防渗布置与土料配置,根据坝体内部的渗流参数与渗流逸出坡降,检验土体的渗流稳定,在此基础上确定坝体及坝基中防渗体的尺寸与排水设施的容量和尺寸。③确定通过坝体和坝基的渗流水量损失。渗流计算内容主要包括:①确定浸润线的位置;②确定渗流的主要参数——渗流流速与坡降;③确定渗流量。

渗流计算的方法有很多,如水力学方法、流网法、图解方法和试验方法等,其中水力学方法相对比较简单而实用,同时也具有一定的精度,其可以用来近似确定浸润线的位置,计算渗流流量、平均流速和坡降。水力学方法采用的基本假定是:①渗流为缓变流动,等势线和流线均缓慢变化。②不同渗透系数的竖向条带土层或是水平条带土层均可以用一等效的均质土层代替。③上游三角形棱体可以用一等效的矩形体代替。根据淤地坝建设和运行实践,下面主要介绍淤地坝工程常用的不透水地基上均质土坝的渗流计算公式。

一、设贴坡式排水(或无排水)

首先,求替代上游三角体 ABC 的渗流水头损失而虚拟的矩形体宽 ΔL(见图5-1):

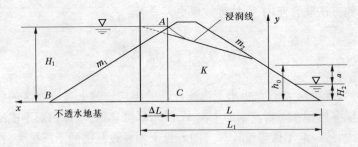

图 5-1　不透水地基上贴坡排水(或无排水)均质土坝渗流示意

$$\Delta L = \frac{m_1}{2m_1 + 1} \cdot H_1 \qquad (5\text{-}2)$$

其次,求单宽渗流量 q:

$$q = K\left[\frac{(H_1 - H_2)^2}{L_1 - m_2 H_2 + \sqrt{(L_1 - m_2 H_2)^2 - m_2^2(H_1 - H_2)^2}}\right.$$

$$\left. + \frac{(H_1 - H_2)H_2}{L_1 - 0.5 m_2 H_2}\right] \qquad (5\text{-}3)$$

第三,求下游坝坡渗出点水深 h_0:

$$h_0 = \frac{[2(m_2 + 0.5)^2(h_0 - H_2) + m_2 H_2](m + 0.5)}{2(m_2 + 0.5)^2 h_0 + m_2 H_2} \cdot \frac{q}{K} + H_2$$

(5-4)

第四,坝体浸润线方程:

$$y^2 = \frac{H_1^2 - h_0^2}{L_1 - m_2 h_0} \cdot x + h_0^2$$

(5-5)

式中:H_1、H_2 分别为上、下游水深;m_1、m_2 分别为上、下游坡率;K 为坝体渗透系数;ΔL 为替代上游三角体 ABC 的渗流水头损失而虚拟的矩形体宽;q 为坝体单宽渗流量;h_0 为下游坝坡渗出点水深。

其余符号含义见图 5-1。如下游无水,以 $H_2 = 0$ 代入以上各式。

二、水平褥垫排水

水平褥垫排水一般用于下游无水的情况。排水褥垫起点处的渗流水深 h_0 为:

$$h_0 = \sqrt{L_1^2 + H_1^2} - L_1$$

(5-6)

通过坝体的单宽渗流量 q:

$$q = Kh_0$$

(5-7)

替代上游三角体的渗流水头损失而虚拟的矩形体宽 ΔL 的计算见上述公式。

坝体浸润线方程为:

$$y^2 = 2\frac{q}{K}x + h_0^2$$

(5-8)

浸润线伸入水平褥垫的长度 a_0:

$$a_0 = \frac{1}{2}h_0$$

(5-9)

式中的符号意义见示意图 5-2。

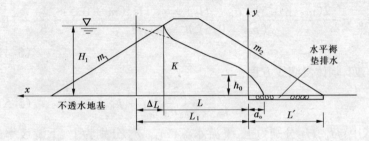

图 5-2　不透水地基上水平褥垫排水均质土坝渗流示意

三、棱体排水

无论下游有水或无水,棱体起端的渗流水深 h_0 均为:

$$h_0 = H_2 + \sqrt{L_1^2 + (H_1 - H_2)^2} - L_1 \tag{5-10}$$

式中的符号意义见示意图 5-3。

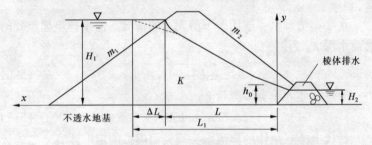

图 5-3　不透水地基上棱体排水均质土坝渗流示意

通过坝体的单宽渗流量 q:

$$q = K \frac{H_1^2 - h_0^2}{2L_1} \tag{5-11}$$

替代上游三角体的渗流水头损失而虚拟的矩形体宽 ΔL 的计算和坝体浸润线方程见上述有关公式。

四、水坠坝渗流计算实例

1.浸润线与渗透流量

某骨干坝为均质土坝,透水坝基,下游有棱体排水,筑坝材料为轻粉质壤土,透水系数为 $2 \times 10^{-5} \, \text{cm/s}$。

浸润线方程:

$$y = (2h_0 x + h_0^2)^{1/2} + h_2$$

$$q = K h_0 \ \text{或} \ q = K[h_1^2 - (h_0 + h_2)^2 / (2 \times (\Delta L + L))]$$

渗透流量公式:

$$h_0 = [(\Delta L + L)^2 + h_1^2]^{1/2} - (\Delta L + L)$$

$$\Delta L = m_1 h_1 / (1 + 2m_1)$$

式中: h_0 为排水棱体上游坡脚处的浸润线高度,m; y 为坝体浸润线纵坐标; x 为坝体浸润线横坐标; q 为单宽渗透流量, $\text{m}^3/(\text{s·m})$; K 为渗透系数; ΔL 为等效宽度,m; L 为最高入渗点至棱体内坡与浸润线交点的水平距离,m; m_1 为上游坝坡边坡系数; h_1 为上游水深,下游有水时,为上、下游水位差,m; h_2 为下游水深,m。

正常运用工况计算成果如下。

上游水位平溢洪道底,水深 17.5m,下游无水时:

浸润线方程为

$$y^2 = 4.19x + 4.39$$

渗透流量为

$$q = k h_0 = 0.38 \, \text{m}^3/\text{d}$$

校核洪水工况计算成果如下。

上游校核洪水位,水深 19m,下游水深 1m(根据下游水位—流量关系曲线得出)。

浸润线方程式为

$$y^2 = (5.74x + 8.25)^{1/2} + 1$$

渗透流量为

$$q = K\left[h_1^2 - \frac{(h_0 - h_2)^2}{2 \times (\Delta L + L)}\right] = 0.65\text{m}^3/\text{d}$$

2. 排水设施

为减轻施工期坝体脱水固结对下游坝坡的破坏,增加坝体稳定性,在背水坡坝脚处设棱式排水体,根据渗流计算,并结合工程运用条件和已建工程的经验,拟定排水体高度为 5.6m,反滤料粗砂层、砾石层、碎石层厚均为 0.2m。

第六节　稳定计算

《规范》4.1.7 条介绍了稳定计算的基本要求。稳定分析计算是确定土坝的设计剖面和评价坝体安全的主要依据。由于淤地坝的运用方式和水库比较有很大的差异,平时坝体内不蓄水,多数坝体内形不成浸润线,即使形成浸润线其出逸点也比较低,超不出下游坝脚。因此,用水库的坝坡稳定计算理论来分析淤地坝的坝体稳定,只有当坝内蓄水运用时才比较准确。考虑最常用的滑弧法理论上存在一定缺陷,规范修订后采用简化毕肖普法或瑞典圆弧法,客观反映土体滑动土条间的状况。

淤地坝稳定分析需要考虑以下两种具有代表性的工况。

1. 正常运用条件

(1)骨干坝水位处于死水位和设计洪水位之间的各种水位的稳定渗流期。

(2)骨干坝水位处于上述范围内经常性的正常降落。

2. 非常运用条件

(1)骨干坝施工期。

(2)校核洪水位有可能形成稳定渗流的情况。

淤地坝稳定分析方法及抗剪强度指标的测定与选择可参考有关规范。

3.水坠坝稳定计算实例

某骨干坝坝高小于30m,总库容小于100万 m^3,根据《水坠坝技术规范》(SL302-2004)的要求,结合已建工程的经验,仅对施工期边埂和坝坡稳定进行验算。

1)边埂稳定分析

采用水平推力法计算,抗滑稳定安全系数为:

$$\left.\begin{aligned}
k &= \frac{T_1 + T_2}{E} \geqslant [k] = 1.05 \\
h_1 / H_t &= 0.27 \\
E &= \frac{1}{2} \gamma_1 h_1^2 \\
T_1 &= (W_1 + W_2)\tan\varphi_1 + C_1 m_1 h_1 \\
&= \left(\frac{1}{2}\gamma_1 m_1 h + \frac{1}{2}\gamma_2 b h_1 - \frac{\gamma_2 b^2}{2} m\right)\tan\varphi_1 + C_1 m_1 h_1 \\
T_2 &= W_3 \tan\varphi_2 + C_2 b = \frac{1}{2}\gamma_2 bm \cdot \tan\varphi_2 + C_2 b
\end{aligned}\right\}$$

$$(5\text{-}12)$$

式中: T_1、T_2 为水平抗滑力,t; φ_1、C_1 为土的总强度指标,本工程取值: $\varphi_1 = 9.8°$,$C_1 = 0.4 t/m^2$; φ_2、C_2 为边埂土的总强度指标,本工程取值: $\varphi_2 = 18.7°$,$C_2 = 0.68 t/m^2$; b 为边埂宽度,本工程取值: $b = 5m$; m 为下游坝坡率,本工程取值: $m = 2.125$; W_1、W_2 为滑动面 L_1 以上边埂土和冲填土的重量,t; W_3 为滑动面 L_3 以上边埂土的重量,t; γ_1、γ_2 分别为冲填土的饱和容重和边埂的湿容重,本工程试验值为: $\gamma_1 = 1.9 t/m^3$,$\gamma_2 = 1.68 t/m^3$; h_1 为流态区深度,m。

计算成果为:

$$h_1 = 6.5\text{m}; T_1 = 31\text{t}; T_2 = 4.5\text{t}; E = 33.3\text{t}$$

$$k = 1.06 \geqslant [k] = 1.05$$

边埂稳定满足要求。

2)坝坡稳定分析

水坠坝的坝坡稳定最不利情况是在施工中、后期,而且在坝高达 2/3 以后,坝体平均孔隙压力系数最大,所以本设计对坝高 15m 和 22.5m 时下游坝坡的稳定性分别进行校核。

稳定计算方法采用《水坠坝技术规范》(SL302 - 2004)介绍的有效应力法进行简化计算。即坝坡稳定安全系数为:

$$k = a - b\overline{B} \geqslant [k] = 1.05$$

式中:k 为稳定安全系数;a、b 为与有效内摩擦角有关的土坡稳定系数;$\overline{B}$ 为滑弧面以上平均孔隙压力系数。

计算资料与数据:

冲填土料为轻粉质壤土,冲填速度为 0.2m/d,固结系数 $C = 1.5\text{m}^2$/d,有效强度指标 $C' = 0, \varphi' = 32.5°$,坝高 15m 以下下游坡平均坡率为 $m_1 = 2.25, 22.5$m 以上平均坡率 $m_2 = 2.125, a_1 = 1.71, b_1 = 1.953; a_2 = 1.682, b_2 = 1.932$;泥浆起始孔隙压力系数为 $B_0 = 1$。

(1)坝高 15m 处稳定情况(滑动区深度 $H_t = 0.47H$)。经计算分析:滑动区深度为 $H_t = 8.1$m,该深度以上平均孔隙压力系数 $\overline{B} = 0.294$,

$$k = 1.14 > [k] = 1.05$$

施工坝高达到 15m 时不会发生滑坡。

(2)坝高 22.5m 的稳定情况。经计算分析:滑动区深度为 $H_t = 10.6$m(坝高 11.9m 处),该深度以上平均孔隙压力系数 $\overline{B} = 0.318$,

$$k = 1.07 > [k] = 1.05$$

即达到设计坝高时坝坡是稳定的。

经对不同施工坝高的稳定验算,原拟定坝体断面符合要求,施工期不会发生滑坡。考虑到运用初期不蓄水,随着坝体内不断脱水固结,坝坡更趋稳定,不另验算。

第七节　坝体土方量的计算

坝体土方量是控制碾压土坝工程量的主要指标,其计算方法主要有 3 种,即地形图法、横断面法和经验估算法。

一、地形图法

根据坝址地形图、设计坝高及坝坡在图上绘制坝坡线,按等高线分层计算坝面面积和层间坝体土方量,各层土方累加,即得坝体总土方量。这种方法相对比较精确。

二、横断面法

通常多采用此法计算土方量,土方量计算步骤如下:

(1)首先绘出坝轴线横断面图,如图 5-4(a)所示,并在图上根据地形变化点量出分段长度 l_1、l_2、$\cdots$、l_n 及各段平均坝高 h_1、h_2、$\cdots$、h_n。

(2)绘出最大坝体标准断面图,如图 5-4(b)所示,根据此图计算不同坝高 h 的坝体断面面积和坝高—面积关系曲线,如图 5-4(c)所示。

(3)把从图 5-4(a)中查得的 h_1、h_2、$\cdots$、h_n 和相应的 l_1、l_2、$\cdots$、l_n 列入表 5-2,再把从图 5-4(c)中查得的相应于 h_1、h_2、$\cdots$、h_n 的坝体面积 F_1、F_2、$\cdots$、F_n 也列入表 5-3,利用公式 $V_i = F_i l_i$ 计算各段土方量 V_1、V_2、$\cdots$、V_n,最后将 V_1、V_2、$\cdots$、V_n 累加,即得坝的

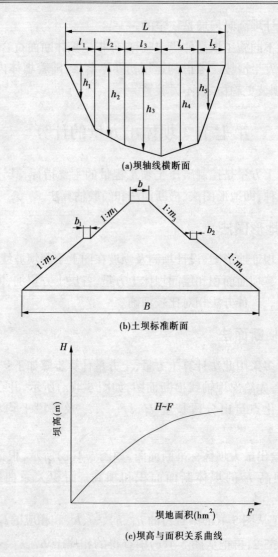

(a)坝轴线横断面

(b)土坝标准断面

(c)坝高与面积关系曲线

图5-4 横断面法计算土方量图

总土方量。

表 5-2 坝体土方量计算

h_i（分段平均坝高）	l_i（分段坝长）	F_i（相应的坝面面积）	V_i（分段坝体土方量）（$V_i = l_i F_i$）	V（累计土方量）
h_1	l_1	F_1	V_1	V_1
h_2	l_2	F_2	V_2	$V_1 + V_2$
⋮	⋮	⋮	⋮	⋮
h_n	l_n	F_n	V_n	$V_1 + V_2 + \cdots + V_n$

三、经验估算法

在项目可研阶段，粗略估算工程量时，也可按下式计算坝体土方量：

$$V_\pm = C \cdot H[36(L + L_1) + H \cdot (m_上 + m_下) \cdot (L + 2L_1)]$$

$$(5\text{-}13)$$

式中：$V_\pm$ 为坝体总土方量，m^3；L 为坝顶长，m；L_1 为坝底长，即坝址沟床平均宽，m；$m_上$ 为上游平均坝坡；$m_下$ 为下游平均坝坡；H 为坝高，m；C 为沟谷断面类型系数（见表 5-3）。

表 5-3 坝址处沟谷断面类型系数

沟谷断面类型	三角形	梯形	U 形	锅底形
形状	V	⌣	U	⌣
系数 C	0.17	0.18	0.20	0.22

第八节　溢洪道设计

《规范》4.2.1～4.2.4 条介绍了溢洪道的结构组成和水力计算方法。

一、溢洪道布设

土坝枢纽一般不允许坝上泄水,而在河岸适当地点修建河岸式溢洪道,分开敞式和封闭式两大类。溢洪道多建在岩基上,也可以建在土基上。尽量选择马鞍形山谷。淤地坝的溢洪道一般多采用开敞式,开敞式溢洪道的优点是:结构简单、水流平顺、施工方便、工程量小。溢洪道的位置,应根据坝址的地形、地质条件进行技术经济比较来选定,并应注意以下几个方面:

(1)要尽量利用天然的有利地形条件,如分水鞍(或山坳)。这样,就可以节省开挖土石方量,减少工程投资,缩短工期。

(2)在地质条件上要求溢洪道两岸山坡比较稳定,防止泄洪时发生滑塌等事故。溢洪道位置最好选择在岩石和红胶土上,以耐冲刷,降低工程造价。如果做在土基上,应选择坚实的地基;将溢洪道全部做在挖方的地基上,还必须用浆砌石或混凝土衬砌,防止泄洪时对土基的冲刷。

(3)在平面布置上,溢洪道尽量做到直线布置,力求泄洪时水流顺畅。溢洪道进出口离坝端应不小于 10m,出口应离下游坝脚 20m 以上。如果由于地形限制,可将进口引水渠采用圆弧形曲线布置,并在弯道凹岸做好护砌工程,而其他部分应尽量做到直线布置。

(4)溢洪道布置尽可能不和泄水洞放在同一侧,以免互相造成水流干扰和影响卧管安全。

二、进口段

1.引水渠

引水渠的作用是将坝内的洪水平顺地引送到溢洪道。引水渠应尽量缩短长度,以减少工程量和水头损失,断面一般采用梯形,新岩石的边坡,可采用 1:0.1~1:0.3,风化岩石大多采用 1:0.5~

1:1.0。土坡可采用1:1.5～1:3.0。也可根据工程地质条件考虑设置挡土墙或护坡工程。引水渠道中的流速比较小，一般为1.0～1.5m/s,其设计可参考相关水力学书籍。

2.渐变段

渐变段是由引水渠到溢流堰的过渡段。它的断面应由梯形变为矩形的扭曲面。其作用是使洪水平顺地流到溢流堰上去。引洪渠和进口渐变段建在较差的岩基和土基上时，为了防止冲刷,应采用块石做护面。为使洪水安全宣泄,渐变槽的底坡一般应大于或等于临界坡度(即 $i \geqslant i_k$),渐变槽长度 L 用下式计算:

$$L = \frac{B - b}{2\tan\frac{\theta}{2}} \tag{5-14}$$

式中:B 为宽顶堰宽度,m;b 为渐变槽后的明渠或陡坡底宽,m。

3.溢流堰

溢流堰一般采用矩形宽顶堰,由浆砌石、灰土、水泥土等做成。堰顶长度不得超过堰上水深的3～6倍。溢流堰两端应布设与岸坡连接的边墩,墩顶应比最高洪水位高出0.5m左右;堰底靠上游端应做砌石齿墙,以减少渗流和增加稳定性。溢洪道的溢流堰顶与陡坡相连接,一般属自由堰流。矩形堰宽可按本《规范》推荐的公式计算确定。

三、泄槽

为使洪水安全宣泄,泄槽的底坡一般应大于或等于临界坡度(即 $i \geqslant i_k$),在这种情况下,泄槽开始断面处(I—I断面)水深等于 h_k(见图5-5)。

泄槽末端(Ⅱ—Ⅱ断面)水深 h_2 可根据能量平衡原理用试算法求出。

能量平衡原理为:

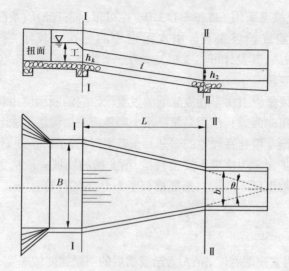

图 5-5　泄槽

$$\left.\begin{array}{c} \Phi_1 + iL = \Phi_2 + h_f \\[2mm] \Phi_1 = h_1 + \dfrac{\alpha v_1^2}{2g} \\[2mm] \Phi_2 = h_2 + \dfrac{\alpha v_2^2}{2g} \\[2mm] h_f = \dfrac{v_{cp}^2}{C_{cp}^2 R_{cp}} L \end{array}\right\} \qquad (5\text{-}15)$$

式中:Φ_1 为断面 I—I 单位能量,m;Φ_2 为断面 II—II 单位能量,m;h_2 为 II—II 断面处水深,m;v_1、v_2 分别为断面 I—I 及 II—II 处的流速,m/s,$v_1 = \dfrac{q}{h_1} = \dfrac{q}{h_k}$,$v_2 = \dfrac{Q}{bh_2}$;$\alpha$ 为不均匀系数,采用 $\alpha = 1.1$;i 为泄槽底坡(应使 $i \geqslant i_k$);L 为泄槽长度(即 I—I、II—II 两断面间距离),m;h_f 为由断面 I—I 到断面 II—II 的能量损失,m;v_{cp}、R_{cp}、C_{cp} 分别为两断面平均的流速(m/s)、水力半径

（m）、流速系数。

计算时，先求出 Φ_1，再假定 h_2，求出 Φ_2，同时求出 v_{cp}、R_{cp}、C_{cp} 及相应的 h_f。若 $\Phi_1 + iL = \Phi_2 + h_f$，则说明 h_2 假定正确，h_2 即为所求的Ⅱ—Ⅱ断面处水深。否则，应重复以上步骤，直至满足上式求出正确的 h_2 为止。

四、挑流消能设计

在黄河流域修建的治沟骨干工程中，溢洪道的消能防冲形式多采用底流消能。当基础条件较好时，为节省工程量，也可采用挑流消能形式。挑流鼻坎由于构造不同而有连续式、差动式多种，其中以连续式最简单，射距也比较远，但水流在空中扩散程度及消能效果较差，对河床冲刷较深。由于它构造简单，鼻坎上水流平顺，故工程上经常采用。

挑流设计中，挑流鼻坎坎顶高程愈低，坎上流速愈大，挑距愈远。但是，为了保证水流自由挑流，坎顶高程一般情况下可与下游最高水位齐平。

第九节　放水工程设计

一、卧管

卧管是骨干坝中最多采用的放水形式，采用分段放水的启闭设备，启闭孔随淤积面的升高而升高。其优点是便于管理，排放灵活。卧管一般采用方形砌石或圆形钢筋混凝土结构。它砌筑在靠近涵洞附近的山坡上，上端高出最高蓄水位，管上每隔 0.3～0.6m（垂直距离）设一放水孔，平时用孔盖（或混凝土塞）封闭，用水时，随水面下降逐级打开。卧管下端用消力池与涵洞连接。孔盖打开后，库水就由孔口流入管内，经过消力池由涵洞放出库外。为防止放水时卧管发生真空,其上端设有通气孔。

卧管要设置在坚实的原状土质或石质基础上,以避免因不均匀沉陷而折裂。其纵坡按山坡地形确定,一般以 1:2～1:3 为宜。坡度太陡,则水流过急且管身易向下滑动;坡度太缓,会加长卧管,浪费材料。在卧管与涵洞接头处需做消力池,以减小卧管水流冲击力,并将急流变成平顺的水流,然后由涵洞放出。这种放水设备技术比较简单,适宜就地取材,同时不受死库容的影响,下孔淤塞,上孔仍可放水。另外放水时,库面水先放,放的是清水,而且水温较高,有利于作物生长,因而很受群众欢迎,目前淤地坝多采用这种形式。

二、涵洞

涵洞结构形式主要有盖板箱涵、圆涵和拱涵 3 种,多采用钢筋混凝土、素混凝土或浆砌石构造。建筑材料为水泥、砂、石料。

(1)盖板涵洞的底、边墙多采用浆砌石或素混凝土建造。盖板则多采用钢筋混凝土板。当跨径较小时,在料石较多的地区也可考虑采用石盖板。

(2)圆涵多采用钢筋混凝土预制管。目前一般采用的标准直径主要有 0.6m、0.75m、0.8m、1.0m、1.25m,为便于检修,多取 0.8m。钢筋混凝土圆涵可根据基础情况选择采用有底座基础或直接放在地基上。当涵洞直径很小时,也可用混凝土制作的圆涵,但直径不宜超过 0.4m,多在小型淤地坝中采用。

(3)拱涵可分为平拱和半圆拱及高升拱。淤地坝中的拱涵多为平拱或半圆拱。高升拱尽管受力条件好,但由于施工比较复杂,目前很少采用。拱涵可根据跨径大小和地基情况采用整体式或分离式基础。拱涵一般采用石砌体或素混凝土建造。

(4)除设在岩石地基上的涵洞外,一般洞身基础应根据地基土的情况,每隔 4～6m 设置一道沉陷缝;高坝下的涵洞,在坝坡边缘下的洞身及基础也应设置沉陷缝。

（5）沉陷缝设置的要求。①沉陷缝必须贯穿整个断面（包括基础），缝宽一般为 2～3cm；②凡地基土质发生变化、基础埋置深度不一，以及基础填挖交界处均应设置沉陷缝；③涵洞和端墙、翼墙、进出口护底等结构分段处应设置沉陷缝。

（6）涵洞沉陷缝处理。为防止涵洞沉陷缝漏水，沉陷缝接头应做止水处理。拱涵、盖板箱涵的沉陷缝常用涂沥青木板、浸过沥青的麻絮填塞。

三、出口消能段

淤地坝涵洞的出口水流，一般为无压流。当涵洞将水流直接送入沟床或经缓坡明渠将水流送入沟床时，涵洞出口水流的流速一般不大于 6m/s，涵洞或明渠出口可采用防冲铺砌消能，较为经济；当涵洞出口接陡坡明渠时，水流流速较大，若采用防冲措施不但难以满足防冲要求，而且还会增加工程投资，在这种情况下宜采用消能设施，如底流消能等。

底流消能主要有挖深式消力池、消力墙和综合式消力池三种型式。这里主要介绍挖深式消力池和综合式消力池的水力设计。

1.挖深式消力池的水力设计

挖深式消力池，是在涵洞或明渠出口要求发生水跃的范围内，以挖深池底的办法局部加大下游水深，促成淹没水跃消能。挖深式消力池水力设计的主要任务是确定池深值 S 和消力池长度 L_B。如图 5-6 涵洞出口后的水面衔接形式所示。

（1）消力池深计算。为保证消力池内发生稍有淹没的水跃，则池深 S、消力池末端水深 h_c''、下游水深 h_t、消力池出口水面跌落 ΔZ 应满足下列关系：

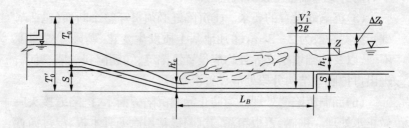

图 5-6 挖深式消力池示意

$$
\left.
\begin{aligned}
\sigma h''_c &= h_t + S + \Delta Z \\
\Delta Z &= \frac{Q^2}{2gb^2}\left(\frac{1}{\varphi'^2 h_t^2} - \frac{1}{\sigma^2 h''^2_c}\right) = \frac{q^2}{2g\varphi'^2 h_t^2} - \frac{q^2}{2g\sigma^2 h''^2_c}
\end{aligned}
\right\}
$$

$$(5\text{-}16)$$

式中:h_t 为下游水深,m;S 为消力池深,m;ΔZ 为消力池出口水面落差,m;σ 为淹没系数,可取 $\sigma = 1.05 \sim 1.10$;φ' 为水流出池时的流速系数,一般取 0.95;b 为消力池宽度,m;Q、q 分别为入池流量及单宽流量,m^3/s,$m^3/(s\cdot m)$。

(2)消力池长度计算。自收缩断面起至池末端的长度为:

$$L_B = (0.7 \sim 0.8)L_j \qquad (5\text{-}17)$$

式中:L_B 为消力池长度,m;L_j 为自由水面长度,m。

2.综合式消力池的水力设计

综合式消力池(见图 5-7)是采用降低护坦高程和建造消力墙两种措施,以局部加大下游水深促使发生淹没水跃来消能。

设计综合式消力池时,应使墙后和消力池内均产生淹没水跃。综合式消力池的水力设计按以下步骤进行。

(1)计算墙高 C_0。由下游水深 h_t 反求墙后收缩断面及静水墙前总水头 T_{10}、墙顶水头 H_{10}:

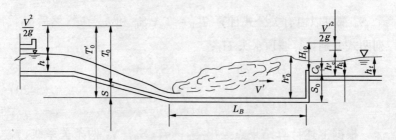

图 5-7　综合式消力池示意

$$h'_{ct} = \frac{h_t}{2}(\sqrt{1 + 8F_{rt}^2} - 1)$$

$$T_{10} = C_0 + H_{10} = h'_c + \frac{q^2}{2g\varphi^2 h_c'^2}$$

$$H_{10} = (\frac{q}{m\sqrt{2g}})^{2/3}$$

$$C_0 = T_{10} - H_{10}$$

(5-18)

式中: C_0 为消力池墙高, m; F_{rt} 为下游断面的佛汝德数 ($F_{rt} = \frac{Q}{6h_t\sqrt{gh_t}} = \frac{q}{\sqrt{g}h_t^{3/2}}$); φ' 为水流过墙顶的流速系数, 可取 0.95; m 为水流过墙垴的流量系数, 一般取 $m = 0.42$; Q、q 分别为消能工的设计流量和单宽流量 $m^3/s, m^3/(s\cdot m)$; T_{10} 为消力墙前总水头, m; H_{10} 为消力墙顶总水头, m。

(2)计算消力池深 S_0。

$$S_0 = \sigma h''_c - (C_0 - H_1)$$

$$H_1 = H_{10} - \frac{q^2}{2g(\sigma h''_c)^2}$$

(5-19)

式中: H_1 为消力墙顶水头, m; S_0 为消力池深, m; 其余符号含义同前。

池深 S_0 可用试算法求出。试算时, 先假定一系列 S_0, 对每一

个 S_0 都可以由有关公式计算 $T'_0 = T + S_0$ 和 h'_c、h''_c，然后按下列两式分别计算墙顶水头 H_1：

$$H_1 = \sigma h''_c - (C_0 + S_0) = f_1 \atop H_1 = H_{10} - \frac{q^2}{2g(\sigma h''_c)^2} = f_2 \Biggr\} \qquad (5\text{-}20)$$

根据上述计算结果点绘出 $S_0 \sim f_1$、$S_0 \sim f_2$ 两条关系线，f_1 和 f_2 线交点的 S_0 向坐标值即为所求的池深 S_0 值。为了安全，可以把求得的墙高 C_0 值稍降低一些，使墙后、池内都产生稍有淹没的水跃。

(3)消力池长度计算。池长计算同挖深式消力池。

第十节　旧坝配套加固设计

根据近年来工程建设的实际情况，一是最早兴建的一批治沟骨干工程由于已超过淤积年限，部分工程因防洪标准降低或工程设施老化，急需加固配套；二是根据沟道坝系建设的需要，一些原有的旧坝亦需加高配套成治沟骨干工程，承担拦洪任务。因此，在修订《规范》时增加了该部分内容，并对其加固配套内容和方式进行了规定。

一、配套加固的必要性

据不完全统计，黄土高原地区，5m 以上的淤地坝有近 10 万座，大多修建于 20 世纪六七十年代，运行时间已三四十年，多数工程已经淤满，单坝的防洪能力和持续拦泥能力下降，加之当时设计标准偏低，无系统的排洪设施，其中无排洪设施的"一大件"工程约占 80%，遇较大洪水存在垮坝的隐患；另一方面，许多工程年久失修，设施老化，存在不同程度的毁损，致使相当数量的沟道工程带病运行、险情加剧,溃坝现象时有发生。据陕西省水保局1993年陕北地区淤地坝普查结果统计,全区31 797座淤地坝中,60～70年代修建的占88.7%,病坝(即坝体、放水工程出现损坏,影响工程正常运用)占9%,险坝(即工程剩余库容不能满足防洪标准)占48.5%,病险坝(即工程质量和防洪标准都不能满足要求)占18.3%,完好坝仅占24.2%。

　　从以上数据可以看出,黄土高原地区的淤地坝病险情况比较严重。但是,这些淤地坝有相当部分坝址位置较好,交通方便,也是当地群众的生产、生活基地,如不配套加固,将影响工程的安全和效益的发挥,甚至影响当地经济社会的持续发展。因此,合理制定配套加固方案,挖掘现有工程潜力,巩固治理成果,是当前沟道工程建设中亟待解决的一个问题。另外,水土保持治沟骨干工程自1986年试点建设以来,最早兴建的一批工程经十几年运行,部分工程也存在防洪标准降低、工程设施损坏而需要配套加固的问题。所以,配套加固是治沟骨干工程建设所必需的。

二、配套加固的可行性

1.配套加固的技术和方法成熟

　　1988年起,淤地坝配套加固成为治沟骨干工程建设的一项主要内容,截至2000年,完成配套加固工程388座。经过十几年和数百座工程的实践,配套加固的技术和方法日趋成熟。总结出了土坝加高的3种形式,即:坝前式加高(如甘肃庆阳县花果山工程、程家沟工程等)、骑马式加高(如山西方山县杨家沟工程等)和坝后式加高(如陕西绥德县何家沟工程等)。加高方法,可采用碾压施工,也可采用水坠施工;可以在坝前空库条件下加高,也可以在坝前蓄水条件下加高。

　　卧管(竖井)加高,一般可分成两种情况,一种是原卧管(竖井)距离坝轴线较远,土坝加高后卧管(竖井)在坝脚线以外,这时只需根据最终坝高将卧管(竖井)加高即可;另一种情况是土坝加高后坝体埋没卧管(竖井),目前在治沟骨干工程中多采用重新修建放水工程的方式,也可先将泄水涵管延长,然后再根据坝高确定卧管(竖井)的加高高度。

溢洪道改造,可分为两种情况,一种是当土坝加高后,将原溢洪道填筑起来,在坝体两岸寻找合适的地形重新开挖溢洪道,这种改造方式一般适用于土溢洪道。另一种是在岩基础修建的溢洪道,加坝后,仍保留原溢洪道,但在溢洪道进口处需修建子堤,并对改造后的溢洪道进行结构设计。

2.配套加固既可以节约工程建设投资,又能够充分发挥工程效益

一般加高 5m 左右就可达到骨干工程的规模要求;同时,工程量也比较小,一般为新建工程的 1/3 左右,所以能大幅度地降低工程投资。由于坝址位置好,也决定它的拦泥、淤地、灌溉等效益显著。根据对 1986～2000 年 388 座配套加固工程和 981 座新建工程的对比统计分析,配套加固工程平均单坝总投资 19 万元,为新建工程总投资的 46%,其中国补平均投资 10.7 万元,为新建单坝国补投资的 40%;平均单坝淤地面积 12.2hm²,为新建工程单坝淤地面积的 144%;平均单坝灌溉面积 18.1 hm²,为新建单坝灌溉面积的 112%。

3.加快坝系建设步伐

以小流域为单元的坝系建设正在黄土高原地区广泛开展,通过坝系工程布设,沟道中的一些原有淤地坝,配套加固后成为控制性的治沟骨干工程,在坝系中承担防洪任务,发挥上拦下保的作用,从而加快了坝系建设步伐。如陕西延安市宝塔区的碾庄沟坝系,20 世纪 50 年代初开始建设淤地坝,到 70 年代初,共兴建淤地坝 288 座,但 1977 年的一场暴雨洪水,使该流域淤地坝毁损 144 座,分析其原因,就是流域坝系内缺乏控制性的骨干工程。通过

20 多年,特别是 1986 年开始的骨干工程试点建设,对该流域进行了坝系规划。按照规划,对 5 座淤地坝进行配套加固,使其成为控制性的骨干工程,同时新建了 3 座骨干工程。目前,该流域有各种类型的坝库工程 167 座,形成了一个比较完整的坝系。

三、配套加固的内容及标准

《规范》4.4.1 和 4.4.2 条规定了配套加固的内容及标准。

1.配套加固内容

水土保持骨干坝多数为"两大件"(坝体和放水涵卧管),配套加固一般指土坝加高、卧管(竖井)加高,个别包括排水渠、灌渠等附属设施的改造;少部分"三大件"工程,也有溢洪道的改建问题。

2.配套加固的标准

土坝配套加固必须满足控制一定的设计洪水的要求,改建后的设计总库容应为新增库容与原有剩余库容之和,工程设计标准应满足《水土保持治沟骨干工程技术规范》和《水土保持综合治理规范》的规定,按计划加高运用年限的来沙总量和一次设计洪水总量作为土坝配套加固计算的依据。在已基本形成坝系的沟道中,考虑到库坝之间相互影响的关系,为便于施工,土坝每次加高的高度控制在 10m 左右。配套放水建筑物的设计标准,必须满足 3 天泄完一次 10 年一遇洪水总量的要求。为便于维修养护,放水涵管的最小内径应不小于 0.8m。

四、配套加固设计

《规范》4.4.3 和 4.4.4 条提出了配套加固设计的方法。淤地坝淤满后,一般情况下坝地已开始耕种,坝前不蓄水,应从长远和当前的生产需要考虑,按设计标准确定土坝加高高度,也可通过一次规划设计,分期加高,达到最终坝高。为节省工作量,宜采用坝前淤土分期加高的方式。一般来说,坝后贴坡式加高土方量大,不经济,而骑马式则是在老坝体上把坝坡由缓变陡而加高,加坝高度亦受限制,其稳定计算方法、坝体结构设计与一般土坝类同,关键是要验算新老坝体接触面的抗滑稳定性,合理选用计算指标。

淤地坝采用多期加高方式时,涵洞、卧管(或竖井)等放水建筑物的布设与修建,应按规划最终坝高考虑,即初修涵洞进口应伸出最终坝高的上游坝坡外一定距离,以免分期加坝时埋没卧管或竖井。

第六章　工程施工

第一节　施工组织设计

关于施工组织设计,基本保留了《暂行规范》5.2 节和 5.3 节的内容,按照开发建设项目对水土保持的要求,增加了对施工场地的处理要求:①工程各类开挖面堆弃场应相对集中,开挖面不宜长时间裸露。②弃土、弃渣应运到专门存放地堆放,并采取防护措施。③施工过程中应做好土、石料场和施工场地的排水、引流。④工程完工后,各类施工场地、开挖面、弃土场等应进行平整,采取措施,恢复植被。通过上述强制性条款,保证了取土场场料的物理力学性质符合坝体用料要求,保证土壤含水量,保证了按坝体不同部位合理使用不同的料场,同时避免了施工过程中的安全隐患,改善了施工场地面貌。因此,必须严格按规范整治取土场。

第二节　导流与度汛

关于导流与度汛,在保留《暂行规范》5.4 节内容的基础上,增加了工程防汛的有关内容和要求:①导流建筑度汛洪水重现期一般取 5 年。②坝体在汛前必须达到 20 年一遇洪水重现期防洪度汛高程,否则应采取抢修度汛小断面等措施。③跨汛期施工工程必须汛前编制防洪度汛预案。

汛期(每年 6～9 月)对工程本身安全影响很大,故在建工程应合理安排工期,导流工程应在汛前按度汛要求抓紧完工,确保汛期的正常使用,主坝体汛前要达到防汛坝高。否则,为防止汛期洪水冲漫坝顶,应采取抢修小断面度汛,顶宽一般不应小于5m,能满足抢险车辆通行和物料堆放的要求。应制订防汛预案,主要包括:抢险机构的建立,抢险队伍的组织,抢险物料、机具和车辆储备,紧急抢险物资组织,车辆调整方案,人员撤离路线及报警联系方式。总之,必须按规范要求,加强工程的防汛工作,确保安全度汛。

第三节 工程施工放样

施工放样是把设计图纸上的建筑物样式放到实地上,即根据建筑物设计尺寸,找出各部分特征点与控制点关系,利用控制点在实地将建筑物特征点标定在地面。工程的放样,须遵守"由整体到局部","先控制后细部"的原则,一般由施工控制网测设建筑物主轴线,根据主轴线测设建筑物细部,并保证各部分设计的相互位置。施工控制网分平面控制网(由小三角网布设)和高程控制网(一般用三、四等水准测量和三角高程测量建立)。

一、土坝放样

土坝放样包括:坝轴线测定,坝身控制测量,清基开挖线和起坡线放样,坝体边坡放样。

(1)坝轴线测设。在设计图上量取两端点和一中点坐标,反算出它与邻近测图控制点之方位角,用前方交会法进行测设,若实地标出三点一线,即为坝轴线位置。

(2)坝身控制测设。通过高程控制网和平面控制网进行测设。

(3)清基开挖线放样。清基深度不少于50cm,采用套绘断面法和经纬仪扫描法放样。

(4)起坡线放样。方法同清基开挖线放样。

(5)边坡放样。采用坡度尺法和轴距杆法。

二、溢洪道放样

溢洪道放样包括 3 个方面:溢洪道纵轴线和轴线上坡度变坡点测设;纵横断面测量;溢洪道开挖边线的测设。

三、放水工程放样

放水工程放样同溢洪道。

第四节　基础处理

在按《规范》规定进行坝基和岸坡处理时,对坝体与两岸山坡接合部必须重视,应清理至不透水层,避免渗水通路。在开挖坝基与岸坡结合槽时,严格按设计开挖到位,用黏土回填,用手夯或小型夯具压实。只有当回填土高出规定高度后,才允许机械碾压。

第五节　水坠坝施工

《规范》5.5.1～5.5.9 条对水坠坝施工方法作了简要介绍。水坠坝是采用水力冲填方法所筑的土坝,通过机械抽水到料场,冲击土料,经过水的湿化、崩解、流动作用,形成泥浆,经人工引导,均匀分层填成均质坝或经水力分选的非均质坝。

一、施工准备

主要做好开辟水源,筑堰蓄水,选择抽水机组,安装抽水机铺设管路,清理坝基、岸坡等工作,冲填机具按《规范》5.5.1 条要求进行选择以保证工效,施工场地必须保证足够水源。

二、取土场布置

(1)取土场按用途分冲填取土场及围埂取土场。围埂取土场应平缓些,最好在坝址两侧,冲填取土场应临近坝址,一般高于设计坝高 20m 以上,有利于天然跌差将泥浆搅拌均匀。

(2)泥沟布设。其作用是在土场制造泥浆并输送到冲填坝面上,在料场一般主要是制造泥浆,称为造泥沟;下一段主要是输送泥浆,称为输泥渠。造泥沟断面是窄深式,长度以 70～130m 为宜,纵坡比降 15%～20%,输泥渠断面深 1m,宽 0.5m 左右,太浅流动泥浆容易淤堵,溢出泥渠。

三、冲填方式及冲填畦块划分

按取土场布置分单向冲填和双向冲填;按填筑程序分间歇冲填与连续冲填等方式,冲填畦块按《规范》5.5.2 条要求划分,对于坝面较宽的大坝,要采用两畦或多畦布置方式,即平行坝轴线筑一条或多条中围埂,将坝面分成两个或多个畦块,逐畦交替冲填。

四、围埂修筑

围埂分边围埂及中围埂两种,上下游边围埂施工中起挡泥及稳定坝坡作用,中围埂仅起分畦作用。围埂按梯形断面逐层修筑,边围埂外坡可与坝坡一致,内坡 1:1 或自然坡,中间埂一般取自然坡。边埂用碾压法施工,每层铺土厚度应根据碾压机具不同合理确定,一般小于 30cm,碾压干容重大于 $1.5t/m^3$。须严格控制埂顶宽,防止出现薄弱部分,埂顶应高出泥面 0.5～1m,宽度如表 6-1 所示。

五、泥浆浓度控制

泥浆浓度高低影响着水坠坝的工效和质量,泥浆过稀,会引起施工期坝体孔隙压力高,导致发生较大位移甚至滑坡;过稠,流动性差,坝泥面坡降过大,影响围埝施工。因此,造泥时必须保证泥浆有合适的浓度。

表 6-1　　　　　　　水坠坝围埝宽度

冲填土料	坝高(m)					
	<15	15~20	20~25	25~30	30~35	35~40
砂壤土	3~4	4~5	4~5	4~5	4~5	5~6
轻粉质壤土	3~4	4~5	5~6	6~7	7~8	8~10
中粉质壤土	4~5	6~8	9~10	11~13	14~17	16~20

六、坝体水分排除

(1)排除坝面积水,可用虹吸管或小水泵,将水排出坝外,也可用埋管自流排水,做法是将钢管或胶管埋在围埝内,管口与泥面平齐,使泥面积水随时排出坝外。随冲填泥面升高排水管也应不断提高,以保证排水的连续性。

(2)泥面垫干土,在刚冲填的泥面上垫一层干土,以吸收泥浆水分,加速泥浆的脱水固结,适用黏性较大的冲填泥浆。

(3)利用反滤体排水。施工期可将下游坝地反滤体提前完成,以利坝体排水,反滤体按《规范》5.5.5条要求设计。

(4)坝内建砂沟、砂井、排水褥垫等专用排水设施。

第六节　碾压土坝施工

一、坝面施工要求

坝面作业分铺料、整平、压实3道工序,按流水作业进行组织。要认真注意施工质量,只有在压实合格后,才能铺填新料。为便于施工期间雨水排除,填筑面可向上游倾斜 1%～2% 的坡度,铺填中应保持坝面平整。

二、接头与接坡处理

分段接头层与层间应错开一定距离,分段条带应与坝轴线平行,各分段间不应形成较大高差,分断面填筑造成的施工接缝必须认真处理。

三、反滤体填筑

应严格按《规范》5.5.5 条要求进行设计施工。一般采用砂、砂砾和块石堆砌而成,分细砂、中粗砂和砾石 3 层,每层 15～20cm,共厚 50～60cm。

四、土料的压实

按《规范》5.6.2 条要求进行施工,保证土料含水量按最优含水量控制,沿坝轴线均匀铺土,对机械碾压不到的地方人工夯实。干容重应符合设计要求,施工现场取样检查合格率大于 90%。以下给出不同土料干容重的数值,供设计时参考:黏性土或壤土为 1.55～1.65t/m³,砾质土 1.65～1.75t/m³,砂砾料和堆石为 1.75～1.85t/m³。

第七节　放水工程施工

一、浆砌石和圆形涵管的施工要求

(1)基础应安放在均一、坚实岩基或坚实土地基上,在上部荷载作用下不变形、不渗漏,经久耐用。

(2)地基开挖应用人工修凿成槽的办法,开挖槽底宽不应超过基础外部尺寸的 1.5 倍。

(3)圆形涵管应浇筑在混凝土或浆砌石管座上,管座与管身接触角大于 120°,厚 20～40cm,沿管身 10～15m 设截水环,必要时设伸缩缝,防止沿管壁渗漏和适应地基不均匀沉陷。

(4)管节接头采用对头拼接,接缝大于 1cm,用沥青麻絮或其他具有弹性的不透水材料填塞。管节接缝和沉陷缝应密实不透水。

二、回填土施工

放水工程完工后,经 14～18 天养护,进行灌水或放烟实验,验收合格后才能回填土方。回填时应保证涵洞左右两侧均衡升高,用人工薄摊细夯保证施工质量。当两侧填土超过管顶 1m 时,再回填管顶土方;管顶填土厚超过 1m,方可使用机械碾压。

第八节 溢洪道施工

溢洪道施工时首先放出中心线和清基轮廓线,从进口到下游与河床联结处按里程桩编号放样,然后,从两头向中间纵向轴线和该段进出口底部高程进行施工,可由低向高扩大平台和深槽。

基础及边坡施工与放水工程中浆砌石施工要求相同。

第九节 雨季施工和冬季施工

一、雨季施工

土坝填筑系大面积露天作业,雨天给控制土壤含水量带来很大困难,须采取如下措施,以保证工程质量而又不过多增加成本。同时应做好坝及土场排水措施,水坠坝还应做好泥浆池的排水措施。

(1)降雨时停止坝面黏性土料填筑,多雨地区可采用气胎碾来保证土壤含水量。

(2)必要时在土料储料场与坝面采用人工防雨措施。

(3)雨季施工时,应在雨期前于坝面附近准备数量足够、质量合格的土料,供雨季施工使用。

二、冬季施工

(1)碾压土坝冬季施工时,要防止土料冻结、降低土壤含水量和减少冻融影响。

(2)选择好冬季施工的专用料区并使料场表土翻松保温。

(3)负气温下土料填筑要求。黏性土含水量不应超过塑限,但也不宜小于塑限2%,砂砾料含水量应小于4%。

(4)混凝土施工应按有关规范要求进行。

第十节　安全施工

为杜绝安全事故发生,保证工程质量和施工进度,《规范》与《暂行规范》比较,重点将安全施工作为新章节提出并强调,以避免因不当施工产生的工程事故和人员伤害。主要要求如下:

(1)对施工人员必须加强安全教育,制定制度,加强安全检查。建立安全检查组织,制定安全措施,严格遵守操作规程,做到安全施工。

(2)水坠坝施工应对造泥沟、输泥渠、冲填池、坝坡、取土场随时监视险情,防止人员或工具掉入泥中,在输泥沟平衡段应设置几道绳索或木棍进行拦挡。同时,应防止坝体变形和滑坡,注意爆破松土、岸坡塌方而伤人及毁坏机具,人力车与机车相撞,违章开机开泵及库水位暴涨损毁或淹没机具等。

（3）爆破施工应符合现行有关规范的规定。炸药须由熟练工作人员掌握,炸药管理、制药、装药、点炮等应经施工人员严格审查;对放炮时的警戒范围、装炮数量、发炮数量和出现的瞎炮必须认真清点,很好处理;松土放炮必须放小炮,防止震动坝体。

（4）汛期施工,应按照防汛预案做好防洪物资、报汛联系、夜间照明等准备工作。可参考本章第二节执行。

（5）脚手架必须经常检查、维修和加固,操作人员必须配戴安全带、安全帽,材料不得自高空随手扔下。脚手架周围应布设安全网,身体不适或有病人员不得上架。大风或夜间停电、灯光暗淡时应停止工作,采取一切有利措施,保障施工人员的生命安全。

第十一节　淤地坝施工实例

一、工程概况

木沟湾骨干坝位于田庄镇木沟湾村,坝址地处无定河二级支流木沟湾小流域沟口,控制面积 3.0km^2,主沟道长 2.9km,沟内无常流水。该坝建成后可淤地 9.87hm^2,新增拦泥库容 80 万 m^3,可保护下游川台地和坝地 13.3hm^2,有较好的效益。

工程地处黄土丘陵第一副区,沟深坡陡,地形破碎,黄土深厚,左右岸建坝土料丰富,可满足筑坝要求。坝址处沟道岸坡较缓,且呈梯形状。工程主要技术经济指标见表 6-2。

二、施工方法

1.基础处理

根据施工放线的清基范围,承建单位对地表乱石、杂草、腐殖质等进行了清除,清除深度 0.3～0.5m。对左右岸进行削坡处理,边坡为 1:1.5。按照设计,与坝轴线平行开挖 3 条结合槽,断面深

表 6-2　　　　　　　木沟湾骨干坝主要技术经济指标

河系	无定河二级支流	主要工程量	土方	9.0 万 m³
建设地点	田庄镇		石方	25m³
建设性质	新建		浆砌石方	504m³
工程规模	控制面积	3.0km²		合计	
	总库容	100.7 万 m³		投工	9 001 工日
	拦泥库容	80.0 万 m³	投资	总投资	69.93 万元
	淤地面积	9.87 万 m²		国家投资	54.00 万元
	淤积年限	20 年		地方匹配	
拦河坝	型式	均质土坝		群众自筹	
	最大坝高	30m	效益	防洪保护	13.3hm²
	坝顶长	149m		灌溉	
				养殖	
	坝体方量	9.0 万 m³		单位库容投资	0.69 元/m³
	施工形式	碾压 + 水坠		单位拦泥投资	0.87 元/m³
输水洞	型式	石拱涵洞		单位工程量投资	7.72 元/m³
	长度	142m		单位淤地面积投资	7.085 万元/hm²
	宽×高	0.8m×1.2m		单位工程量换库容	11.12 m³/m³
	直径			单位淤地面积拦泥	8.105 万 m³/hm²
施水设施	型式	卧管	主要材料用量	水泥	56.4t
	总高度	13.5m		钢材	0.01t
	每台高度	0.6m		砂子	195.6m³
	宽×高	0.6m×0.6m		炸药	0.13t
	直径	0.6m		柴油	93.62t
溢洪道	型式		计划工期	开工日期	2001 年 9 月
	总长度			竣工日期	2002 年 9 月
	断面宽×高			总工期	12 个月

2m、底宽 1m,边坡 1:0.5。经监理方确认后,进行下一道工序施工。

2.坝体土方填筑

考虑到坝址所在沟道无常流水,该工程在设计时用碾压法填筑土料。施工中发现坝址下游左岸有一口自流式水井,除满足群众饮用外,还有多余水溢出。对此施工队在下游修筑了临时拦水坝,经过测算,24 小时可蓄水 120m³,可满足小功率柴油机和 15m³/h 的水泵进行水坠施工。承建单位提出采用水坠与碾压结合施工,监理方按照有关规定,同意改变施工方式。

施工队依据水量、施工机械、劳力等综合分析,确定边埂宽 3~8m,坝高达到 25m 后,不再水坠,改为碾压。这种施工方式既保证了工程质量,提高了工效,又节约了建设资金。

在施工过程中,施工方严格控制了土壤含水量、铺土厚度、碾压次数和泥浆稠度、冲填速度等指标,所测 310 个土样的干容重均达到 1.55t/m³ 以上。

3.放水工程施工

首先挖好基础,确定放水工程控制线,从消力池进口施工,自上而下砌筑过水涵洞,自下而上砌筑卧管,选取用当地石料,用 M7.5 水泥砂浆砌筑(坐浆、灌浆),M10 水泥砂浆勾缝。

在浆砌石施工中,做到石块大面朝下,上下前后错缝,内外搭接,石块间用砂浆结合,背墙填腹用毛石逐层座底,小片石填缝捣实,水泥砂浆灌实。在砌筑涵洞拱圈时,为了保持拱的平顺和整体曲线,以拱的长度和厚度从两端起拱线处对称向拱顶砌筑,并按要求处理顶部结合层,养护 7 天后,开始拆模。整个放水建筑物施工按照设计和施工技术操作规程要求操作,每个单元工程都经过监理工程师确认。

4.施工经验

(1)该工程以流域水土保持专业机构为项目法人,责任主体明确,管理体制先进,中间环节少,层次清晰。地方政府和有关部门配合密切,工程进展顺利。

(2)施工单位根据工程性质、机械设备、人员状况进行了合理的施工组织设计,并在施工中积极创新,探索新的施工工艺,顺利完成施工任务。如土料上坝初期,先做碾压试验,得出结论后,按此施工,这样就大大减轻了测试者的劳动强度,节省了时间;根据实际情况,采用碾压与水坠相结合,提高了工效,节约了投资。

(3)与先进的管理技术接轨,对工程实行法人制和监理制,中央资金实行报账制,职责明确,互相协作,为高质量完成工程任务提供保障。

(4)组织机构健全。现场有施工所,有施工单位技术负责人、安全员,有质检员和驻地监理工程师。汛期组织有防洪抢险队,确保工程安全度汛和高质量如期完成。工程竣工验收后,移交田庄镇木沟湾村,由村委会负责工程安全运行和日常管理。

第七章 工程质量检查及验收

第一节 工程质量检查

《规范》6.1.1~6.1.7条规定了工程质量检查的基本要求。工程质量检查内容主要包括施工中土方、石方和混凝土工程三部分。应建立施工单位自检、监理单位控制、政府部门监督相结合的工程质量检查体系,对工程质量实行全过程管理。

一、单元工程质量检查要求

(1)单元工程是指某项目工程中最基本单元的工程体,是骨干坝质量考核的基本单位。单元工程应按照施工方法相同、工程量相近、便于进行质量控制和考核的原则划分。施工单位在单元工程施工质量自检时,可按照《黄河水土保持生态工程施工质量评定规程》等有关要求进行操作,检验工序和数量均应符合规定,及时做好检验记录,并认真填写有关表格。

(2)对单元工程施工中出现的质量缺陷,施工单位应详细记录备案,并计入相应单元工程质量评定表中,以便统计分析时应用。质量缺陷是指还构不成一般质量事故的质量问题。

(3)建设(监理)单位应及时做好单元工程的质量抽检工作,并根据抽检资料记录,核定该单元工程的质量等级。当发现单元工程质量不合格时,应及时通知施工单位按设计要求进行处理,只有达到合格后才能进行后续单元工程的施工。

二、隐蔽工程及关键部位施工的质量检查要求

隐蔽工程主要指骨干坝的清基、基础处理、放水工程等在完工后被覆盖的工程。这些工程施工完毕一旦被覆盖就很难对其施工质量进行检查。工程关键部位是指对工程安全或效益有显著影响的部位,这些部位施工质量的好坏对整个工程质量能否达到设计要求起到关键的作用。因此,在隐蔽工程和关键部位施工中,不仅施工单位要严格控制、精心施工,还应报请项目法人(或按合同委托监理单位)组织设计、施工、质量监督等单位组成联合检验小组,共同检验并核定其质量等级,达不到质量要求的要坚决返工。隐蔽工程及关键部位需在施工合同中加以明确。

三、质量事故处理及其工程质量的检查要求

(1)质量事故是指工程建设过程中,由于建设管理、监理、勘测设计、施工、材料、设备等原因造成工程质量不符合规程规范和合同规定的质量标准,影响工程使用寿命和对工程安全运行造成隐患和危害的事件。如不进行处理,必然会对整个工程的安全运行带来极大的隐患。

(2)质量事故的处理应坚持"事故原因不查清楚不放过、主要事故责任人和职工未受教育不放过、补救和防范措施不落实不放过"的"三不放过"原则。

(3)质量事故按直接经济损失的大小、检查和处理事故对工期影响时间长短以及对工程正常使用的影响三方面综合分析后,分为一般质量事故、较大质量事故、重大质量事故、特大质量事故。不同的质量事故应采取不同的处理措施。

(4)事故处理后,处理方案中对质量事故处理后的质量要求应有明确的、不同于原工程部位质量要求的规定,对处理后的工程质量应重新进行检测和评定。

第二节　工程质量评定标准

骨干坝质量评定主要包括坝基及岸坡清理、机械碾压、水坠施工、反滤体铺设、坝坡修整、浆砌石及钢筋混凝土的浇筑等方面,下面逐一进行介绍。

一、坝基及岸坡清理

工程施工中坝基通常由土质或石质构成,在检查项目与标准方面有各自的要求:

(1)土质坝基质量检查要求对树木、草皮、树根、乱石及各种建筑物全部清除,并做好水井、洞穴、泉眼、坟墓等处理;基础的处理要求粉土、细砂、淤泥、腐殖土、泥炭应全部清除;对风化岩石、坡积物、残积物、滑坡体等均应按设计要求处理,并按设计要求处理探坑和试坑。

(2)土质坝基质量检测要求人工施工清理边界超过设计基面边线 30cm,机械施工要超过设计基面边线 50cm;岸坡坡度不陡于设计边坡。

(3)土质坝基及岸坡清理质量检测的数量应符合以下要求:用皮尺或仪器对所有边线进行量测,每边线的测点不少于 5 点;岸坡每 10 延长米用坡度尺测一个点。

(4)石质坝基质量检查要求岸坡开挖应按设计边坡要求进行,断层破碎带应采用深挖充填方法处理;基础面要求无松动岩块、悬挂体、陡坎、尖角等,且无爆破裂缝;开挖面要平整,无反坡及陡于设计的坡度。

(5)石质坝基质量检测要求标高允许偏差 $-10 \sim +20$cm;坡面斜长 15m 以内坡面局部超、欠挖允许偏差 $-20 \sim +30$cm,15m 以外允许偏差 $-30 \sim +50$cm;长宽边线范围允许偏差 $0 \sim$

+50cm。

(6)石质坝基及岸坡清理质量检测的数量应符合以下要求:采用横断面法控制;坝基部位横断面间距不大于20m,岸坡部位横断面间距不大于10m;各横断面不少于6个测点。

(7)土质或石质坝基及岸坡清理质量评定标准规定如下:

合格标准:检查项目符合质量标准;检测项目的合格率不小于70%。

优良标准:检查项目符合质量标准;检测项目的合格率不小于90%。

二、沟槽开挖及基础的处理

(1)土质沟槽质量检查要求开挖的断面尺寸、坡度、水平位置、高程应按设计要求进行;除岸坡结合槽基础外,其他沟槽基础必须进行处理。

(2)土质沟槽质量检测要求标高允许偏差0～+5cm,宽、深边线范围允许偏差0～+10cm。

(3)土沟槽开挖及基础处理质量检测的数量应符合以下要求:采用横断面法控制;每10m取一个横断面;各横断面检测点不少于3个。

(4)石质沟槽开挖质量检查要求开挖断面尺寸、坡度、水平位置、高程应按设计要求进行;基础面要求无松动岩块、悬挂体、陡坎、尖角等,且无爆破裂缝;开挖面平整,无反坡及陡于设计坡度。

(5)石质沟槽质量检测要求标高允许偏差在-10～+20cm,宽、深边线范围允许偏差在0～+30cm。

(6)石质沟槽开挖及基础处理质量检测的数量应符合以下要求:采用横断面法控制;每10m取一个横断面,各横断面检测点不少于3个。

(7)土质或石质沟槽质量评定标准同坝基及岸坡清理的评定

标准。

三、土坝机械碾压

1.土坝机械碾压施工要求

(1)填筑土坝体或水坠坝边埝土料的土质及含水率应符合设计和碾压试验确定的要求。

(2)铺土前应对压实表土刨毛、洒水;应沿坝轴方向分层铺土,厚度均匀,每层厚度不超过30cm,土块直径小于5cm。

(3)碾压机械行走方向应平行于坝轴线,相临作业面的碾迹必须搭接,碾迹重叠10～15cm;靠近岸坡、沟槽结构边角的填土应采用人工或机械夯实,夯击应连环套打,双向套压,夯迹重合不小于1/3夯径。

(4)坝体分段施工时,应清除接头表土,切成台阶,形成梳状齿槽;坝体横向接缝结合坡度不应陡于1:3,高差应小于5m。

2.土坝机械碾压质量要求

上坝土料土质、含水率应符合设计要求;碾压机械行走方向应平行于坝轴线,碾迹及搭接碾压符合要求;土块直径小于5cm,按设计要求分段施工。

3.土坝机械碾压质量检测的数量要求

铺土厚度检测应按作业面积大小每100～200m² 取一个测点;干容重按每200m² 取样一个,每层不少于5个测点;对于结合部位和边角及可疑部位应加密检测;每单元工程取样不到20个时,可多层累积统计。

4.土坝机械碾压工程质量检测项目与标准

检测项目与标准见表7-1。

5.土坝及水坠边埝机械碾压质量评定标准

应符合以下规定:

(1)合格标准:检查项目符合质量标准;检测项目符合合格质

量标准。

（2）优良标准：检查项目符合质量标准；检测项目符合优良质量标准。

表 7-1 土坝机械碾压质量检测项目与标准

项次	检测项目	质 量 标 准		
1	铺土厚度	合格：允许偏差 0～－5cm，合格率 70% 以上		
		优良：允许偏差 0～－5cm，合格率 90% 以上		
2	压实指标（应达到设计干容重度试样合格率）		黏性土	非黏性土
		合格	85%	90%
		优良	90%	95%

四、水坠法填土

1.水坠法填土施工要求

（1）施工前应对筑坝土料进行以下试验。包括黏粒含量、塑性指数、崩解速度、渗透系数、有机质含量、水溶盐含量等；修建水坠坝的土料应符合表 7-2 的规定。

表 7-2 筑坝土料控制性指标经验值

项 目	均质坝						非均质坝
	砂 土	砂壤土	壤土			花岗岩和砂岩风化残积土	花岗岩和砂岩风化残积土
			轻粉质	中粉质	重粉质		
黏粒和胶粒含量（%）	＜3	3～10	10～15	15～20	20～30	15～30	5～30
砂砾含量（%）	—	—	—	—	—	砾≤30	60～80
塑性指数	—	—	7～9	9～10	10～13		

续表 7-2

项目	均质坝					花岗岩和砂岩风化残积土	非均质坝 花岗岩和砂岩风化残积土
	砂土	砂壤土	壤土				
			轻粉质	中粉质	重粉质		
崩解速度 (min)	—	1~3	3~5	5~15	<30	—	—
渗透系数 (cm/s)	$<1.0\times10^{-4}$	1.5×10^{-5} ~ 2.0×10^{-5}	1.0×10^{-5} ~ 1.5×10^{-5}	3.0×10^{-6} ~ 1.0×10^{-5}	1.0×10^{-7} ~ 3.0×10^{-6}	$>1.0\times10^{-6}$	$>1.0\times10^{-6}$
不均匀系数	—	—	—	—	—	—	>15
有机质含量 (%)	<3						
水溶盐含量 (%)	<8						

注:表中黏粒含量是用氨水作为分解剂得出的。

(2)不同土料的起始含水率。砂土按 25%～40%控制,砂壤土、壤土按 39%～50%控制,花岗岩和砂岩风化残积土按 45%～55%控制;相应稳定含水量:砂土 15%－22%,砂壤土、壤土 23%～26%,花岗岩和砂岩风化残积土 23%～27%;按设计控制泥浆浓度、围埝宽度及质量。水坠坝允许冲填速度应符合表 7-3 的规定。

(3)输泥渠出口位置应合理设置,适时调整。

2.水坠法施工质量检查要求

填土应按设计要求冲填土质,边埝质量达到设计要求,坝坡无鼓肚,坝面无积水;冲填速度符合施工设计。

3.水坠法填土单元工程质量检测的数量

应符合以下要求:边埝干容重取样执行机械碾压的有关规定;泥浆浓度按每 200m² 取样一个,每层不少于 5 个测点;每单元工程取样不到 20 个时可多层累积统计。

表 7-3　　　　　　　　　　均质坝允许冲填速度

项 目	砂 土	砂壤土	壤土			花岗岩和砂岩风化残积土		
			轻粉质	中粉质	重粉质	坝高分区(从底部起)		
						<1/3	1/3~2/3	>2/3
两日最大升高(m)	<1.0	<0.8	<0.6	<0.4	<0.3	<0.8	<0.5	<0.4
旬平均日冲填速度(m/d)	0.30~0.50	0.20~0.25	0.15~0.20	0.10~0.15	0.07~0.10	0.20~0.30	0.15~0.20	0.10~0.15
月最大升高(m)	<7.0	<7.0	<5.5	<4.0	<3.0	<7.0	<5.0	<3.0

注:土料的黏粒含量在 20%~30% 时,可按《水坠坝技术规范》在坝体内设置砂井(沟)或聚乙烯微孔波纹管网状排水,允许冲填速度可取表中数值的 1.5 倍。

4.水坠法填土单元工程质量检测要求

单元工程质量检测要求见表 7-4。

表 7-4　　　　　　　　水坠法填土质量检测项目与标准

项次	检查项目	质量标准
1	边埂干容重	合格:达到设计干容重试样合格率为 70% 以上,不合格样不得集中
		优良:达到设计干容重试样合格率为 90% 以上,不合格样不得集中
2	泥浆浓度	合格:达到设计泥浆浓度试样合格率为 80%,不合格样不得集中
		优良:达到设计泥浆浓度试样合格率为 90%,不合格样不得集中

5.水坠法填土单元工程质量评定标准

应符合以下规定:

(1)合格标准:检查项目符合质量标准;检测项目符合合格质量标准。

(2)优良标准:检查项目符合质量标准;检测项目至少有一项符合优良质量标准。

五、反滤体铺设

1.反滤体铺设施工要求

(1)反滤体的基面(含前一填筑层)处理必须符合设计要求,验收合格后方可填筑。

(2)加工好的各种反滤材料检验合格后方可使用;分开堆放在干净的土地上,采取保护措施,防止泥水和土块等杂物混入。

(3)反滤料的粒径、级配、坚硬度、抗冻性和渗透系数必须符合设计要求。

(4)反滤层的结构层数、层间系数、铺筑位置和厚度必须符合设计要求。

(5)必须严格控制反滤层的压实参数,严禁漏压和欠压。

(6)铺筑反滤层,必须严格控制厚度;砂和砂砾料应适当洒水,并预留相当层厚5%的沉陷量;相邻层面必须拍打平整,保证层次清楚,互不混杂;分段铺筑时,必须做好接缝处各层间的连接,使接缝层次清楚,不得发生层间错位、折断、混杂;不论平面或斜面接头,都必须为阶梯状。

(7)堆石棱体,应先铺底面上的反滤层,次堆棱柱体,再铺斜向反滤层;斜卧式反滤体,应从坝坡由内向外,依次铺至设计高度;堆石的上、下层面应犬牙交错,不得有水平通缝;滤水坝趾贴坡排水外坡石料的砌筑应采用平砌法。

2.反滤体质量检查要求

基面、反滤料粒径、级配、坚硬度、抗冻性和渗透系数必须符合设计要求,反滤体必须密实,严禁漏压和欠压;分段施工必须符合施工设计。

3.反滤体铺设质量检测的数量要求

含泥量检测应分层进行,每 $200\sim300m^2$ 检测一组,根据实测值直接确定合格或优良;若合格和优良点数相同时,以工程量较大者的检测结果确定合格或优良;每层厚度偏小值的检测,每 $100\sim200m^2$ 检测一组或每 10 延米取一组试样。

4.反滤体铺设单元工程质量检测项目与标准

单元工程质量检测项目与标准见表 7-5。

表 7-5　　　　　反滤体铺设质量检测项目与标准

项次	检查项目	质量标准
1	含泥量	合格:不大于 5% 优良:不大于 3%
2	每层厚度 偏小值	合格:不大于设计厚度 15%的合格测点不少于 70% 优良:不大于设计厚度 15%的合格测点不少于 90%

5.反滤体铺设质量评定标准

反滤体铺设质量评定标准应符合以下规定:

(1)合格标准:检查项目符合质量标准;检测项目符合合格质量标准。

(2)优良标准:检查项目符合质量标准;检测项目至少有一项符合优良质量标准。

六、坝坡修整

(1)坝坡修整质量检查要求土坝碾压时,必须在每一层铺土上下游留有余量,坝体完工后按设计断面和坡比进行削坡;坝体与岸坡交接处应按设计要求设置排水沟,以拦泄山体和坝坡的径流;排水沟布置及断面尺寸应按设计确定;坝坡应进行植物防护;选择主根较浅易生根、能蔓延、耐旱的草灌类,种植均匀。

(2)坝坡修整质量检测的数量应符合以下要求:坝坡不设马道时,每一坝坡检测点不少于 5 个;设马道时,马道上下检测点分别不少于 3 个;排水渠每 10m 测一个断面。

(3)坝坡修整质量检测要求削坡坡比允许偏差为设计值的±5%,排水渠宽、深允许偏差为设计尺寸的±5%。

(4)坝坡修整质量评定标准同坝基及岸坡清理的评定标准。

七、浆砌石

1.浆砌石施工要求

(1)砌筑采用坐浆法施工。

(2)砂浆原材料、配合比、强度应符合设计要求;砂浆宜用细砂,水泥宜用普通硅酸盐水泥;砂浆应随拌随用,严禁使用超过初凝时间的砂浆。

(3)浆砌石工程的外形尺寸应符合设计要求;铺浆必须全面、均匀,无裸露石块。

(4)浆砌石砌缝宽度,粗料石为 1.5~2.0cm,块石(毛料石)为3.0cm。

(5)勾缝砂浆必须单独拌制,不得与砌体砂浆混用;勾缝前,要先剔缝,应将缝槽清洗干净,无残留灰渣和积水,并保持缝面湿润;清缝深度水平缝不小于 3cm,竖缝深度不小于 4cm。

2.浆砌石工程质量检查要求

原材料、砂浆配合比应符合规范要求;砌筑采用坐浆法施工,空隙用碎石填塞,不得用砂浆充填;勾缝无裂缝、脱皮现象。

3.浆砌石质量检测的数量应符合的要求

采用横断面法控制;涵洞、溢洪道每 10~20m 抽查 1 处,卧管、竖井、明渠、浆砌石坝体每 5～10m 抽查 1 处，消力池抽查不少于 2 处；每处设 3 个测点，总检测点不少于 20 个。

4.浆砌石工程质量检测

要求砌石结构尺寸允许偏差为设计尺寸的 ±4%；用 2m 直尺测量，表面凹凸 ±2cm；轴线位置允许偏差小于 1cm；标高允许偏差 ±1.5cm。

5.浆砌石质量评定标准

.浆砌石质量评定标准应符合以下规定：

(1)合格标准：检查项目符合质量标准；检测项目的合格率不小于 70%。

(2)优良标准：检查项目符合质量标准；检测项目的合格率不小于 90%。

八、现浇混凝土

1.现浇混凝土施工应符合的规定

(1)混凝土浇筑应留施工缝，施工缝表面无乳皮，凿成毛面。

(2)浇筑混凝土的模板及支架材料应符合《规范》要求，具有足够的稳定性和强度；模板表面应光洁平整、接缝严密、不漏浆。

(3)钢筋的规格尺寸、安装位置应符合设计要求。

(4)钢筋的加工、绑扎应进行验收，确认符合设计后，才能浇筑混凝土。

(5)混凝土配合比及施工质量必须满足设计提出的抗压、抗渗、抗冻、抗腐蚀等要求。

(6)浇筑砂浆所用原材料符合有关规范要求，砂浆根据设计要求配制；混凝土铺料间歇时间符合要求，不允许仓面混凝土出现初凝现象，否则，按冷缝处理。

(7)混凝土稠度基本均匀，坍落度偏离设计中值不大于 2cm。

(8)拌料及时、均匀，层厚符合规定，钢筋上无凝固砂浆附属物,无骨料集中现象;振捣均匀、密实。

(9)脱模混凝土表面平整,无蜂窝、麻面、露筋、掉角、裂缝,局部个别问题应及时进行处理。

(10)养护及时,在规定 28 天内保持板面湿润。

2.现浇混凝土单元工程质量检查要求

模板及支架有足够的稳定性、刚度和强度;模板表面应光洁平整、接缝严密、不漏浆;钢筋的规格尺寸、安装位置应符合设计图纸的要求;混凝土配合比及施工质量必须满足设计要求;混凝土表面无蜂窝、麻面、露筋、掉角及裂缝。

3.现浇混凝土质量检测要求

同一排受力筋、分布筋间距及双排钢筋排与排间距偏差为 $\pm0.1cm$;用 2m 直尺检查,表面凹凸 $\pm1cm$;结构尺寸允许偏差为设计尺寸的 $\pm3\%$。

4.现浇混凝土质量检测数量

应符合以下要求:采用横断面法控制;涵管、卧管每 5~10m 抽查 1 处,消力池至少抽查 1 处;每处各测 3 点,总检测点不少于 20 个。

5.现浇混凝土单元工程质量评定标准

应符合以下规定:

(1)合格标准:检查项目符合质量标准;检测项目的合格率不小于 70%。

(2)优良标准:检查项目符合质量标准;检测项目的合格率不小于 90%。

第三节　工程验收

《规范》6.2.1~6.2.4 条规定了工程验收的基本要求。验收的依据是已批准的坝系可行性研究报告、单项工程设计文件,以及相应的设计变更、修改文件,部颁《水土保持治沟骨干工程技术规范》、《水土保持综合治理技术规范沟壑治理技术》和上级有关的管理办法和规定。其中单项工程验收分为中间验收和竣工验收两个阶段。

一、验收内容

1.中间验收

中间验收是指单项工程在施工期间隐蔽工程和分部工程的验收。

(1)隐蔽工程验收是指基础开挖或地下建筑物施工完毕尚未进行覆盖的验收,如放水涵洞等,在尚未覆盖以前进行的验收,它也属于一种阶段验收性质。但由于不能等待进行一次集中的验收,故不便由包括各方面代表的验收小组来进行验收。淤地坝隐蔽工程验收主要包括清基、削坡、结合槽挖填、放水卧管施工、放水涵洞施工、溢洪道基础开挖等。

(2)分部工程验收是指总体工程中,土坝、涵洞、卧管、溢洪道等某一分部工程在总体工程竣工前已经完建,并已具备了提前投入运用的条件时进行的验收。

2.竣工验收

竣工验收是指工程全部完建,需对工程进行全面考核,作出评价,并办理产权移交使用手续而进行的最终工程验收。竣工验收原则上应在工程竣工后进行。

3.中间验收时建设单位应提供的文件

(1)完工工程设计文件、施工说明书和完工清单;

(2)施工过程中有关设计变更的说明和批准文件;

(3)试验、质量检验及测量成果;

(4)隐蔽工程的检查记录和照片;

(5)施工大事日志;

(6)分部工程完工图纸。

4.竣工验收时建设单位应提供的文件

(1)工程设计文件、工程审批意见书和批复文件;

(2)工程竣工报告、竣工图纸、竣工决算和竣工清单;

(3)工程试验、质量检验及测量结果;

(4)有关工程设计变更的说明、变更报告和批准文件;

(5)工程施工记录、管护合同;

(6)工程中间验收书、工程监理报告;

(7)工程施工承包合同文本。

二、验收方法及标准

1.中间验收的方法及标准

中间验收应按程序分步骤进行,在正式验收前,应先审查施工记录及质量检验记录。

1)土坝工程验收

(1)清基范围的检验,可根据坝轴线控制桩,用皮尺向上、下游测量清基范围是否符合设计要求(开挖线应大于设计线 0.5m)。清基质量主要是检查清除杂物及腐殖土的情况,对于结合槽还应检查其断面尺寸是否符合要求。

(2)回填土方每次验收分两项内容,其一是检查坝体、断面尺寸和实际完成土方量。可以采用花杆瞄线法,根据坝轴线控制桩,在坝面上每隔 10m 设一个临时桩点(变化处加桩),用水准仪测算高程并计算相应坝宽,用皮尺检测实际宽是否符合要求,正负误差不应超过 0.1m。其二是检验回填土方压实质量(干容重),一般采用方格法取样,平均每 20～50m² 取一个,每层取样不能少于 5个。要注意边角及两岸结合部位的取样。

2)涵卧管及溢洪道工程验收

(1)基础开挖主要检查开挖线是否符合要求;开挖深度是否达

到设计规定;夯实、回填加固是否达到质量标准。

可用仪器、小钢尺和皮尺检查各部分的断面尺寸是否符合设计要求。

(2)根据施工检验记录,分析浆砌体和混凝土浇筑质量,并要求用回弹仪测定混凝土强度,对建筑物各部分进行现场试验,作出质量评价。

2.竣工验收的方法及标准

竣工验收时验收组应听取关于设计和施工情况的汇报,现场检测竣工工程质量和尺寸,如量测坝高、坡比和放水建筑物、泄水建筑物的尺寸,碾压坝坝体土样采集及土力学指标的分析等,查阅相关文件,查看工程竣工后设置的标志碑等,并根据有关验收标准作出结论,对工程遗留问题提出处理意见,并规定完成的期限,验收合格后提出验收鉴定书,对单项工程进行等级评定。主要达标条件有以下几个方面:

(1)工程竣工报告、竣工图纸及竣工项目清单、施工监理资料、施工记录及质量检验记录、阶段验收和单项工程验收鉴定书、主体工程承包合同文本、竣工决算、工程建设大事记和主要会议记录,全部工程设计文件和设计变更修改图纸,以及上级批准文件等资料齐全并符合要求。

(2)根据工程设计文件、竣工图纸、施工记录、质量检验记录及阶段验收和中间验收鉴定书,土坝、涵卧管及溢洪道基础开挖、土方回填及其质量测定方法符合设计要求。

(3)土坝坝体应无纵横裂缝,沉陷度符合规范要求,无滑坡等毁损现象,迎水坡无风浪冲刷,背水坡无散浸及集中渗漏,坝坡浸润线逸出处无管涌和流土,排水导渗正常,溢洪道两岸无滑坡预兆,墙体或底板无损坏,闸门及启闭设备运用正常,排水管渠畅通。

(4)经暴雨洪水考验,发现问题已查明原因并及时处理,各建筑物完好无损。

(5)坝体应种草或灌木覆盖,坝体两端取土场和山坡应进行整理并采取防止水土流失措施。

(6)有管护组织,并建立健全管护制度,落实管护人员,保证工程安全正常运行。

(7)存在下列情况之一不得验收:①隐蔽工程未经中间验收;②建筑物尺寸或坝体填筑质量未达到设计标准;③坝体裂缝未经处理;④未经批准擅自变更坝址或设计。

3.工程竣工验收评分标准

工程竣工验收评分标准详见表7-6。

表7-6　　　　　　　　工程竣工验收评分标准

序号	验收内容	分数	备注
1	①工程竣工报告、竣工图纸、竣工决算、竣工项目清单;②施工记录、质量检验记录、工程监理报告;③中间验收单;④全部工程设计文件、图纸、批准文件等。资料齐全,编写内容和格式符合要求	20	①②③④各5分,无③不得验收
2	①坝高、坝坡、坝顶宽、反滤体等结构尺寸符合设计要求;②放水涵卧管、溢洪道等断面尺寸和两侧边坡开挖坡度符合设计要求,无淤堵现象	20	①②各10分,坝高低于设计标准0.5m或坝坡小于设计标准0.5时不得验收
3	①坝体填筑质量、坝体与两岸连接处理符合设计要求;②土坝坝体无裂缝、漏压虚土层,边坡无滑坡、冲刷坑;③上下游边坡平整,坡度均匀;④反滤体填筑粒径、层厚符合设计要求	25	①7分,②③④各6分。无④时①9分,②③各8分

续表 7-6

序号	验收内容	分数	备注
4	①放水涵卧管砌筑质量符合设计要求,砌体表面无损坏,盖板质量符合要求;②溢洪道砌筑质量、石料尺寸符合设计要求,两岸无滑坡预兆,墙体或底板无损坏,闸门运用正常	15	①8分,②7分。无其中一项时,另一项为15分
5	①坝坡护坡措施符合设计要求,坝坡排水设施断面尺寸及质量符合设计要求;②取土场、施工场地已平整并采取防治水土流失措施	10	①②各5分
6	①管护单位和人员落实,有管护合同;②有工程标志碑	10	①②各5分
合　计		100	总分在90分以上为优秀,80~89分为良好,70~79分为合格,70分以下为不合格

第八章　工程管理

第一节　一般规定

《规范》7.1.1~7.1.5条对工程管理作了原则规定。工程竣工验收后,管理组织形式应根据坝系工程规模、涉及范围、管理要求等情况确定。跨乡(镇)的坝系工程,在管理上应作为一个整体,特别是防汛管理上要加强组织协调,应由县(旗)水利水保局所属相关部门直接管理;单坝一般由所在乡(村)管理。工程管护应坚持"经常养护,随时维修,以防为主,防重于修,修重于抢"的原则。工程管护的一般要求如下:

(1)建立健全管护组织,根据工程规模,实行分级管理。

(2)建立管护制度,落实管护责任。

(3)工程管理人员要有高度的责任心和事业心,熟悉工程建设情况,必须经常检查、养护和维修,发现问题及时报告和处理,确保工程安全运行。

(4)实施科学管理,提高经营水平,合理开发利用坝系水土资源,开展综合经营,提高坝地利用率、保收率,发挥坝系农业的综合效益。

(5)建立工程技术档案和观测资料的整理、分析、归档。

(6)做好宣传教育和安全工作,提高群众护坝的自觉性,防止人为破坏,保证坝系工程安全。

(7)做好工程的防汛工作。

第二节　工程检查观测

《规范》7.2.1～7.2.4条规定了工程检查和观测的基本要求。主要包括以下内容。

一、土坝

(1)检查坝体以及坝体与岸坡或泄水建筑物结合处有无裂缝,分析裂缝产生的原因及其发展情况。

(2)检查有无塌坑、滑坡、冲蚀、洞穴等情况。

(3)检查迎水坡有无风浪冲刷。

(4)检查背水坡、坝脚、涵管附近坝体以及坝体与岸坡结合处有无散浸、集中渗漏、管涌等现象。

(5)检查坝面排水沟及坝体排水有无损坏现象。

(6)检查坝面护坡有无损坏现象,以及坝顶路面是否完好。

二、溢洪道

主要检查溢洪道两侧有无滑坡迹象;衬砌工程有无裂缝、渗漏、剥蚀、冲刷破坏等现象;有无堵塞现象。

三、泄水涵洞

主要检查涵洞所经坝段的上下游坝坡有无沉陷、裂缝、变形、堵塞、渗漏、冲刷等现象,涵洞出口水流流态是否正常,消力池有无损坏等。

第三节　工程维修养护

《规范》7.3.1～7.3.3条规定了工程维修养护的基本要求。主要包括以下内容。

一、土坝的养护与维修

1. 日常养护

(1)保持坝顶、坝坡等表面的完整。发现塌陷、细微裂缝、冲沟、隆起、洞穴,以及护坡破坏等情况,应及时维修。

(2)坝面和两端的山坡或地面排水应保持完好,防止流入土坝,冲刷坝顶、坝坡。应在坝顶、坝坡、坝端和坝脚附近设置截水或排水沟,保证坝面无积水、坝坡无雨淋沟、坝脚无冲沟。

(3)要经常清除土坝表面排水设施的淤积物,保持排水畅通。

(4)严禁在工程管理和保护范围内进行爆破、打井、采石、采矿、挖砂、取土、修坟等危害坝体安全的活动。禁止超越坝顶通行能力行驶机动车辆;禁止在坝坡、坝顶和坝肩开垦种植或修建其他建筑物;禁止在坝上种植树木、放牧、堆放杂物;严禁利用坝顶、坝坡、坝脚修筑渠道等。

(5)凡坝顶和坝坡出现起伏不平时,应及时进行修整。有坑洼而易于积水时应填平。坝的边角受到破坏的应修复原状。

(6)采取各种措施,防止风浪、雨雪、水流及鼠蚁危害。

(7)保持坝体反滤体的正常运用和护坡的完整。

2. 裂缝维修

坝体裂缝对工程的安全危害很大,应予以高度重视。裂缝维修应通过表面观测和开挖探坑、探槽,查明裂缝的部位、形状、长度、宽度、深度、走向及其发展情况。结合工程设计和施工情况,分析裂缝产生的原因,采取不同的处理措施。

坝体裂缝根据其产生原因,一般有干缩裂缝、沉陷裂缝和滑坡裂缝 3 种类型。

1)干缩裂缝(龟裂)

筑坝时因土料含有一定的水分,经风吹日晒,水分蒸发,土壤干缩,加之坝坡防护不好,坝体表面产生干缩裂缝(也叫龟裂)。筑坝土料黏土含量愈高,含水量愈大,愈容易发生龟裂。龟裂一般只出现在坝体表面,对于缝宽不大于 1～2cm、缝深不超过 1m 的裂缝,一般不会对坝体安全产生较大影响,但也要及时进行处理维修,否则,裂缝长期遭受雨水冲淋,继续发展下去,可造成滑坡、冲沟等,影响坝体安全。

2)沉陷裂缝

沉陷裂缝产生的原因主要是:由于土坝沿坝轴线方向的筑坝高度不同,各段坝体和坝基的承载力不均匀,其沉陷量也不相同,产生不均匀沉陷。当不均匀沉陷超过一定限量时,就会出现沉陷裂缝。

(1)沉陷裂缝的形式。主要有 3 种形式,即横向裂缝、纵向裂缝和内部裂缝。

横向裂缝:横向裂缝与坝轴线方向垂直。横向裂缝的产生,有的是筑坝时接头未处理好,碾压夯打不实;有的是因相邻坝段或坝基产生不均匀沉陷所致。横向裂缝对坝体具有很大危害性,特别是贯穿坝体的横向裂缝,因其漏水,容易形成一条集中渗漏的通道而导致垮坝。所以无论裂缝大小均须进行及时处理。

纵向裂缝:纵向裂缝与坝轴线方向平行。纵向裂缝的产生,有的是因为坝后附近有坑塘或部分坝基沉陷,有的是因为坝坡产生滑坡引起,有的是因为热胀冷缩所致。这种裂缝一般危害性较小,对坝体的安全产生的直接影响不大,但也应及时处理,防止雨水深入裂缝而引起滑坡。

内部裂缝:内部裂缝主要是由于施工质量差,筑坝时土层填筑不一、少压、漏压,加之长时间渗漏淘刷所致。内部裂缝隐藏在坝体内部,不易被察觉,容易引起集中渗漏,对坝体安全具有潜在威胁,应引起重视,要及时观察、分析和判断。

(2)沉陷裂缝的处理方法。对沉陷裂缝的处理主要有开挖回填法、灌浆法、开挖回填与灌浆结合法。

开挖回填法:适用于裂缝宽大于 2cm、缝深 3～5m 的表面裂缝,特别是贯穿坝体的横向裂缝。采用开挖回填法处理时,为了摸清裂缝的位置、走向和范围,开挖前先向裂缝内灌入石灰水,以便于沿缝开挖。沿裂缝开槽,槽底宽度和边坡坡度以便于施工和安全为原则,沟槽底宽一般应不小于0.5m,边坡坡度满足边坡稳定要求,一般采用1:0.4~1:1,开挖成梯形断面。开挖深度要超过裂缝深度0.3~0.5m。槽长应挖至裂缝两端0.5~1m以外。沟槽挖好后开始回填,回填时应逐级消去边坡台阶,将槽壁洒水湿润,用原坝体土料或与原坝体同类的土料分层回填夯实,且土料含水量与原坝体土料相似,干容重达到原设计标准。对于横向裂缝的处理,为了使沟槽两侧新老土结合得更加密实,防止渗漏,必要时还应增挖垂直于裂缝的结合槽,结合槽间距一般4~6m,槽宽1m左右。裂缝处理一般应在低水位时进行。冬季应防止填入冻土及土料冻结;夏季应防止土壤暴晒干裂,雨季应防止雨水流入。

灌浆法:土坝灌浆法是利用压力使浆液通过管道钻孔注入裂缝内,浆液在压力作用下析水后密实、胶结,堵塞裂缝,实现加固防渗之目的的一种裂缝处理方法。这种方法适用于坝体裂缝较深、数量较多,或内部裂缝,或采用开挖回填法有困难,或土坝施工时夯压不实等情况。灌浆方法一般分自流灌浆和机械压力灌浆两种。自流灌浆也称重力灌浆,它是利用浆液自身重力进行灌注。机械压力灌浆除利用浆液自身重力外,还借助机械压力灌注,常用泥浆泵加压。灌浆钻孔的布设应根据坝体结构、施工质量及裂缝分布、深度和范围确定。钻孔一般沿坝轴线呈直线或沿坝轴线两侧按梅花形布设,深度应超过裂缝深1~2m。灌注后隔1~2天再进行复灌,直到灌实为止。钻孔应采用干钻,在人力推钻有困难时,可适当加水以湿润孔壁。钻孔后应随即灌浆,以防塌孔和孔内积水。

使用的灌浆土料的性能要求,一是要有一定的细度,充填防渗性好;二是易成浆,水化性好;三是流动性、稳定性好,使其易流入裂缝;四是析水性好,固结快,体积收缩小,使浆液与坝体结合密实。要满足上述性能要求,关键是要使灌浆土料中黏粒的含量适宜,一般选用中等黏粒含量的土料,即土料中粒径小于 0.005mm 的颗粒含量为 20%～30%,粉粒含量 50%～70%效果较好。黏粒含量过高,则析水性差,体积收缩大,固结慢;若黏粒含量过低,则稳定性差,易沉淀堵塞,影响灌浆质量。在处理较小裂缝时,黏粒含量可适当高一些。

土料制作泥浆时,应先清除土料中的杂质(如石子、瓦砾、杂草等),加入清水浸泡 2～3h 后,过筛,再搅拌成浆液。一般水与土的重量比为 1:1～1:2.5,泥浆相对密度控制在 1.4～1.7。泥浆浓度小,流动性大,容易充填细小裂缝。但浓度低的泥浆固结速度慢,体积收缩大,灌浆效果差。因此,要在保持浆液对裂缝具有足够的充填能力的前提下,浆液浓度越高越好。为了改善浆液流动性,缩短浆液固结时间,减少失水后的体积收缩,可在浆液中加入占土重 1%～3%的水玻璃。对坝体浸润线以上的灌浆可采用纯泥浆;对于浸润线以下的灌浆,为增加析水性,加快固结速度和强度,可采用水泥、土料混合浆,即在土料中掺入占干重 10%～20%的水泥。

灌浆压力是控制灌浆质量的重要因素,压力大,浆液扩散快,能压入细小裂缝,加快析水过程,固结密实,效果好;压力小,浆液扩散慢、范围小,不能压入细小裂缝,效果差。但压力过大,会对坝体原来的结构产生破坏,引发新的裂缝或产生冒浆、串浆现象。一般情况下灌浆压力控制在 0.1MPa 左右,即能满足灌浆质量要求。对于长而深的纵向裂缝,一般采用重力灌浆或低压灌浆,以免影响坝体稳定。灌浆时应按照由下而上、先稀后浓、灌浆压力由小到大、逐渐升高的程序进行,而且应在进行灌浆处理的裂缝上面做阻浆盖,用黏土铺筑夯实。阻浆盖厚度根据灌浆压力大小确定,一般为 0.5～1m。

3)滑坡裂缝

因土坝滑坡而产生的裂缝叫滑坡裂缝。开始表现为纵向裂缝,后发展成弧形裂缝。滑坡裂缝对坝体危害也比较大,要及时进行处理。土坝滑坡裂缝的处理,应首先处理滑坡(滑坡处理方法另作描述),再采取上述相应措施处理裂缝。

3.渗漏维修

1)土坝渗漏产生的原因

土坝渗漏按其发生的部位有坝身渗漏、坝基渗漏和坝端渗漏3种形式。坝身渗漏的主要原因是筑坝土料含砂过多,透水性大;土料内有杂草、砖石等杂物,形成孔隙;筑坝质量差,夯压不实;新旧土层结合不好;坝身宽度不够;兽、蚁穴危害等造成的。坝基渗漏的主要原因是施工时清基不彻底,未将杂草、淤泥、砖石等杂物清除干净,使坝身与坝基结合不好;坝基有强透水层而未做防渗墙,或未挖到不透水层,或防渗墙质量差;在坝基附近挖砂取土,致使坝基失去稳定等。坝端渗漏的主要原因是坝两端的山坡浮土未清除干净,或未夯实,使坝端结合部结合不良;坝端地质条件差等造成的。

治沟骨干工程和淤地坝的主要作用是拦泥淤地,只有个别工程用来蓄水。但其淤成坝地前期多有蓄水。所以,工程发生坝基渗漏的几率要多于坝身渗漏和坝端渗漏。

2)土坝渗漏处理的原则

土坝渗漏处理的原则是"迎水截渗,背水导渗",即"上截下排",也就是在坝的上游采取防渗措施,堵截渗漏途径;在坝的下游采取导渗排水措施,将渗水安全导出,以降低浸润线,稳定坝体。

3)土坝渗漏处理方法

土坝渗漏处理方法主要有:抛土法、黏土覆盖法、灌浆法、导渗法、压渗法等。

(1)坝身渗漏处理。对于因筑坝土料透水性强和施工质量差引起的渗漏,可采用斜墙防渗法。即将土坝迎水坡面挖去一层,用黏土回填,逐层夯实,形成一道防渗斜墙,防渗斜墙顶宽一般为0.2～0.4m,底宽一般不小于最大蓄水深度的1/10。若因坝身宽度不够引起的渗漏,可采用加大断面法。即将坝坡削成阶梯状,用与原筑坝土料相同的土料进行加宽帮坡。如因有机物腐料或动物打洞造成的渗漏,可采用漏眼堵塞法。即用石灰粉或细糠撒入水中,并观察其流动方向,以确定漏洞的位置,然后用黄泥堵塞。对动物打洞造成的漏洞,可用烟叶、辣椒等具有强烈刺激性的东西塞入洞内,将动物杀死,然后用石灰黄泥浆灌注夯实。以上介绍的是上游防渗措施,下游导渗措施主要有导渗沟。导渗沟设在背水坡渗漏部位,形状有"Y"形、"W"形和"I"形。导渗沟宽 0.5～0.8m,沟深 0.8m 左右,沟内按反滤要求,分层填筑砂石材料。

(2)坝基渗漏处理。如因坝基表层未处理好,可采用增加截水墙法。即在迎水坡脚挖一深 1～2m、宽 2m 左右的槽,用黏土填筑夯实。如因坝基未挖到不透水层,且透水层较浅,也可采用加截水墙法。但截水墙深度要超过透水层,达到不透水层以下至少 0.5m。如因不透水层较深而引起的坝基渗漏,可采用黏土铺盖法。即从迎水坡脚开始,沿坝库底加做黏土覆盖,分层夯实,覆盖厚度大约为蓄水深度的 1/10,长度为最大蓄水深的 3～5 倍。处理坝基渗漏的导渗措施主要采取坝后导渗。可先将坝后淤泥清除干净,然后铺一层厚为 0.3～0.5m 的粗砂层,在砂层外边预埋一条排水管,其上铺一层 0.2～0.3m 厚的碎石层,再铺一层粗砂防淤。

(3)坝端渗漏处理。因结合不好引起的渗漏,采用黏土回填法,即沿坝端与山坡结合处开挖沟槽至渗漏处,用黏土回填,分层夯实。因山坡裂隙引起的渗漏,采用灌浆法,即将坝端挖开,用石灰砂浆或水泥砂浆灌注,待砂浆凝固后用黏土回填夯实。如因山坡洞穴与坝内水相通,可将其堵塞;若洞穴与坝内水不相通,可采用导水措施(排水沟或排水管),将水导出坝体外。

4. 滑坡维修

1)土坝滑坡产生的原因

治沟骨干工程和淤地坝产生滑坡的情况比较少,滑坡主要发生在筑坝施工期或建成运用前期或以蓄水为主的土坝上游坝坡。土坝滑坡有些是天然发生的,有的是由裂缝引起的。产生滑坡的原因主要包括以下几方面:①坝坡太陡,坝体抗剪强度太小,使滑动面以外主体滑动力超过抗滑力致使滑坡;②坝基抗剪强度不足,致使坝体沿坝基整体发生滑动。滑动力与坝坡的坡度有关,坝坡越陡,滑动力越大。而抗滑力主要与筑坝土料的性质、夯压密度和渗透水压力的大小有关,土料含砂量越高,其密实度越差,渗透水压力越大,抗滑力就越小,就越容易产生滑坡。

2)土坝滑坡处理的原则

土坝滑坡处理的原则是:上部减载,下部压重,降低浸润线,减少渗水压力,稳定坝坡。具体处理措施可根据滑坡产生的原因、出现的部位不同采取不同的方法。

3)土坝滑坡的处理方法

对因填筑质量差或分期加高所引起的土坝滑坡,宜采取开挖回填法处理。即降低坝内水位,清除滑坡体,用与原坝相同类型的土料回填夯实。对因坝坡过陡引起的滑坡,采取放缓坝坡的方法。即先挖除滑坡体,将坡面做成台阶状,加大坡面,放缓坝坡,用与原坝体同类的土料分层夯实。对因坝基有淤泥而引起的滑坡,采用清淤排水,压重固脚措施。即开沟导渗,降低坝基淤泥的含水量,同时在坝脚用砂石料压重固脚。对因坝坡脚没有排水设施或排水设施失灵,坝内渗水不能及时排出,土料饱含水分,土壤黏结力减少引起的滑坡,采取加做透水土撑的方法。即在滑坡体下部的坝脚处先铺一层砂石或芦柴之类的料物,再在四周用土袋叠砌,中间填土夯实。

二、放水建筑物的养护与维修

治沟骨干工程的放水建筑物多采用坝下混凝土涵管和浆砌石涵洞,是坝体的重要组成部分,因其预埋在土坝底部,其质量的好坏直接关系到坝体的安全。

1.涵洞、卧管漏水原因

涵洞、卧管出现漏水的原因主要有:管壁与坝体结合不好,沿管壁外边漏水;基础处理不好,涵管(洞)因发生不均匀沉陷而裂缝,产生漏水;涵管(洞)口放水孔塞子不紧;涵卧管接头处理不好等。

2.涵洞(管)检查内容

运用前,应检查涵洞(管)通过的坝段内,坝身是否变形,有无裂缝,蓄水后涵洞(管)出口处的坝坡是否有洇湿或漏水现象。在运用期间,应经常检查涵洞(管)坝顶及上下游坡面有无塌坑、裂缝、洇湿或漏水现象;汛前要检查洞壁灰浆是否脱落、有无裂缝、漏水现象;放水期间,要观察和倾听洞内有无异常声音;观察涵洞(管)出口水流浑浊变化及流态变化是否正常等。要根据检查和观察的结果,及时分析原因,采取相应处理措施,及早维修,把问题处理在萌芽状态。

3.涵洞(管)漏水处理方法

涵洞(管)漏水的处理方法主要有局部堵漏、加截水环、衬砌加固、开挖处理等措施。

对于因涵洞(管)壁与坝体结合不好引起的漏水,采取加截水墙的办法。即将迎水坡挖开一段换填黏土仔细夯实,并在涵洞(管)进口处加做几道截水环,环墙深入土坝部分至少0.5m。

对于混凝土涵管表面损坏的维修,一般采取水泥砂浆修补、喷浆修补和环氧材料修补。水泥砂浆修补:先将损坏部分清除干净,然后凿毛、湿润,再把砂浆涂抹到修补部位,反复压光后加以养护。喷浆修补:先将喷面凿毛、冲洗,保持湿润,保证喷浆层与原混凝土的良好结合。喷浆层应在初凝前抹平,并洒水养护,避免收缩龟裂。环氧材料修补:环氧材料强度大,抗蚀、抗渗能力强,能与混凝土很好结合,一般多与其他方法配合使用,即先用其他材料填补,并预留0.5cm厚度用于涂抹环氧材料作保护层。

对于浆砌石涵洞,若发生灰浆脱落,应先凿去损坏部分的原有灰浆,经清洗后用水泥砂浆重新勾缝,然后洒水养护;若出现局部松动或脱落,应拆除松动或脱落的石块,凿除损坏的灰浆,清洗干净后用石块及与原砌体强度相适应的砂浆补强修复、勾缝。

对于地基不均匀沉陷导致涵管断裂,若断裂处在涵管进出口附近,可直接开挖坝体,挖出松软的坝基部分,用三合土分层填筑夯实,然后再进行管身补强补漏。若断裂发生在涵管内部,开挖难度大,管径又小,只能采取另建涵管。

三、溢洪道的养护与维修

溢洪道是宣泄上游洪水、保证土坝安全的重要设施。治沟骨干工程多采用"两大件"(坝体、涵管),但也有个别工程采用"三大件"。

1. 溢洪道损坏的原因

(1)缺少消力设备,引起下游冲刷或危及坝脚。

(2)过水断面小,不能宣泄一定的洪量,发生坝顶过水。

(3)在溢洪道上随意加筑土埂增加蓄水量,洪水发生时,土埂挖除不及时,造成事故。

(4)施工质量差,溢洪道底部不平整,或接缝未做止水,底板下产生浮托力,或底板下未做排水设施加大了浮托力,或排水设施未做反滤层,渗水带出地基中的土壤等原因,造成溢洪道底部变形、掀起、沉陷等损坏。

(5)因底板厚度不够,或消力池中有较大块石未及时清除,泄洪时由于石块撞击使消力池池底和池壁破坏。

2. 溢洪道的养护与维修方法

(1)加强溢洪道的日常养护,其主要内容包括:检查溢洪道上有无坍塌堵塞现象;溢洪道底板下的防渗设施和排水系统工作是否正常,有无漏水、冲刷现象;溢洪道的消能效果如何,冲坑深度,水流是否冲刷坝脚等。

(2)禁止在溢洪道上任意修筑浆砌石等子堤,保持溢洪道畅通,当确需在溢洪道上加设土埂增加蓄水时,其高度应小于 0.5m,底宽限制在 1m 以内,并在汛前及时清除,确保安全。

(3)有溢洪道的治沟骨干工程,当其坝内泥沙淤积面超出溢洪道进水口底部高程时,其滞洪库容减少。因此,要定期对溢洪道的过水能力进行检查复核。对于达不到泄洪要求的,应采取加大溢洪道断面,增加溢洪量。

(4)溢洪道岸坡岩石或土坡若有松动、裂缝或坍塌时,应及时进行清理或削坡等处理。

(5)如果溢洪道底板出现局部破坏,程度较轻,可进行局部修理;若破坏严重,应进行彻底翻修;需做排水设施的,应增加排水设施。

(6)如果是因没有消力设施而导致的破坏,则应增设消力设备,陡坡上加做消力齿、消力槛防冲。

(7)消力池底板破坏,如果是因消力池底板太薄,应重新设计翻修;如果发生裂缝或气蚀,可采用高标号水泥砂浆或采用环氧砂浆修补;如果池中有大块石应及时清理。

第四节　淤地坝运行管理模式

近年来,黄土高原地区各省(区)从实际情况出发,在淤地坝运行管理中通过有限的出让工程使用权,落实管护责任主体,鼓励农民和社会力量参与工程管护,形成了基本适应市场经济规律的"责、权、利"相统一的工程管护机制。在具体运作中,各地根据工程现状和群众意愿,采取了灵活多样的运行管理形式。归纳起来主要有集体管理、承包、租赁、拍卖、股份制、经济实体和乡水保站统一管理等 7 种形式,现简要介绍如下,供各地在实际运用中参考。

一、集体统管、分户使用型

这是一种传统的运行管理模式,目前还较为普遍。由于绝大部分中小型淤地坝是村集体投劳修建,产权归村集体所有,在实行联产承包责任制时,形成的坝地多数已分到各户,村民享有使用权。工程的维修管护一般由村委会统一负责,所需资金和投劳则由村民分摊解决,由村委会确定专人负责日常管护,管护能力薄弱,其中只有30%淤地坝落实了管护责任。

这种运行管理形式在农村集体所有制、坝地集体经营情况下,是有效可行的。实行联产承包责任制后,农村经济体制发生了重大变革,坝地由村、组统一分给农民耕种,形成坝地集体所有与农户自主经营的形式。该形式虽然照顾了多数人的利益,但往往由于责、权、利关系不密切,造成管护与使用脱节,进而出现有人种地、无人管坝的现象,不利于调动群众护坝养坝的积极性和淤地坝管护责任的落实,也不符合市场经济发展的规律和大规模建设淤地坝形势的要求,今后应加以改革,改进完善其运行管理。

二、承包型

这是目前各省(区)普遍采用的一种有效模式。该模式主要是由农民个户、联户式非农人员对工程进行承包经营,自行管护,自主经营,自我受益。一般是在工程竣工验收后,由县(旗)、乡(镇)水保部门根据有关规定划定管理范围,确定承包方案,公布承包的有关事宜,通过公开招标确定承包者,确定承包期限和不同时期的承包金。承包期10~30年不等,承包期、承包费商定后签订承包合同,并进行公证。

承包管理多数为有偿承包,即收取一定的承包金;对少数地处偏远,经营条件差或经济效益滞后的淤地坝有的也采取无偿有责任承包。一般为以户整体承包为主,有的将坝地和工程主体分段分户(联户)承包,坝、地管理和经营分开,各负其责。即村委会选择责任心强、有管理能力的村民承担淤地坝管护任务,坝地的生产经营承包给一户或几户村民,用部分承包金支付工程管理人员报酬或划分部分坝地给予补偿。

对国家投资的治沟骨干工程,通常由县水保部门或乡政府与承包者(村委会或单位)签订合同,承包者负责工程的正常运行、维护,县水利局、乡政府负责防汛。库容大、位置重要、防洪责任大的特大型治沟骨干工程,多由县水利水保部门直管,将其水资源开发利用和运行管理承包给下属单位或经济实体。由于有专门的工程管理技术人员,因而既可以保证防汛安全,又可以开展水利经营,实行创收,但有的需要国家每年支付一定的运行管理经费。

村集体组织修建的中小型淤地坝,由村委会承包给群众进行经营管理,防汛由村委会负责。

承包型多数是有偿有责任承包,承包者按合同一次性或分期缴纳承包金;少数为无偿有责任承包,承包者不缴纳承包金,部分获得现金或土地使用权补偿。

承包经营管理是一种有效的运行管理模式。一是责、权、利比较明确,既保证了淤地坝的日常管护,又使承包者拥有了开发利用水土资源的自主权;二是可以利用农村闲散劳力,促进土地合理开发,为农村产业结构调整和培植新的经济增长点创造条件;三是承包期限较长,便于经营者进行再投入,开发经营周期较长的项目,获得更好的经济效益。

承包经营管理既有利于淤地坝经济、生态效益的发挥,同时也为淤地坝的维修积累了一定的公积金,做到了责、权、利和治、管、用的统一。但这种形式在运作过程中也存在一些问题:少数承包操作不透明,未进行公开竞包,缺乏公正性;承包金不能足额收缴,未建立公积金专用账户,维修资金得不到专款专用等。因此,还需继续完善,加强监管,进一步规范这一行之有效的运行管理模式。

三、租赁型

这种运行管理模式,是在工程竣工验收后,由县(旗)水保部门根据有关规定划定租赁范围,确定租赁方案、租赁期限和租赁金,明确租赁者的责、权、利,公布租赁的有关事宜,通过公开招标确定租赁者,签订租赁合同。租赁者按有关淤地坝管理规定和租赁合同约定负责其责任范围内的经营管护。按合同规定完成淤地坝维修,并承担一定的维修费用,汛期负责放水、汛情监测和上报,租赁者按合同交付租赁金后,依法享有租赁范围内的自主经营权和合法收入,并可依照合同规定享有继承、抵押和参股经营的部分权利。合同期间,国家、集体需征用租赁范围内土地时,按有关规定给予租赁者一定的补偿。

租赁经营多用于村集体拥有坝地使用权,工程运行情况较好,可直接投入生产并可获得良好经济效益的各类淤地坝。工程的维修和管护通常由村集体负责,承租方如期逐年缴纳租金。租期一般为1～10年不等,以短期居多,承租人只拥有使用权,在租期内要保证租赁对象的使用性质、使用功能不变,未经村集体许可不得转租,不可抵押。村集体利用租金进行排洪渠衬砌及日常维护。

该形式双方关系简洁,责任明确,可以为淤地坝维修管护筹集一定的公积金,由集体负责组织维护,便于集中力量,及时修复水毁和排除险情,可使淤地坝得到有效维护,也是一种可取的淤地坝运行管理办法。但是由于租期一般较短,承租人只取得了土地、水资源一定时间的经营权,不利于中长期项目经营开发和扩大再建设;实际操作中有的地方淤地坝维护责任没有得到及时有效的落实,有的地方租金则没有真正用到淤地坝的管护维修。

四、股份合作型

股份合作型是近年来兴起的一种比较有效的淤地坝运行管理

模式,主要是由两个以上的入股主体,国家、集体、个人按协定以资产、劳务等入股,进行合作管理经营,利益共享,风险共担。按入股形式:一种是由集体组织,按人入股,管理使用期限一般为10~30年;另一种是集体和农户之间的股份合作形式,集体以坝、地入股,集体股份与农户以3:7或2:8分成。

一般对淤地坝数量较多、群众积极性较高、村组领导班子健全、组织能力较强的地方,主要采取由村委会或者村民组牵头组织,自愿参股,按股投资投劳,以股份分种坝地的形式。对于淤地坝管理任务重,而劳力又十分紧张的地方,则采取县里成立股份制淤地坝管护经营公司,公布有关章程和方案,实行公开、平等、自愿招股,按股获取收益,承担管护责任或缴纳管护费用。

该形式一种是由县水保部门技术人员牵头,主要股东一是乡人民政府,将淤地坝及周围一定范围的固定资产(土地、建筑物及土地附属物)的使用权通过评估作价入股,法人为乡长;二是村民,出资入股或投劳折股,组成股份公司,按股份公司章程进行经营管理,通过供水和多种经营收入,保证工程的维修。另一种是由村民牵头组建股份制公司,联络村民参与管理,按股份分种坝地负责管护维修。

股份合作经营管理一般用于多方投入(资金、劳力)修建的供水效益好的工程和农民联户修建的淤地坝,或个户难以完成维修任务而需要修复、改造的工程利用管护。将工程修复和经营管护投入分割成若干股,按照股份多少,落实管护任务和受益办法,确定各自的责、权、利,签订合同。该运行管理方式也适用于民办公助建设的淤地坝运行管理,投资者利益共享,风险共担,公平合理。

股份合作型是一种灵活性较大,实用范围较广,可以及时有效筹集所需资金的淤地坝运行管理形式。不足之处是,股民之间容易发生利益纠纷,缺乏协调约束措施,有待进一步规范。

五、拍卖型

在"四荒"地使用权拍卖取得成功后,拍卖淤地坝使用权在淤地坝的运行管理中也有了较快的发展。拍卖经营型主要是拍卖土地使用权,一般将淤地坝与坝地或周围一定范围的"四荒"地使用权捆绑拍卖给个人或单位进行经营管理和治理开发。淤地坝拍卖在公开、公平、公正的原则下,主要由当地政府通过竞标、确权和司法公证方式,将工程和坝地的使用权拍卖给农户和非农人员,自主开发经营,其价格根据对工程资产的评估并结合市场情况确定,出让期一般10～30年。由转让方与受让方签订出售转让合同,并对付款方式、期限、双方的权利和义务进行详尽规定,严格执行。

其运作过程一般为:首先成立由村委会成员、村民代表、乡政府代表、县(旗)水保部门代表组成的拍卖小组,一般要有水利、财政、土地、税务等政府业务部门参与,经过多方协商,划定拍卖范围,进行资产评估,确定工程基价,然后在一定范围内张榜公布拍卖方案,自愿报名,领导小组进行资格审查,召开会议进行公开竞标,确定买主,明确买卖双方的责、权、利,最后与中标者签订合同,并进行公正。拍卖往往使用期限较长,一次性交付购买金。

该形式对头卖双方的责、权、利规定较为严格细致,与承包、租赁等形式相比,购买者在全面负责淤地坝运行管理及日常维护的同时,拥有更多的自主权,如转让、抵押、继承权,也可以转包、租赁。该形式较为规范,符合法律要求,能体现交易对象的真实价值,有利于购买者以更稳定的心态,更好地经营使用和认真管好用好淤地坝。但拍卖要防止坝地集中在少数富裕户手中,牵涉农民基本口粮的坝地一般不宜拍卖。

六、经济实体管理型

一般是县水利水保部门或乡(镇)水管站以投入运行的淤地坝

为依托,创办经济实体开发利用水土资源,自主经营,自我受益,自行管护。这种运行管理形式不仅实现了淤地坝的安全生产,安全运行,而且激活了行业自身的潜能,开辟了行业脱贫致富的新路子。该形式又分乡(镇)水管站管理型和县水利水保部门直接管理型。乡(镇)水管站管理型由乡(镇)水管站管护,发展灌溉,增加收入,以水养坝;县水利水保部门直接管理型由水利水保部门成立企业公司进行水土资源开发经营和管理,一般设有专人管护,并组织季节性维修。

这种形式多用于前期水资源利用效益好的大型骨干工程,一般是工程验收后,县水利水保部门移交乡政府,乡政府以承包等形式交给水管站全权经营管理。或县水利水保部门以承包等形式交给其下属企业公司全权经营管理。这种形式把工程的管护维修与其经济效益紧密结合起来,经营管理者实力强,管护维修和防汛能得到有效保障,达到了责、权、利的有机结合,形成了以坝养坝,自我维持的良好运行机制。应在进一步规范和完善内部运作机制的基础上大力推广和发展。

七、乡(镇)水保站统一管理型

这种运行管理形式在青海等省采用较多,淤地坝特别是治沟骨干工程的运行管理由乡(镇)水保站负责。一种是工程竣工验收合格后,县水保主管部门移交给乡(镇)水保站,并与其签订运行管理合同。工程所有权和经营收入归乡(镇)水保站,乡(镇)水保站负责落实管护责任,保证工程安全运行,管护人按乡(镇)水保站要求实施管护并获取报酬。

另一种是淤地坝建成后,水保部门将工程移交给所在乡(镇)政府,并签订运行管理合同,乡(镇)政府委托水保站再与工程所在村签订管理合同,具体经营管理由村委会负责,乡(镇)水保站负责防汛指导和监督。

这种形式将淤地坝的运行管理纳入乡(镇)水保站管理体系,责任主体是乡(镇)水保站,在管理中实行双重领导,县水保部门监督检查运行情况,乡(镇)水保站负责大型工程的运行管理和一般维修。中小型淤地坝实行乡村两级管理,运行管理由村委会具体负责,产权和收入归村委会集体所有,每年小的维修费用、防汛物资由村委会负责筹集,如出现大的水毁,工程维修由村委会及时向当地乡(镇)水保站汇报,乡(镇)水保站经实地调查后提交维修方案,统一上报县水保部门,县水保部门经核实后列入当年的投资计划,进行维修。村委会在淤地坝管理中,以当地农户承包管护为主,首先村委会与农户签订管护合同,管护期为淤地坝的淤积年限,在合同中明确农户的责任和报酬。该形式管理较为规范,县、乡、村、管护人责任明确,大、小维修经费都有保障,在今后淤地坝大规模建设中可以大力推广。

几种主要运行管理模式详见表8-1。

表8-1　　黄土高原地区淤地坝现行运行管理模式一览表

运行管理模式	运作过程	管护(经营)者责、权、利	主管部门职责
集体统管,分户使用	①工程建设竣工验收后,由县区水保部门下设的管理单位在征求当地乡镇政府及村组、群众意见后,根据有关办法、制度,划定管理、保护范围。将工程移交村组并签订协议 ②村组召开村民大会,制定工程使用办法,明确管护及付酬办法,确定管护人员,签订管护合同。将使用权划分给群众	①管护者按有关淤地坝管理规定,负责工程保护范围的监管,并对工程存在的小问题进行及时维修,对大的隐患及时上报村组 ②村组对淤地坝存在的较大安全隐患和问题应及时组织群众进行处理。管护者在汛期要按规定进行放水	①业务主管部门应对工程的管理管护提出明确的要求,并督促村组对工程进行及时维修。在汛期根据坝系防汛要求,提出运行要求 ②村组要对工程进行维护养护,保证工程的安全运行

续表 8-1

运行管理模式	运作过程	管护(经营)者责、权、利	主管部门职责
承包	①建设竣工验收后,由县区水利水保部门下设的管理单位在征求当地乡镇政府及村组、群众意见后,根据有关办法、制度划定管理保护范围,确定承包方案 ②确定承包期限和承包金额,明确承包者的管护责、权、利 ③公布承包有关事宜并进行公示后,进行公开招标,确定工程承包者 ④签订承包合同	①承包者按有关淤地坝管理规定和承包合同规定负责工程保护范围内的监督管理 ②负责对坝体进行日常维修、保护坝体及放(泄)水建筑物的安全运行 ③负责汛期淤地坝的放水和汛情的及时上报 ④按合同交付承包金 ⑤依法享有对承包坝的自主经营权和全部合法收入,并可依照合同规定继承、转让、抵押参股经营的权利 ⑥合同期内,国家、集体在建设过程中需要征用承包范围内用地时,要按有关规定给予承包者一定的补偿	①县级业务主管部门应对工程的管理管护提出明确的要求,负责对工程承包者进行技术指导,并督促承包者对工程进行及时维修。在汛期根据坝系防汛要求,提出运行要求 ②乡(镇)、村协调解决承包者管护中的有关问题
租赁	①工程建设竣工验收后,由县区水利水保部门下设的管理单位在征求当地乡镇政府及村组、群众意见后,根据有关办法、制度划定管理、保护范围,确定租赁方案 ②确定租赁期限、范围和租赁金额,明确租赁者的管护责任与权利 ③公布租赁有关事宜并进行公示后,进行公开招标,确定租赁者 ④签订租赁合同	①租赁者按有关淤地坝管理规定和租赁合同规定负责工程保护范围内的监督管理 ②负责汛期淤地坝汛情的及时上报,对淤地坝存在的安全隐患和问题应及时上报 ③按合同交付租赁金 ④依法享有对租赁范围的自主经营权和全部合法收入,并可依照合同规定继承和参股经营的权利 ⑤合同期内,国家、集体在建设过程中需要征用租赁范围内用地时,要按有关规定给予租赁者一定的补偿	①县级业务主管部门应对工程的管理管护提出明确的要求,在汛期根据坝系防汛要求,提出运行要求 ②乡镇、村协调解决租赁者经营中的有关问题 ③乡镇、村负责对工程的维修和汛期管理,保证安全运行

续表 8-1

运行管理模式		运作过程	管护(经营)者责、权、利	主管部门职责
股份合作制	县水利局牵头组建股份公司	①水利局与工程所在村签订租赁承包合同 ②技术人员牵头自愿组合成立股份制公司 ③制定公司章程,明确公司组建原则、性质、分配原则、组织形式、财务管理等内部事务 ④与工程所在村委会签订租赁承包合同	①管理好现有工程设施 ②负责工程度汛安全的检查预报 ③负责工程的维修 ④无偿经营承包范围内水土资源 ⑤允许继承、转让 ⑥承包范围内的治理成果全部归公司所有	①乡政府、县水保主管部门负责监督 ②县水保部门负责变更、重组股份公司
	村民联合成立股份公司	①村委会牵头组建股份公司 ②联络部分村民参股经营管理;按股份分种坝地 ③与村委会签订合同,县公证处进行公证	①缴纳股金作为淤地坝管护基金,用于汛期抢险队员报酬和抢险物资的购置 ②淤地坝的日常维护 ③股东按股份经营坝地	①村委会监督合同中各项条款的落实与实施情况 ②股份公司在不履行合同的情况下,村委会有权收回坝地
拍卖		①工程建设竣工验收后,县区水利水保部门下设的管理单位在征求当地乡镇政府及村组、群众意见后,根据有关办法、制度,确定拍卖方案 ②由县区水利水保主管部门和财政、土地、税务等部门组成领导小组,与乡镇、村组共同划定拍卖范围,进行资产评估,确定工程基价。确定拍卖方案和时间,并进行公示 ③明确购买者的管护责任与权利 ④公布拍卖有关事宜并进行公示后,进行公开招标,确定工程买主,有关部门进行公证	①购买者按有关淤地坝管理规定负责工程保护范围内的监督管理 ②购买者负责对坝体进行维修、保护坝体及放(泄)水建筑物的安全运行 ③负责汛期淤地坝的防汛和汛情的及时上报 ④享有对工程的自主经营权和全部合法收入,并可依照合同规定继承、转让、抵押参股经营的权利 ⑤合同期内,国家、集体在建设过程中需要征用购买范围内用地时,要按有关规定给予购买者一定的补偿	①县级业务主管部门应对工程的管理管护提出明确的要求,负责对工程购买者进行技术指导,并督促购买者对工程进行及时维修。在汛期根据坝系防汛要求,提出运行要求 ②乡镇、村协调解决购买者管护中的有关问题

续表 8-1

运行管理模式	运作过程	管护(经营)者责、权、利	主管部门职责
经济实体管理	①由水利水保部门成立企业公司,租赁承包或购买小流域土地使用②工程完工后,水保部门移交企业公司全权进行经营③县水保部门与企业公司签订管护责任书或经营管理合同,公正部门公正	①公司全权负责工程运行管理②负责坝体及放水、泄洪设施等附属建筑物的管护维修,保障防汛安全③有自主经营权,收入归公司所有④按合同约定缴纳部分工程营运收入所得	①县水保部门负责防汛检查指导②监督公司管护维修工作
乡镇水保站统一管理	①有关部门组织对工程进行验收②验收合格后,县水务局、水保站、建设单位,乡镇长、水利水保站负责人,工程施工人员参加,办理交接手续③乡(镇)水保站与县水保站签订工程管理合同④乡(镇)水保站将工程管护纳入全乡工程管理,进一步落实管护责任	①乡(镇)水保站负责运行管理和管护责任落实,保证坝体及放水、泄洪建筑物的安全运行②负责将管护维修工作落实到工程所处村社,或村委会选定的农户,签订管护合同③第一年乡(镇)水保站从建设单位获取工程建设直接费5%的维修费④村委会协调解决管护人实施管护中有关问题;配合乡(镇)水利水保站建立防汛抢险组织⑤管护人按乡(镇)水保站要求实施管护维修获取报酬	①县水保部门监督检查运行情况负责骨干坝防汛检查、落实工作②乡、村委会帮助责任人解决有关问题

第九章　小流域坝系
工程布设实例

第一节　小流域概况

一、自然概况

1. 基本情况

陕西省子长县红石峁小流域系黄河的二级支流,流域总面积 77.0km², 水土流失面积 77.0km²。涉及 2 个乡(镇)11 个行政村, 总人口 6 255 人。农业劳动力 2 365 人, 总户数 1 127 户, 人口密度 81 人/km²。人均土地 1.23hm², 人均耕地 0.26hm², 人均基本农田 0.09hm², 流域人口主要分布在主沟道和Ⅲ级支沟内。坝系工程建设的主要问题是部分人口居住较低, 主沟建坝有淹没损失, 布设在主沟的骨干坝坝址选择时应合理布局, 尽量避免淹没。小流域社会经济现状见表 9-1。

该小流域属黄土丘陵沟壑区第Ⅰ副区, 地貌以黄土峁状丘陵为主。整体地势西北高, 东南低, 海拔高程介于 1 080~1 446m 之间, 相对高差 340m。流域上游基岩出露较少, 在主沟道及部分大支沟有 5~15m 的带状红色黏土出露; 中游、下游主沟道两岸及一级支沟下游处有 5~8m 的基岩出露。流域土地(耕地)坡度组成见表 9-2。

流域土壤主要为黄绵土、红胶土和淤积土, 以黄绵土为主, 约占流域总面积的 80% 以上, 广泛分布于梁、峁、坡、沟。这类土壤胶结性差, 遇水易溶解, 抗蚀性差, 有机质含量在 0.5% 左右, 养分缺乏, 呈碱性。其次为红胶土和淤积土, 零星分布于流域的沟坡和淤地坝中。

表 9-1　　　　　　　　红石峁小流域社会经济现状

项目	指标	单位	数量
辖区	省(区)		陕西省
	县(旗)		子长县
	乡	个	2
	村	个	11(含一个乡属林场)
人口	户	户	1 127
	总人口	人	6 255
	农业人口	人	6 255
	农业劳力	个	2 365
	人口密度	人/km²	81
社经指标	总土地面积	km²	77
	水土流失面积	km²	77
	人均土地	hm²	1.23
	人均耕地	hm²	0.26
	人均基本农田	hm²	0.09
	人均粮食	kg	382
产值	总计	万元	457
	人均	元	730.62
收入	总计	万元	371
	人均纯收入	元	467

表 9-2　　　　　　　　红石峁小流域土地(耕地)坡度组成

坡度项目	面积或比例	坡度组成					
		<5°	5°~15°	15°~25°	25°~35°	>35°	合计
土地	面积(hm²)	292.6	831.6	2 217.6	2 517.9	1 840.3	7 700
	比例(%)	3.8	10.8	28.8	32.7	23.9	100
耕地	面积(hm²)	210.7	116.3	983.5	57.5		1 368
	比例(%)	15.4	8.5	71.9	4.2		100

2.气象水文

流域气候属温带大陆性气候。冬季长而严寒,雨雪稀少;春季干燥,多风沙;夏季酷暑,雨量集中;秋季较短,气候凉爽。多年平均气温 9℃,极端最高气温 37.6℃(1966 年),极端最低气温 −23.1℃(1971 年),≥10℃ 的年积温为 3 442℃;年日照时数 2 872.1h;初冻日期在 11 月 25 日左右,解冻日期在 3 月 6 日左右;初霜期 10 月 4 日,终霜期 4 月 18 日,无霜期为 176 天。水文气象特征见表 9-3。

表 9-3　　　　　　　　红石峁小流域气象特征值

| 气象站名 | 气温(℃) | | | ≥10℃积温(℃) | 蒸发量(mm) | 总辐射量(kJ/cm²) | 大风日数(d) | 封冻期(月·日) | 解冻期(月·日) | 观测年限(年) |
	年最高	年最低	年平均							
子长	37.6	−23.1	9	3 442	2 047	548.5	26	11.25	3.6	59～81

注:根据建站以来的多年资料填写。大风指 5 级以上风。

流域多年平均降水量 527mm,降水特点:年内分布不均匀,以夏季最多,约占年降水量的 60.1%;秋季次之,约占年降水量的 29.7%;春季较少,约占 8.5%;冬季最少,约占 2.1%。年际变化大,最大年降水量 726.5mm(1961 年),最小年降水量 297.3mm(1972 年),多以暴雨形式出现,历时短,强度大,实测最大 24 小时点雨量为 165.7mm。降水特征见表 9-4。

表 9-4　　　　　　　　红石峁小流域降水特征

| 雨量站 | 面积(km²) | 年降水量 | | | | 最大24小时降雨量(mm) | 多年平均汛期降雨量(mm) | 多年平均暴雨次数(次) |
| | | 最大 | | 最小 | | | | |
		数值(mm)	年份	数值(mm)	年份	多年平均(mm)		
子长	77	726.5	1961	297.3	1972	527	165.7	327	7

注:暴雨指 24 小时降雨≥50mm 的强降雨。

流域多年平均径流量 361.9 万 m³,径流特点表现为:径流量年际变化大,该流域径流主要靠降雨补给,流域内丰水年降水量高达 726.5m(1961 年),而干旱年份仅为 297.3mm(1972 年)。据县水文站径流资料分析,实测年最大径流量与年最小量之比为

3.08,径流量偏差系数 C_v 值为 0.4;径流的丰枯特征明显,表现为冬季径流量最小,夏季径流量最大;主沟道及部分较大支沟道有大小不等的常流水,主沟道常流水流量约 20L/s,支沟道常流水流量 10~20L/s。径流泥沙特征见表 9-5。

表 9-5   红石峁小流域径流泥沙特征

流域面积(km²)	年径流量(万 m³)				多年平均	多年平均汛期径流量(万 m³)	多年平均洪水次数(次)	年径流模数(m³/km²)	年输沙量(万 t)	年输沙模数(t/km²)
	最大		最小							
	径流量	年份	径流量	年份						
77	541.1	1964	196.6	1965	361.9	229.9	7	46 883	108	1.4

注:洪水指一次洪峰≥2 倍多年平均流量的径流过程。

3. 水文泥沙分析计算

根据《水土保持治沟骨干工程技术规范》,采用设计暴雨推求设计洪水。

1)不同频率洪水计算

(1)设计暴雨量的计算。不同频率 24 小时设计暴雨量采用下式计算:

$$H_{24P} = k_P \cdot \overline{H}_{24}$$

式中:H_{24P} 是频率为 P 的 24 小时暴雨量,mm;k_P 是频率为 P 的皮尔逊-Ⅲ曲线模比系数;$\overline{H}_{24}$ 为最大 24 小时暴雨量均值,mm。

查《水文手册》,流域最大 24 小时暴雨量均值为 58mm;年最大 24 小时暴雨量变差系数 C_v 值为 0.56,$C_v/C_s = 2.5$;查附表一皮尔逊-Ⅲ曲线得不同频率的模比系数 k_P 值见表 9-6。

表 9-6   不同频率所对应的模比系数 k_P 值

洪水重现期(年)	10	20	30	50	100	200	300	500
k_P	1.75	2.09	2.26	2.51	2.83	3.15	3.32	3.56

根据式(9-1)计算不同频率24小时设计暴雨量见表9-7。

表 9-7　　　红石峁小流域不同频率 24 小时设计暴雨量

洪水重现期(年)	10	20	30	50	100	200	300	500
H_{24P}	101.5	121.22	131.08	145.58	164.14	182.7	192.56	206.48

(2)设计洪峰流量计算。不同频率设计洪峰流量按下式计算：

$$Q_P = K_P \times F^n$$

式中：Q_P 为频率为 P 的洪峰流量，m^3/s；K_P、n 为重现期为 P 的经验参数，见表 9-8；F 为坝控面积，km^2。

表 9-8　　　洪峰流量—流域面积相关公式参数

洪水重现期(年)	10	20	30	50	100	200	300	500
n	0.61							
K_P	37.5	49.7	55.2	64.3	75.4	86.7	94.1	102.0

该流域不同设计频率洪峰流量见表9-9。

表 9-9　　　红石峁小流域不同设计频率洪峰流量

洪水重现期(年)	10	20	30	50	100	200	300	500
洪峰流量(m^3/s)	531	703	781	910	1 067	1 227	1 332	1 443
单位面积洪峰流量 $[(m^3/(s \cdot km^2)]$	6.9	9.1	10.1	11.8	13.9	15.9	17.3	18.7
n	0.61							
K_P	37.5	49.7	55.2	64.3	75.4	86.7	94.1	102.0

计算公式：$Q_P = K_P F^n$；流域面积为 $77km^2$

(3)设计洪水总量计算。不同频率洪水总量按下式计算：

$$W_P = 1\,000 h_{tc} F$$

式中：W_P 为频率为 P 的洪水总量，万 m^3；F 为坝控面积，km^2；h_{tc}

为相当于 tc 时段的净雨, mm, 见表 9-10。

表 9-10　　　红石峁小流域不同设计频率 24 小时净雨量

洪水重现期(年)	10	20	30	50	100	200	300	500
h_{tc} (mm)	30.5	42.4	45.9	58.2	82.1	91.4	115.5	123.9

不同频率设计洪水总量见表 9-11。

表 9-11　　　红石峁小流域不同设计频率洪量模数

洪水重现期(年)	10	20	30	50	100	200	300	500
全流域洪水总量(万 m³)	234.5	326.7	353.3	448.4	505.6	703.4	889.6	953.9
单位面积洪量(万 m³)	3.0	4.2	4.6	5.8	6.6	9.1	11.6	12.4

(4)设计洪水过程线计算。洪水总历时采用下式计算：

$$T_P = 5.56 \times W_P / Q_P$$

式中：T_P 为设计洪水总历时, h; W_P 为设计洪水总量, 万 m³; Q_P 为设计洪峰流量, m³/s。

不同频率设计洪水总历时见表 9-12。

表 9-12　　　红石峁小流域不同频率设计洪水总历时

重现期(年)	10	20	30	50	100	200	300	500
T_P(h)	2.46	2.58	2.51	2.74	2.63	3.19	3.71	3.67

涨峰历时系数 a_t 取 0.139, 不同频率洪水的涨峰历时见表 9-13。不同频率设计洪水过程线见表 9-14。

表 9-13　　　红石峁小流域不同频率设计洪水涨峰历时

频率 P(%)	10	20	30.	50	100	200	300	500
a_t(h)	0.34	0.36	0.35	0.38	0.37	0.44	0.52	0.51

表9-14　　　　红石峁小流域不同设计频率洪水过程线计算

洪水重现期(年)	历时 (h)	流量 (m^3/s)	洪水重现期(年)	历时 (h)	流量 (m^3/s)
	0.00	0		0.00	0
10	0.34	531	100	0.38	1 067
	2.46	0		2.77	0
	0.00	0		0.00	0
20	0.36	703	200	0.44	1 227
	2.58	0		3.19	0
	0.00	0		0.00	0
30	0.36	781	300	0.52	1 332
	2.59	0		3.71	0
	0.00	0		0.00	0
50	0.38	910	500	0.54	1 443
	2.74	0		3.86	0

2)流域年均输沙量 W_s 计算

流域年均输沙量 W_s 按下式计算:

$$W_s = F \times M_s$$

式中: M_s 为年均侵蚀模数; F 为流域面积, km^2。

4. 沟道特征分析

1)沟道分级原理

本次可研沟道分级采用 A.N.strahler 沟道分级原理(最小等级沟长≥300m),对沟道特征进行定量分析。划分方法为:从流域上游开始,以最小(沟长≥300m)不可分支的毛沟为Ⅰ级沟道,两个Ⅰ级沟道汇合后的下游沟道为Ⅱ级沟道,两个Ⅱ级沟道汇合后的下游沟道为Ⅲ级沟道,依此类推,流域出口所在沟道为最高级沟道。量算各级沟道的流域面积、沟长、比降、沟床宽度等特征值,进行分级分类统计见表9-15。

表9-15　　　　　　　红石峁小流域各级沟道特征值

等级	条数	总集水面积（km²）	单沟集水面积（km²）	总长度（km）	单沟平均长度（km）	沟底平均宽度（m）	沟道比降（%）	沟道断面形状
Ⅰ	142	48.92	0.344 5	85.73	0.604	5	7.27	V
Ⅱ	25	35.81	1.43	21.72	0.869	6	2.98	V
Ⅲ	8	58.9	7.363	22.47	2.81	8	2.021	复型
Ⅳ	1	77.0	77.00	13.18	13.18	14	1.63	复型

2）沟道组成结构

在该小流域水系图上按以上沟道分级方法绘制沟道分级结构图。有Ⅰ级沟道142条，Ⅱ级沟道25条，Ⅲ级沟道8条，Ⅳ级沟道1条。各级沟道分布见表9-16。

表9-16　　　　　　　红石峁小流域各级沟道分布

等级	总条数（条）	位置分布									等级分布						
		主沟	左岸				右岸				等级规律			面积规律			
			上游	中游	下游	小计	上游	中游	下游	小计	汇入Ⅱ	汇入Ⅲ	汇入Ⅳ	<0.2 km²	0.2～0.6km²	0.6～3.0km²	>3.0 km²
Ⅰ	142	1	28	28	33	89	8	14	30	52	78	48	16	29	65	38	10
Ⅱ	25		5	6	4	15	8	2	1	10		21	4		2	5	18
Ⅲ	8		1	2	1	4	2	1	1	4			8			2	6
Ⅳ	1																1

3）各级沟道特征

该流域Ⅰ级沟道142条，沟道总面积48.92km²，单沟平均集水面积在0.344km²，均小于1.0km²，沟道总长度85.73km，单沟平均长度0.604km，沟道平均宽度5m；坡面Ⅰ级支沟处于发育状态，沟道较窄，比降较大，平均为7.27%，沟道断面形状多呈"V"字形。

Ⅱ级沟道 25 条,沟道总集水面积 35.81km²,集水面积多在 0.41～3.17km²,平均集水面积 1.43km²;Ⅱ级沟道总长度 21.72km,单沟平均沟道长度 0.869km;沟道平均宽度 6m;沟道比降为 1.85%～6.0%,平均比降 2.98%;沟道断面多呈复型。

Ⅲ级沟道 8 条,总集水面积 58.9km²,沟道面积在 3.68～11.36km² 之间,平均集水面积 7.363km²;沟道总长度 22.47km,平均长度 2.81km;沟道平均宽度 8m。Ⅲ级沟道一般比降较小,沟道比降为 1.36%～2.57%,平均比降为 2.02%,沟道形状多呈复型断面。

Ⅳ级沟道 1 条,沟道总面积 77.0km²,沟道长度 13.18km,沟道平均宽度 14m,沟道比降为 1.63%。Ⅳ级沟道比降较小,沟道多呈复型断面。

4)各级沟道建坝潜力分析

流域Ⅰ级沟道较窄,沟道平均比降 7.27%,一般不适于建设淤地坝。部分Ⅱ级支沟多呈"V"字形,沟谷处于发育状态,沟道较窄,沟道平均比降为 2.98%,适宜建设小型淤地坝,少数沟道较宽及呈复型断面的Ⅱ级沟道,适宜建设中型淤地坝。Ⅲ级沟道多为复型断面,沟道平均比降为 2.09%,建坝条件较好,多适宜建设中型淤地坝,在地形条件较好的地方适宜建设控制性骨干坝,以提高流域整体防洪能力,保护中小型淤地坝生产安全。Ⅳ级沟道一般呈复型断面,沟道平缓,平均比降为 1.63%,沟道建坝条件较好,适宜建设骨干坝,但该级沟道是农业生产和居民点比较集中的地方,坝址选择受淹没损失条件的限制。各级典型沟道见该流域沟道纵断面图(图 9-1)。

二、水土流失概况

1.水土流失状况

该流域属典型的黄土丘陵沟壑区,受水力侵蚀和重力侵蚀交

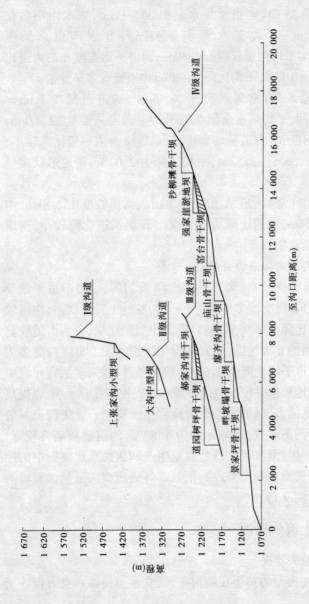

图 9-1 红石峁小流域各级沟道沟道纵断面图

织作用。从侵蚀部位分析,沟谷地中的谷坡较梁峁坡陡,多为25°~70°,重力侵蚀严重,常有泻溜、崩塌、滑坡发生,形成重力侵蚀带。

小流域平均土壤侵蚀模数 1.390 4 万 t/(km²·a),其中轻度侵蚀面积 1.54km²,占流失面积的 2.0%;中度侵蚀面积 4.39km²,占流失面积的 5.7%;强度侵蚀面积 9.09km²,占流失面积的 11.8%;极强度侵蚀面积 15.2km²,占流失面积的 19.7%;剧烈侵蚀面积 46.8km²,占流失面积的 60.8%(见表 9-17)。

表 9-17　　　　　　　红石峁小流域水土流失现状

流域面积(km²)	不同侵蚀强度面积(km²)										年侵蚀模数(万 t/km²)	沟壑密度(km/km²)
	轻度		中度		强度		极强度		剧烈			
	面积	占%	面积	占%	面积	占%	面积	占%	面积	占%		
77	1.54	2.0	4.39	5.7	9.09	11.8	15.2	19.7	46.8	60.8	1.390 4	2.9

2. 侵蚀模数的分析与确定

按照水利部颁发的《土壤侵蚀分级标准》,考虑土地坡度、下垫面条件以及降雨量等因素,对流域的土壤侵蚀强度进行分析(见表 9-17)。通过不同地貌单元的侵蚀模数,按各侵蚀强度所占的面积和比例加权平均计算流域侵蚀模数为 14 028t/(km²·a)。

根据地区《实用水文手册》多年侵蚀模数图,查得小流域多年平均侵蚀模数为 16 700t/(km²·a)(资料年限为 1956~1980 年)。

通过对小流域 3 座现状大型坝和 1 座中型坝的实测淤积资料分析,计算得该流域多年平均侵蚀模数为 1.40 万 t/(km²·a)(见表 9-18)。

强家崖淤地坝位于流域最上游,该坝于 1972 年 11 月建成,坝控面积为 8.03km²。修建时枢纽组成只有坝体,无放水工程,经历了 1977 年、1978 年、1994 年 3 场特大洪水后,该坝淤至距坝顶 3.8m 的现淤泥面高度。1995 年,窑台村群众为了保证坝的安全,在坝体右侧的红黏土层上开挖了土质简易溢洪道,此后,该坝库容再未淤积。因此,本次侵蚀模数的计算时段为 1973~1995 年(23年)。

表 9-18　红石峁小流域现状淤地坝淤积量推算侵蚀模数计算

坝名	坝控面积 （km²）	淤积 年限	淤积量 （万 t）	年侵蚀模数 （万 t/km²）	建设 时间 （年）	淤满 时间 （年）	工程 等级
强家崖	8.03	23	254.88	1.38	1972	1995	大型坝
庙湾沟	3.17	26	111.78	1.36	1973	1999	大型坝
郝家沟	6.44	28	254.34	1.41	1972	2000	大型坝
阎家沟	0.83	28	41.00	1.77	1973	2000	中型坝
合计(平均)	18.47		662.00	1.40			

庙湾沟淤地坝位于流域下游右岸的庙湾沟上游。该坝修建于1973 年 11 月,坝控面积为 3.17km²。修建初期工程枢纽组成只有坝体,无放水设施。该坝经历了 1977 年、1978 年、1994 年 3 场特大洪水,1999 年淤至距坝顶 1.0m 的现淤泥面高度。2000 年庙湾村群众为了保证该坝安全,在坝体右侧的红黏土层上修筑了浆砌石溢洪道,因此本次侵蚀模数的计算时段为 1974~1999 年(26 年)。

郝家沟淤地坝位于流域下游左岸的郝家沟上游。该坝修建于1972 年 12 月,坝控面积为 6.44km²,修建初期工程无放水设施,2000 年淤至距坝顶 2.0m 的现淤泥面高度,因此本次侵蚀模数的计算时段为 1973~2000 年(28 年)。

通过以上分析,由不同地貌单元的侵蚀模数加权平均计算的流域侵蚀模数为 14 028t/(km²·a),而用现状淤地坝反推的侵蚀模数在 13 600~14 000t/(km²·a)之间,地区《实用水文手册》多年侵蚀模数图查得的多年平均侵蚀模数 16 700t/(km²·a)的资料年限为 1956~1980 年,考虑到几十年流域水土流失的治理情况,坡面植被较以前明显提高,因此侵蚀模数较以前有了一定程度的减小。

由此本次可行性研究侵蚀模数取 14 000t/（km^2·a）比较符合流域实际情况。

第二节　淤地坝工程现状与分析评价

一、淤地坝建设现状

20 世纪 70 年代初,流域内曾修建了 6 座大型坝,13 座中小型坝,但由于缺乏规划,坝系布局不合理,1978 年的大暴雨使流域主沟道中的 5 座大型坝冲毁了 4 座,中小型坝几乎全部冲垮。截至 2003 年,全流域保存较为完好的大型淤地坝有 3 座,控制流域面积 17.64km^2,总库容 501.2 万 m^3,可淤地 27.7hm^2,已淤库容 432 万 m^3,已淤地 26.7hm^2;有中型坝 3 座,总库容 86.8 万 m^3,可淤地 11.0hm^2,已淤库容 83 万 m^3,已淤地 11hm^2,淤地坝建设现状见表 9-19。这些工程的建设,使当地群众进一步认识到沟道坝库工程在农村经济发展中的作用。

1.拦沙蓄水作用分析

该流域现状淤地坝控制流域面积 20.23km^2,总库容 596.9 万 m^3,已淤库容 521.2 万 m^3。根据现状坝的结构及淤积情况分析（见表 9-19）,强家崖淤地坝总库容 230 万 m^3,拦泥库容 215 万 m^3,已淤库容 188.8 万 m^3,尚有一定的拦蓄库容,但由于坝体右岸开挖了简易溢洪道,使该坝洪水直接从溢洪道中排出,因而失去了拦沙蓄水能力。庙湾沟淤地坝总库容 82.8 万 m^3,拦泥库容 61.8 万 m^3,已淤库容 75 万 m^3,由于坝体左端开挖了溢洪道,故已失去拦泥蓄水能力。郝家沟淤地坝总库容 188.4 万 m^3,拦泥库容 146 万 m^3,已淤库容 168.4 万 m^3,由于开挖了溢洪道,故已失去拦泥蓄水能力。大庙沟中型淤地坝总库容 40.8 万 m^3,拦泥库容 38 万 m^3,已淤库容 38 万 m^3,已失去拦泥蓄水能力。廖齐沟中型淤地坝总

表 9-19 红石峁小流域淤地坝工程现状

工程编号	沟道编号	坝名	坝型	建坝时间	控制面积 (km²)	坝高 (m)		库容 (万 m³)			淤地面积 (hm²)			枢纽结构	淤满时间	维修意见
						总	已淤	总	拦泥	已淤	可淤	已淤	利用			
XD-1	III₁	强家崖	大型坝	1972年	8.03	32	28.2	230	215	188.8	9	8	4.4	坝体溢洪道	1995年	加高配套
XD-2	III₇	庙湾沟	大型坝	1973年	3.17	20	18.8	82.8	61.8	75	8.7	8.7	4.6	坝体溢洪道	1999年	加高配套
XD-3	III₈	郝家沟	大型坝	1972年	6.44	28	26.2	188.4	146	168.4	10	10	8.7	坝体溢洪道	2000年	加高配套
大型坝小计					17.64			501.2	423	432	27.7	26.7	17.7			
XZ-1	II₂₀	大庙沟	中型坝	1970年	0.76	18.5	18	40.8	38	38	6.8	6.8	4.3	坝体溢洪道	1992年	加高配套
XZ-2	III₆	廖齐沟	中型坝	1972年	0.68	18	17	16	15	15	2.7	2.7	2.3	坝体	1996年	加高配套
XZ-3	I₁₀₂	阎家沟	中型坝	1973年	0.83	24.3	23	30	25	30	1.5	1.5	1.33	坝体溢洪道	2000年	加高配套
中型坝小计					2.27			86.8	78	83	11	11	8			
XX1	II₇	高家渠	小型坝	1986年	0.32	8.4	5.4	8.9	7	6	1.13	0	0			加高配套
小型坝合计					0.32	8.4	5.4	8.9	7	6	1.13	0	0			
合计					20.23			596.9	507.8	521.2	39.8	37.7	25.7			

注:工程编号由建设性质、类型和序号组成,X——现状,G——规划,G——骨干坝,D——大型坝,Z——中型坝,X——小型坝,序号按沟道编号顺序排列。如第 23 号规划骨干坝的工程编号为 GG-23。

库容 16 万 m^3 ,拦泥库容 15 万 m^3 ,已淤库容 15 万 m^3 ,已失去拦泥蓄水能力。阎家沟中型淤地坝总库容 30 万 m^3 ,拦泥库容 25 万 m^3 ,已淤库容 30 万 m^3 ,已失去拦泥蓄水能力。

2.坝系保收能力分析

该流域现状坝可淤地面积 39.8hm² ,目前已淤地 37.7hm² ,根据流域现状坝系工程的类型及数量,计算现状坝系到工程全面发挥效益时达到的设计淤地面积在不同设计暴雨频率条件下的淹水深度和泥沙淤积厚度,与坝地种植农作物的耐淹水深及泥沙淤积允许厚度进行比较,计算坝地在 10 年一遇洪水条件的淹没水深均大于 0.8m,大庙沟淤地坝在 10 年一遇的设计洪水条件下淹没水深为 0.3m,其保收面积为 6.8hm² ,其余坝地均未达到保收要求,防洪保收率为 17.6%。小流域现状淤地坝坝地淹水深度计算结果见表 9-20。

表 9-20　　红石峁小流域现状淤地坝坝地淹水深度计算

坝名	控制面积(km^2)	淤地面积(hm^2)		不同设计频率洪水淹水深度(m)			
		可淤	已淤	2%	3.33%	5%	10%
强家崖	8.03	9	8	5.17	4.10	3.7	2.68
庙湾沟	3.17	8.7	8.7	2.11	1.68	1.5	1.09
郝家沟	6.44	10	10	3.74	2.96	2.7	1.93
大庙沟	0.68	6.8	6.8	0.58	0.46	0.4	0.30
廖齐沟	0.76	2.7	2.7	1.65	1.31	1.2	0.86
阎家沟	0.83	1.5	1.5	3.21	2.55	2.3	1.66

3.现状坝系防洪能力分析

坝系工程防洪能力主要取决于大型坝或骨干坝抵御洪水能力。小流域现状坝系中有 3 座大型坝,强家崖大型淤地坝位于主沟道上游,于 1972 年建成,无放水设施,1995 年淤满后在坝体左端开挖了土质临时溢洪道,溢洪道深 4.0m,宽 5.0m,长 87m,目前泥面距坝顶 3.8m;庙湾沟大型淤地坝 1973 年建成,无放水建筑物,2000年在坝体右端增设溢洪道,溢洪道深3.0m,宽4.0m,长67m,坝前泥面至坝顶1.0m;郝家沟大型淤地坝修建于1973年,无放水工程,2000年淤满后在其左岸增设土质简易溢洪道,溢洪道深2.5m,宽3.5m,长70m,坝前泥面距坝顶高2.0m。由于该流域现状淤地坝均为坝体和溢洪道"两大件"组成,因此防洪能力由现有滞洪库容及溢洪道的下泄能力通过调洪演算分析确定。

通过对以上3座大型淤地坝溢洪道的最大下泄流量的分析计算,分别得到强家崖淤地坝溢洪道的最大下泄流量为62m³/s,庙湾沟淤地坝溢洪道的最大下泄流量为64m³/s,郝家沟淤地坝溢洪道的最大下泄流量为36m³/s。根据淤地坝的剩余库容和其溢洪道的最大下泄流量,通过调洪演算分析现状淤地坝的防洪能力:强家崖淤地坝的防洪能力为100年一遇的洪水,庙湾沟淤地坝的防洪能力为50年一遇的洪水,郝家沟淤地坝的防洪能力为30年一遇的洪水(见表9-21),因此必需对其进行加固改建,以提高流域坝系工程的整体防洪能力。

表 9-21　　　　　红石峁小流域坝系现状防洪能力分析

工程名称	控制面积 (km²)	枢纽组成	库容 (万 m³) 总库容	库容 (万 m³) 剩余库容	溢洪道下泄能力 (m³/s)	设计洪水总量(万 m³) 10%	5%	3.30%	2%	1%	0.50%	0.33%	剩余防洪能力 (年)
强家崖	7.73	坝体溢洪道	230	41.2	62	23.2	32.5	35.6	44.8	51.0	70.3	89.7	1%
庙湾沟	3.17	坝体溢洪道	82.8	7.8	64	9.7	13.4	14.5	18.5	20.8	29.0	36.6	<2%
郝家沟	6.44	坝体溢洪道	188.4	20	36	19.6	27.3	29.5	37.5	42.3	58.8	74.4	<3.3%

4.水资源的利用

该流域多年平均径流量为 361.9 万 m^3，多以洪水的形式出现。流域内支沟常流水量最大约 15L/s，主沟常流水量约 20L/s，年均常流水总量为 63.1 万 m^3。由于缺少沟道拦蓄工程，水资源的利用率较低，其利用形式主要为人畜饮水和沟道内基本农田的灌溉。据统计分析，该流域年利用水资源量约为 25.2 万 m^3，占年径流总量的 6.96%，占年均常流水量的 39.9%。

二、淤地坝现状分析评价

1.工程布局评价

1)全流域控制规模

该流域建设的 3 座大型坝分别分布在主沟道的上游区和下游区的两条支沟道的上游。从单坝淤地面积与控制面积的比值分析，流域现状坝淤地面积和坝控制面积的比值为 1/62.6，因此该流域现状坝淤地规模也不能满足坝系生产保收的要求，单坝淤地面积和控制面积的比值见表 9-22。从坝系控制规模分析，现状坝坝控面积为 17.34km^2，占流域总面积的 22%，控制规模远远不能满足坝系建设的要求。

表 9-22　　红石峁小流域单坝淤地面积和控制面积比值

工程编号	坝名	坝型	建坝时间	控制面积（km^2）	淤地面积（hm^2）	淤地面积和控制面积比
XD-1	强家崖	大型坝	1972 年	7.73	9	85.9
XD-2	庙湾沟	大型坝	1973 年	3.17	8.7	36.4
XD-3	郝家沟	大型坝	1972 年	6.44	10	64.4
合计				17.34	27.7	62.6

2)支沟控制规模

该流域具有骨干坝控制条件的Ⅲ级（$F>3km^2$）沟道有 8 条，

除强家崖大型坝布设在主沟道上外,只有庙湾沟坝和郝家沟坝分别布设在流域下游的Ⅲ级支沟内。尚有 6 条Ⅲ级支沟没有得到控制。强家崖淤地坝建设在流域上游的主沟道上,控制流域面积 $7.73km^2$,占流域总面积的 10％,从控制规模分析,该坝可以改建为骨干坝,但由于该坝控制面积较大,受加高条件限制,还需要在其上游增设骨干工程,控制上游的洪水泥沙,从而保证该坝的生产安全。庙湾沟淤地坝建设在流域下游右岸的郭家河支沟的上游区,控制面积 $3.17km^2$,占所在支沟面积的 31％。该坝的控制规模是合理的,但从该支沟的控制率分析,需要在其下游增设控制性骨干坝,使该支沟的洪水泥沙得到全面控制。郝家沟淤地坝位于流域下游左岸的郝家沟支沟的中上游,控制面积 $6.44km^2$,单坝控制面积已达到骨干坝规模,宜改建为骨干坝,但支沟控制率仅为 50％,需要在其下游增设骨干坝,提高支沟控制率。

3)坝系配套

该流域现状坝系只有 3 座大型坝,在防洪、拦沙、蓄水、生产综合利用等方面,取得了一定效益,但目前主要以生产为主,也缺少与之配套的中小型淤地坝,已无拦蓄洪水泥沙的能力,防洪能力低,需要加高配套。

2.工程运行管护分析

该流域淤地坝均由坝体和临时溢洪道组成,由于缺乏维修资金,除庙湾沟淤地坝坝体尚保存完好外,其余坝体都不同程度地有所损坏。淤地坝工程运行管护情况见表 9-23。

该流域的淤地坝均由所在行政村进行管护,在暴雨前后,各村委会集体投劳对其进行维修加固。对水毁严重、群众难以投劳维修加固的工程,由村委员申请县水利局以防汛资金解决。

3. 工程建设的主要经验与存在的问题

1)主要经验

(1)流域坝系建设应以骨干坝建设为骨架,合理配套中小型淤地坝,才能保证坝系安全,实现水土资源的持续利用。

表 9-23　　　　　红石峁小流域淤地坝工程运行管护情况

编号	坝型	工程名称	剩余淤积年限	坝体运行情况			管护措施	维修意见
				坝体	溢洪道	放水工程		
XD-1	大型坝	强家崖	0	正常	已拉深	无	联合管护	加高配套
XD-2	大型坝	庙湾沟	0	正常	正常	无	联合管护	加高配套
XD-3	大型坝	郝家沟	0	正常	已拉深	无	联合管护	加高配套
XZ-1	中型坝	大庙沟	0	正常	已拉深	无	联合管护	加高配套
XZ-2	中型坝	廖齐沟	0	正常	无	无	联合管护	加高配套
XZ-3	中型坝	阎家沟	0	正常	无	无	联合管护	
XX-1	小型坝	高家渠	0	正常		无	个体管护	加高配套

该流域的淤地坝建设是从 20 世纪 70 年代开始的,由于缺乏科学规划,仅在部分支沟的上游和主沟道上修建了少量大型坝,没有中小型淤地坝与之配套,坝系布局及结构不合理,因此 1978 年流域内普降暴雨,造成主沟道的 3 座大型淤地坝连锁垮坝。坝系建设的实践证明,只有以骨干坝建设为骨架,合理配套中小型淤地坝,才能保证坝系安全,实现水土资源的持续利用。

(2)沟道工程建设是保证流域坡耕地退耕还林还草的根本措施。该流域是退耕还林还草的重点区域,基本农田仅靠水平梯田建设难以保证群众的粮食自给,群众退耕还林还草有后顾之忧。只有加强沟道工程建设,拦泥淤地,扩大基本农田面积,才能调整农业产业结构,为发展当地生产提供了有力的支持,巩固退耕还林还草成果。

(3)推广水坠筑坝、机械化筑坝技术,是加快沟道工程建设进度,提高工程质量的重要保证。

2)存在的问题

(1)沟道坝系尚未形成,工程布局不合理。小流域建设的3座大型坝分别分布在主沟道的上游区和下游的两条支沟道的上游,流域内较大支沟是流域洪水的主要来源区,缺少骨干坝控制,并缺少与其相配套的中小型淤地坝,沟道坝系尚未形成,需要增设骨干工程和中小型淤地坝。

(2)大型坝的防洪能力严重不足。根据现状分析:强家崖淤地坝的防洪能力为100年一遇的洪水,庙湾沟淤地坝的防洪能力为50年一遇的洪水,郝家沟淤地坝的防洪能力为30年一遇的洪水,因此必需对其进行加固改建,以提高流域坝系工程的整体防洪能力。

(3)大多数淤地坝已淤满,失去滞洪能力,病险严重。该流域的淤地坝大多是20世纪70年代以前建设的,经过30多年的运行,绝大多数已经冲垮,仅剩的4座工程也已全部淤满,急需进行加高和配套。

(4)由于主沟道部分区域的村庄、道路集中,且有部分输电线路,造成工程建设有一定的淹没损失,也给工程的修建和加高带来一定的影响。本次可行性研究在骨干坝坝址选择中,尽量避免工程对村庄和住户的淹没,对个别重要工程,与当地(县、乡)政府及村委会充分讨论,形成共识,并形成承诺文件,由当地政府和有关部门协调解决工程的淹没及其他问题,使全流域的洪水泥沙得到全面控制。

第三节　坝系建设目标与总体布局

一、建设目标

1. 指导思想

根据该流域沟道特征、水土流失特点和沟道坝系工程现状,针对流域沟道坝系建设中存在的问题,分析水沙运动规律、流域经济发展、人口环境、农业生产结构调整等需求,按照拦泥、淤地、发展农业经济的总体要求,确定坝系工程总体布局。坝系建设的指导思想是:以防治水土流失、增加坝地、提高水资源利用率为目标,以骨干坝为控制单元,以骨干坝建设为重点,合理配套中小型淤地坝,兼顾现状淤地坝的加固配套建设,完善坝系结构,最大限度地发挥坝系的防洪、蓄水、拦泥、淤地等效益,为当地生态安全和粮食安全创造条件,实现水土资源的合理开发与利用,改善流域生态环境。

2.编制依据

《水土保持综合治理规划通则》(GB/T15772-1995);

《水土保持综合治理技术规范》(GB/T16453.1-16453.6);

《水土保持综合治理效益计算方法》(GB/T15774-1995);

《水土保持建设项目前期工作暂行规定》,水利部,2000年;

《水土保持治沟骨干工程技术规范》(SL289-2003);

《小流域坝系建设可行性研究报告暂行规定》,黄河水利委员会,2004年;

工程所在省《水土保持治沟骨干工程技术手册》;

工程所在地区《实用水文手册》。

3.建设原则

(1)在现有工程的基础上,以骨干坝为子坝系,又兼顾整体,上下游、干支沟相互协调,完善流域坝系结构,提高坝系防洪能力,保证坝系防洪安全。

(2)坝系建设以子坝系为单元,以骨干工程为主体,合理配置中小型淤地坝,最大限度地实现拦沙目标。

(3)以子坝系为单元,结合流域人口环境、经济发展、农业生产结构调整等需求,合理配置淤地坝,有效利用水资源,做到拦、蓄、排、种、养相结合,最大限度地发挥坝系工程的淤地、种植、灌溉效益,以满足流域社会经济发展的需要。

(4)投资多元化,国家、地方、群众投资相结合。

(5)推行"三项"制度,实现项目法人制、招标投标制和工程监理制。

4．建设目标

根据小流域的水文、泥沙特点,针对现状坝系建设存在的主要问题,结合流域坝系建设与经济开发的特点,确定本次坝系建设的宏观目标为:通过坝系建设,提高坝系防洪能力和水土资源利用率,使坝系拦、蓄、种等效益相结合,促进流域生态安全、粮食安全和经济社会的可持续发展。

1)建设目标分析

(1)坝系的流域面积控制目标。按照坝系建设的基本原则,坝系要尽量控制流域面积,尽可能地保证"洪水不出沟、泥沙不下泄"。在黄土丘陵沟壑区第一副区,由于自然地貌和沟道组成结构的特点,坝系控制的流域面积控制规模一般在75%以上时,流域下游(或沟口)基本不会形成较大洪峰,因此本次可行性研究依此推算骨干坝的最小控制目标。即

$$F_{坝系} = \sum F_{骨干坝}$$
$$\geqslant F \times 75\%$$
$$= 57.8(\text{km}^2)$$

式中：$F_{坝系}$ 为坝系流域面积控制规模,km^2；$F_{骨干坝}$ 为骨干坝控制面积,km^2；F 为流域面积,km^2。

(2)拦沙目标。坝系建设水平年年末最小新增拦泥能力可采用下式计算：

$$W_{拦} = \frac{M_0(F - F_0)}{\gamma} \times y$$

式中：$W_{拦}$ 为坝系新增拦泥能力,m^3；M_0 为流域平均侵蚀模数,$\text{t}/(\text{km}^2 \cdot \text{a})$；$F$ 为流域坝系工程拟控制流域面积,km^2；F_0 为流域坝系

工程已控制流域面积,km²;γ 为泥沙干容重,t/m³;y 为拦泥年限。

根据上式计算小流域新增拦泥目标为:拦蓄流域 20 年内 1 190 万 m³以上的泥沙。

(3)淤地目标。

——流域经济发展对坝地的需求。该流域现有人口 6 255 人,建设目标拟定的坝系单元控制范围(57.8km²)内的人口为 4 973 人,基本农田 420.3hm²,粮食总产量 190 万 kg,人均占有粮食 382kg。根据小流域农业经济发展及人口环境需求,结合生态环境建设要求,到坝系投入正常运行以后,人均 0.134hm² 基本农田(其中坝地 0.04hm²)可保证该流域社会经济发展要求。共需基本农田面积 663hm²(人口自然增长率按 0.6% 计算),需要坝地面积 198.9hm²。流域内现有的淤地坝可淤坝地 39.8hm²,还需增加 159.1hm² 的坝地,即可满足农业经济发展的要求。

——沟道的造地条件。流域建设水平年年末最大新增坝地面积,可采用下式计算:

$$A = \eta \frac{W_{拦}}{\omega}$$

式中:A 为新增坝地面积,hm²;η 为淤地折算系数,为已建淤地坝实地调查的淤地模数与设计淤地模数之比,当调查统计资料来源于本流域或来源于地形条件十分相似的流域时,可取 η = 1;$W_{拦}$ 为坝系新增拦泥能力,万 m³;ω 为设计淤地模数,即设计单位淤地面积所需的拦泥量,万 m³/hm²。

根据沟道分级、沟道特征分析及各级沟道建坝适宜性,在流域内选择能代表流域实际情况的坝系,推算其拦泥量与淤地面积的关系,并结合现状坝淤积情况,确定骨干坝每淤 1hm² 的坝地需 8.8 万 m³ 泥沙,中型淤地坝每淤 1hm² 的坝地需 5.7 万 m³ 泥沙,小型淤地坝每淤 1hm² 的坝地需 4.5 万 m³ 泥沙。全流域平均每淤 1hm² 的坝地需 7.8 万 m³ 泥沙。由此计算该流域的产沙在 20

年内可以发展淤成坝地 153hm² 以上。基本可以满足流域社会经济发展的淤地目标。

(4)防洪目标。根据《水土保持治沟骨干工程技术规范》,确定坝系结构中的骨干工程的防洪标准为 300 年一遇洪水,设计淤积年限取 15～20 年。考虑到流域工程地质条件,该流域多数骨干坝枢纽由坝体和放水工程"两大件"组成,个别坝枢纽组成为"三大件"。坝系建成后,将形成以骨干坝为骨架的坝系防洪体系。总体防洪能力提高到 300 年一遇洪水标准。

——满足防洪目标需要的滞洪库容。坝系滞洪能力是坝系拦蓄和削减坝系控制流域面积以内 300 年一遇的洪水,建设水平年最大新增滞洪能力可采用下式计算:

$$W_滞 = W_{0.33}(F - F_0)$$

式中:$W_滞$ 为坝系新增滞洪能力,万 m³;$W_{0.33}$ 为 300 年一遇洪量模数,万 m³/km²;F 为流域坝系工程拟控制流域面积,km²;F_0 为流域坝系工程已控制流域面积,km²。

根据上式计算,小流域新增滞洪能力为:拦蓄和削减 670 万 m³ 以上的洪水。

——坝系总库容。根据拦泥和滞洪目标,坝系建设新增总库容在 1 860 万 m³ 以上。

(5)淤地坝建设数量目标。该流域共有大小沟道 176 条,其中流域面积小于 0.6km² 的沟道有 127 条,由于地形地貌、沟道比降、坝址断面等自然条件的限制,而适应于修建小型淤地坝的沟道有 76 条;流域面积在 0.6～3.0km² 的沟道有 38 条,这部分沟道适应于修建中型淤地坝;流域面积大于 3km² 的沟道共有 10(包括主沟道)条,是骨干工程的适宜控制范围。

根据《水土保持治沟骨干工程技术规范》(SL289-2003)规定的骨干坝的控制面积一般为 3～8km²,则骨干坝(坝系单元)的建设数量按下列公式计算:

$$N_g = (F - F_0) / \alpha_{\max/\min}$$

式中：N_g 为坝系单元数量，座；F 为坝系工程拟控制流域面积，km^2；F_0 为现状工程已控制流域面积，km^2；$\alpha_{\max/\min}$ 骨干坝单坝控制面积上限和下限，km^2。

则本次可行性研究的骨干坝(坝系单元)拟建设数量目标为

$$N_{g-\max} \sim N_{g-\min} = 7 \sim 18(座)$$

2)初拟建设目标

综合坝系建设目标分析，提出本次可行性研究的建设目标如下：

(1)坝系工程控制流域 54.0km² 以上的水土流失面积；

(2)形成新增拦泥能力 1 180 万 m³ 以上；

(3)新增滞洪能力 670 万 m³ 以上；

(4)实现拦蓄流域坝控范围 15～20 年的洪水泥沙；

(5)坝系工程防洪能力达到 300 年一遇暴雨洪水标准；

(6)可淤坝地面积达到 150hm² 以上；

(7)淤地坝拟建设数量为骨干坝 7～18 座；

(8)为流域坡耕地退耕还林(草)提供条件，生态环境得到初步改善。

二、总体布局

1. 布局原则

从该流域现状淤地坝建设总体来看，流域干支沟基本没有淤地坝分布，历史上建设在主沟和个别较大支沟的大中型淤地坝除极个别支沟坝得以保存外，其他绝大部分被 1977 年大暴雨冲垮，因此流域主沟和较大支沟皆为空白沟道。

(1)根据流域沟道特征、水土流失规律和沟道坝系工程现状，针对坝系运行中存在的问题，按照拦泥、淤地、坝系相对稳定的要求，结合流域经济发展、人口环境、农业生产结构调整等需求进行分析，合理布设坝系，最终实现坝系相对稳定。

（2）坝系布局以子坝系为单元，以骨干工程为主体，上下游兼顾、干支沟相承，形成全流域上下游、干支沟统筹协作、均衡分布、群体联防的骨干网络体系。

（3）最大限度地淤埋主干沟和较大支沟上的原始沟道，抬高主要沟道的侵蚀基准，利用坝地扩宽沟道的过水断面，以尽量减少洪水的有效汇集。

（4）最大限度地实现拦沙目标，合理配置淤地坝，做到拦、蓄、排、种、养相结合，最大限度地发挥坝系工程的淤地、种植、灌溉效益，以满足流域社会经济发展的需要。

2. 布局思路

坝系建设的目的在于控制洪水泥沙，拦泥淤地，发展当地生产，为最终实现坝系相对平衡打好基础。

该流域的坝系布局的薄弱环节主要在主沟的Ⅳ级沟道上，支沟大、主沟缓、居民点分布多、住户低。针对实际情况，在坝系布局上要求首先最大限度地控制流域内洪水较大的 8 条Ⅲ级支沟，尽量削减主沟工程的洪水压力。对现状大型坝优先进行改建加固，提高防洪能力；上游增建控制性骨干坝，保护现状坝充分发展生产；其次对主沟道采取分段拦截的方式布设骨干坝，对受地形、村庄、道路等建筑物影响的部分区域，通过调整坝址位置和调整坝高减少淹没损失；第三合理配置中小型淤地坝，对人口密集、用地需求较大、水土流失强度大的区域适当增加中小型淤地坝的密度，以满足防治水土流失和社会经济发展对坝系建设的要求，使流域上下游、主支沟相互协调，形成拦、蓄、种、养相结合的坝系工程。

3. 单元坝系划分

1）单元坝系划分原则

（1）坝系单元骨干坝控制规模遵照《水土保持治沟骨干工程技术规范》的规定进行布局；

（2）坝系单元尽可能地均衡控制洪水泥沙；

(3)根据Ⅲ、Ⅳ级沟道的组成结构、道路、村庄分布及位置高低情况,按照淹没损失最小原则,合理确定坝系单元;

(4)坝系单元中的骨干坝建筑物等级规模尽可能一致,使各个单元的防洪风险相当;

(5)坝系单元内中小型淤地坝配置依据:一是坝址条件;二是群众生产用地需求。

2)坝系单元中骨干坝选址

(1)在对流域基本情况、交通、村庄等全面了解的基础上,结合沟道建坝条件,在1/10 000地形图上初选坝址。

(2)根据在1/10 000地形图上初选坝址,进行实地坝址勘察。着重考虑坝址最佳的地形地质条件、库容充裕、筑坝材料易于就地取材原则初定坝址,测量坝址断面,绘制坝高—库容曲线。

(3)在1/10 000地形图上量算初选坝址的控制面积。

(4)根据控制面积和坝高—库容曲线,分析库容、淤地面积是否符合规范,再结合淹没损失、防洪风险等通过调查选定坝址。骨干坝建设条件情况调查结果见表9-24。

3)划分过程

该流域产洪产沙较大的支沟有:沙柳滩沟、师良山沟、石子沟、庙沟、寺沟、石槽沟、郭家河沟、郝家沟等8条较大支沟。在这8条沟道中,只有郝家沟、沙柳滩沟和郭家河沟这3条沟道中保存有3座大型淤地坝,其控制规模可达到骨干坝,但这3座大型坝均已淤满,已失去了控制洪水泥沙的能力。因此从控制洪水泥沙的需要分析,这8条沟道均需要建设骨干坝。再从主沟道条件,尤其是中下游段需要建设3~5个骨干坝进行控制。基于该流域坝系控制洪水泥沙存在的问题,结合流域沟道建坝条件,在骨干坝布局设计中,以主沟道和8条支沟为主体,分别布设骨干工程,同时考虑社会经济需要,配置中小型淤地坝。为减少主沟道的淹没损失,在骨干坝布局设计中初拟两种方案进行比选。将流域坝系划分为若干个子坝系单元进行方案设计。

表 9-24 红石峁骨干坝建设条件情况调查

工程名称	坝址部位	坝址条件	建设性质
沙柳滩	III_1 与 II_4 交汇处至下游 100m 段	坝址处为梯形断面,口小肚大,无基岩裸露。右岸为黄土性土,左岸为红黏土,土质坚硬,隔水性能好,因此可将放水工程置于左岸。两岸有丰富的黄土性土壤,土料符合筑坝要求,取土便利,施工方便;沟道无常流水,施工采用碾压方式施工,无淹没损失	新建
庄库	III_2 沟口以上 100m 段	坝址处沟道呈"V"字形,底宽 3m,两岸边坡 40°左右,左岸岩裸露,高约 3.5m,放水建筑物置于左岸。以上为黄土性土,取土便利,土质符合筑坝要求;沟内有常流水,可水坠筑坝,无淹没损失	新建
窑台	II_7、II_{11} 与 IV_1 交汇段的下游 100m 段	坝址处于主沟道上游,沟道呈"复型"断面,两岸有基岩裸露,出露高度 8m;以上为黄土性土,土料符合筑坝要求,取土便利,施工方式为碾压。放水建筑物置于右岸,库内库区有输电线杆 8 根,有人口居住,最大建坝高度为 19m	新建
石子沟	III_3 与 II_{10} 交汇处向下游 100～300m 段	坝址处沟道呈"复型"断面,底宽 10m。两岸基岩裸露,出露高度 12m。基岩以上有丰富的黄土,土料符合筑坝要求,取土便利。沟内有常流水,采用水坠施工,无淹没损失	新建
庙山坝	III_3、III_4 与 IV_1 交汇段的下游向上 100～300m 段	沟道断面多呈梯形,沟底宽 5m;两岸有基岩出露,左岸高度为 12m,右岸高 4m,基岩以上为黄土,取土筑坝较便利。放水建筑物置于右岸,库区有输电线杆 9 根	新建
黑马山	III_4 中游居民点上游附近	"复型"断面沟道,两岸有基岩裸露,出露高度 8m,放水建筑物置于左岸。基岩以上有丰富的黄土,右岸取土便利,土料符合筑坝要求。沟内无常流水,采用碾压施工,无淹没损失	新建

续表 9-24

工程名称	坝址部位	坝址条件	建设性质
寺沟	Ⅲ₅ 沟道下游距沟口 300m 靠近居民点的部位	坝址基岩裸露高 3.5m,沟道呈"V"字形;左岸为古滑坡体,右岸为原始黄土,取土方便,运距约 70m。卧管置于左岸,常流水量小,基岩以下采用水坠筑坝,以上采用碾压筑坝,无淹没损失	新建
廖齐沟	Ⅳ₁ 主沟廖齐沟段与Ⅲ₆ 交汇点上游 100m 处	坝址处沟道呈"U"字形,底宽 23m,左岸基岩出露高度 12m,右岸约 6m,卧管置于右岸;右岸一边取土,运距 80m 左右,土质符合筑坝要求。沟内常流水量小,采用碾压施工,无淹没损失	新建
石槽沟	Ⅲ₆ 沟道下游中段现状中型坝坝掌部位	坝址处沟道呈"复型"断面,底宽 7m;两岸基岩裸露,出露高度 3m;基岩以上有丰富的黄土,土料符合筑坝要求,取土便利;沟内无常流水,采用碾压施工,无淹没损失	新建
畔坡塌	Ⅳ₁ 主沟强家坪段与Ⅱ₂₀ 交汇点上游 100m 处	沟道断面多呈梯形,沟底宽 5m。两岸有基岩出露,左岸高度为 18m,右岸高 4m。基岩以上为黄土,取土筑坝较便。放水建筑物置于右岸,溢洪道置于左岸,库区有输电线杆 7 根	新建
庙湾沟	Ⅲ₇ 上游原庙湾沟现状大型坝坝址	为加高加固坝,坝体右岸为有溢洪道,左岸坝端居住 1 户人家,两岸有丰富的黄土,土料符合筑坝要求,取土便利。库区内住户高度 4m	新建
董家峁	Ⅲ₇ 与 I₁₀₂ 交汇点下游 100m 处	"复型"断面沟道,两岸有基岩裸露,出露高度 10m,放水建筑物置于右岸;基岩以上有丰富的黄土,右岸取土便利,土料符合筑坝要求;沟内无常流水,采用碾压施工,限定坝高 24m	新建

续表 9-24

工程名称	坝址部位	坝址条件	建设性质
老石壳	III₇ 下游沟口段与 I₁₀₇ 交汇点上游 100m 处	"复型"断面沟道,两岸有基岩裸露,出露高度 10m,放水建筑物置于右岸;基岩以上有丰富的黄土,右岸取土便利,土料符合筑坝要求;沟内常流水量小,采用碾压施工,淹没损失小	新建
景家坪	IV₁ 主沟景家坪段与 I₁₁₅ 交汇点下游 100m 处	沟道断面多呈梯形,沟底宽 15m;两岸有基岩出露,高度为 4m;基岩以上为黄土,取土筑坝较便。放水建筑物置于右岸,溢洪道置于左岸,库区有输电线杆 9 根	新建
郝家沟	III₈ 上游原郝家沟现状大型坝坝址	为加高加固坝,两岸有丰富的黄土,土料符合筑坝要求,取土便利,采用碾压施工方法。放水建筑物置于左岸溢洪道的基岩上,库区内住户,可加高 15m	加高
道园树坪	III₈ 下游沟口中段与 I₁₃₆ 交汇点下游 100m 处	坝址处沟道呈"U"字形,底宽 23m;有基岩裸露,左岸出露高度 3m,右岸约 12m,卧管置于左岸;右岸一边取土,运距 60m 左右,土质符合筑坝要求;沟内有常流水量,采用水坠施工,无淹没损失	新建

4)划分结果

按照上述单元坝系划分原则、方法与步骤,对该流域坝系工程进行单元坝系划分,对不同骨干坝排列组合进行比较取舍,选择了两个组合方案:方案 1 坝系工程共划分 16 个单元坝系,总控制面积 73.36km²,方案 2 坝系工程共划分 14 个单元坝系,总控制面积 73.36km²。结果如表 9-25～表 9-28。

表9-25　　　　红石峁小流域单元坝系划分结果(方案1)

单元编号	单元属性	所在沟道名称	所在沟道编号	单元名称	控制面积(km^2)	备注
G_1	支沟直控坝系单元	主沟沟掌	III_1	沙柳滩	6.15	新建
G_3	支沟直控坝系单元	师良山沟	III_2	庄库	3.81	新建
G_4	主沟串联坝系单元	主沟道上游	IV_1	窑台	4.99	新建
G_5	支沟直控坝系单元	石子沟	III_3	石子沟	4.97	新建
G_6	主沟串联坝系单元	主沟道中上游	IV_1	庙山	4.18	新建
G_7	支沟直控坝系单元	庙沟	III_4	黑马山	4.06	新建
G_{10}	支沟直控坝系单元	寺沟	III_5	寺沟	5.35	新建
G_{11}	主沟串联坝系单元	主沟道中游	IV_1	廖齐沟	6.25	新建
G_{12}	支沟直控坝系单元	石槽沟	III_6	石槽沟	3.80	新建
G_{13}	主沟串联坝系单元	主沟道下游	IV_1	畔坡塌	4.13	新建
G_{14}	支沟直控坝系单元	郭家河沟上游	III_7	庙湾沟	3.17	加固
G_{15}	支沟串联坝系单元	郭家河中游	III_7	董家峁	2.54	新建
G_{16}	支沟串联坝系单元	郭家河下游	III_7	老石壳	3.51	新建
G_{17}	主沟串联坝系单元	主沟道下游	IV_1	景家坪	6.56	新建
G_{18}	支沟直控坝系单元	郝家沟上游	III_8	郝家沟	6.44	加固
G_{19}	支沟串联坝系单元	郝家沟下游	III_8	道园树坪	3.45	
合计					73.36	
未控区					3.64	
合计					77.0	

注:单元名称为骨干坝名称。

表 9-26　　　　　红石峁小流域坝系单元与行政村面积分布（方案 1）

（单位：km²）

项目\村名	墩梁 面积	墩梁 比例	窑台 面积	窑台 比例	齐家河 面积	齐家河 比例	黑圪塔 面积	黑圪塔 比例	廖齐沟 面积	廖齐沟 比例	林场 面积	林场 比例	庙湾村 面积	庙湾村 比例	郭家河 面积	郭家河 比例	强家坪 面积	强家坪 比例	徐家坪 面积	徐家坪 比例	齐家圪崂 面积	齐家圪崂 比例	合计 面积	合计 比例
G2	6.15	54.19																					6.15	7.987
G3	2.08	18.33	1.73	12.9																			3.81	4.948
G4	0.54	4.75	4.45	33.2																			4.99	6.481
G5	2.58	22.73	1.65	12.3			0.74	21.45															4.97	6.455
G6			3.07	22.9	0.88	12.34	0.23	6.667															4.18	5.429
G7			2.4	17.9	1.43	20.06					0.23	4.96											4.06	5.273
G10					0.53	7.433			0.41	7.428	4.41	95.04											5.35	6.948
G11			0.12	0.9	4.29	60.17	0.82	23.77	1.02	18.48													6.25	8.117
G12							1.66	48.12	0.83	15.04			0.87	16.8	0.44	7.76							3.80	4.935
G13									3.26	59.06					0.17	2.998	0.7	15.18					4.13	5.364
G14													3.17	61.2									3.17	4.117
G15													1.14	22.01	1.4	24.69							2.54	3.299
G16															3.51	61.9							3.51	4.558
G17															0.15	2.646	3.79	82.21	1.89	24.58	0.73	8.753	6.56	8.519
G18																					6.44	77.22	6.44	8.364
G19																	0.12	2.603	2.16	28.09	1.17	14.03	3.45	4.481
未控区																			3.64	47.39			3.64	4.732
合计	11.35	100	13.42	100	7.13	100	3.45	100	5.52	100	4.64	100	5.18	100	5.67	100	4.61	100	7.694	100	8.34	100	77.0	100

（左侧分组：涉及单元坝系）

表 9-27　　　红石峁小流域单元坝系划分结果表(方案2)

单元编号	单元属性	所在沟道名称	所在沟道编号	单元名称	控制面积（km²）	备注
G_1	支沟直控坝系单元	主沟沟掌	III_1	沙柳滩	6.15	加固骨干坝
G_2	主沟串联坝系单元	主沟沟掌	III_1	强家崖	1.58	
G_3	支沟直控坝系单元	师良山沟	III_2	庄库	3.81	
G_4	支沟直控坝系单元	石子沟	III_3	石子沟	4.97	加固骨干坝
G_5	主沟串联坝系单元	主沟道中上游	IV_1	庙山坝	7.59	
G_6	支沟直控坝系单元	庙沟	III_4	黑马山	4.06	
G_8	支沟直控坝系单元	寺沟	III_5	寺沟	5.35	
G_9	主沟串联坝系单元	主沟道中游	IV_1	廖齐沟	7.53	
G_{10}	支沟直控坝系单元	石槽沟	III_6	石槽沟	3.80	
G_{11}	支沟直控坝系单元	郭家河沟上游	III_7	庙湾沟	3.17	
G_{12}	支沟串联坝系单元	郭家河下游	III_7	老石壳	6.05	
G_{13}	主沟串联坝系单元	主沟道下游	IV_1	景家坪	9.42	加固骨干坝
G_{14}	支沟直控坝系单元	郝家沟上游	III_8	郝家沟	6.44	
G_{15}	支沟串联坝系单元	郝家沟下游	III_8	道园树坪	3.45	
合计					73.36	
未控区					3.64	
合计					77.0	

注：单元名称为骨干坝名称。

表9-28　　　红石峁小流域坝系单元与行政村面积分布（方案2）

（单位：km²）

项目 单元	墩梁 面积	墩梁 比例	岔台 面积	岔台 比例	齐家河 面积	齐家河 比例	黑圪塔 面积	黑圪塔 比例	廖齐沟 面积	廖齐沟 比例	林场 面积	林场 比例	庙湾村 面积	庙湾村 比例	郭家河 面积	郭家河 比例	强家坪 面积	强家坪 比例	徐家坪 面积	徐家坪 比例	齐家圪崂 面积	齐家圪崂 比例	合计 面积	合计 比例
G_1	6.15	54.2	0																				6.15	8.0
G_2	0.54	4.8	1.04	7.7																			1.58	2.1
G_3	2.08	18.3	1.73	12.9																			3.81	4.9
G_4	2.58	22.7	1.65	12.3			0.74	21.4															4.97	6.5
G_5			6.48	48.3	0.88	12.3	0.23	6.7															7.59	9.9
G_6			2.4	17.9	1.43	20.1					0.23	5.0											4.06	5.3
G_7					0.53	7.4			0.41	7.4	4.41	95.0											5.35	6.9
G_8			0.12	0.9	4.29	60.2	0.82	23.8	2.3	41.7													7.53	9.8
G_9							1.66	48.1	0.83	15.0			0.87	16.8	0.44	7.7							3.8	4.9
G_{10}													3.17	61.2									3.17	4.1
G_{11}													1.14	22.0	4.91	86.4							6.05	7.9
G_{12}									1.98	35.9					0.33	5.8	4.49	97.4	1.89	24.6	0.73	8.8	9.42	12.2
G_{13}																			0.0	0.0	6.44	77.2	6.44	8.4
G_{14}																	0.12	2.6	2.16	28.1	1.17	14.0	3.45	4.5
未控区																			3.64	47.4			3.64	4.7
合计	11.4	100	13.4	100	7.13	100	3.45	100	5.52	100	4.64	100	5.18	100	5.68	100	4.61	100	7.69	100	8.34	100	77.0	100

（涉及单元坝系：G_{10}～G_{14}、未控区）

4.坝系工程布局方案

1)方案1坝系布局

(1)布局策略。基于该流域主沟道建坝受淹没损失的限制,为满足建设目标,采用如下布局策略:①在支沟地形条件允许的情况下尽量扩大8条支沟的面积范围,以减少洪水对主沟的威胁,有利于主沟坝系单元的配置。②在主沟道的骨干坝布局上减小骨干坝的控制范围,采用低坝形式布局,通过降低骨干坝坝高的方法来尽量避免主沟大量分布的居民点。③对直汇主沟、面积按规定接近骨干坝最小控制规模的个别支沟,从坝系全局考虑,也按坝系单元进行配置。④骨干坝枢纽设置在条件允许的情况下尽量采用"两大件",使洪水在各个单元进行内部消化。下游个别坝在坝高限制范围内通过增设溢洪道和减少设计淤积年限的方法解决。⑤从坝系全局安全考虑,所有坝系单元中的骨干坝采用统一的防洪标准。

(2)骨干坝布局。在该方案的16个坝系单元中,布局8个支沟坝系单元,3个支沟串联坝系单元,5个主沟串联坝系单元。具体布局的配置设计如下:

G_1——沙柳滩坝系单元:位于流域的最上游,控制流域的起始部分,属于支沟坝系单元,控制面积6.15km²,地处主沟上游的第一个Ⅲ级沟道Ⅲ₁的中游,上控4个Ⅱ级沟道,17个Ⅰ级沟道。其下游为强家崖大型淤地坝,该坝现已淤地8.0hm²,利用4.4hm²,防洪保收率仅为55%,为保证强家崖坝安全生产利用,骨干坝应布设在强家崖现状大型坝上游附近的沙柳滩。一方面尽量增大拦泥控制范围,另一方面充分利用沟道分汊多、库区地形宽阔平缓、无淹没约束等有利因素,使该坝尽可能多地拦泥淤地、淤埋沟道,快速实现单元内的局部水沙淤积相对平衡。骨干坝枢纽结构采用坝体和泄水洞两大件,洪水处理方式采用"全拦全蓄、滞洪排清"。

G_3——庄库坝系单元:属支沟坝系单元,控制流域上游左岸第一支沟Ⅲ₂，骨干坝位于支沟Ⅲ₂的下游，下汇窑台坝系单元。区间控制 2 个Ⅱ级沟道，10 个Ⅰ级沟道。控制面积 3.81km²，库区内无淹没限制。该坝建设的目的有二：一是对该单元内的洪水起调滞作用，二是最大限度地减轻下游坝的洪水压力。骨干坝枢纽结构采用坝体和泄水洞两大件，洪水处理方式采用"全拦全蓄、滞洪排清"。

G_4——窑台坝系单元：属于主沟串联坝系单元，位于主沟道的中上游段的Ⅳ级沟道，是主沟上串联的第二个坝系单元，上游由沙柳滩坝系单元直汇，左岸为庄库坝系单元，下游为庙山坝系单元。骨干坝控制面积为 4.99km²，该单元流域控制 2 个Ⅲ级沟道，区间控制 1 个Ⅱ级沟道，7 个Ⅰ级沟道。

单元内控制部分的主沟上游为强家崖大型淤地坝。该坝采用"边种边淤、滞洪排清"的运行方式，按生产坝布局。

主沟道受人口居住条件的限制，骨干坝的坝高受到一定的限制（20m 以上有居民点分散分布）。为了有效控制流域的洪水泥沙，要求该单元的控制规模要尽量小，单元内小支沟布设的中小型淤地坝要多，与窑台、庙山形成分段拦洪拦沙的格局。枢纽结构采用坝体和泄水洞两大件，洪水处理方式采用"全拦全蓄、滞洪排清"。

G_5——石子沟坝系单元：属于支沟坝系单元，控制流域上游右岸第一支沟Ⅲ₃，骨干坝位于支沟Ⅲ₂的中下游，区间控制 3 个Ⅱ级沟道，9 个Ⅰ级沟道。控制面积为 4.97km²，库区内无淹没限制。骨干坝坝址以下有居民点分散分布，使得该部分Ⅲ级沟道无法用本骨干坝控制，剩余部分面积只能划拨到下游主沟庙山坝系单元。该坝建设的目的在于控制支沟洪水，减少主沟道庙山骨干坝的洪水压力，以便降低坝高，减少其淹没损失。枢纽结构采用坝体和泄水洞两大件，洪水处理方式采用"全拦全蓄、滞洪排清"。

G_6——庙山坝系单元：属于主沟串联坝系单元，控制主沟中上游段的Ⅳ级沟道上,是主沟上串联的第三个坝系单元,上接主沟的窑台坝系单元,右接石子沟坝系单元,下汇廖齐沟坝系单元。单元控制面积为4.18km²,区间控制1个Ⅲ级沟道,1个Ⅱ级沟道,5个Ⅰ级沟道。库区有淹没限制(22m以上有居民点分散分布)布设。庙山骨干坝的目的在于和主沟道中的其他骨干坝形成分段拦洪拦沙的格局,为下游的坝系单元减轻洪水负担,减低廖齐沟骨干坝的坝高。枢纽结构采用坝体和泄水洞两大件,洪水处理方式采用"全拦全蓄、滞洪排清"。

G₇——黑马山坝系单元:属于支沟坝系单元,控制主沟中游左岸第二大支沟(庙沟)Ⅲ₄的大半部分,坝系单元控制面积为4.06km²,区间控制2个Ⅱ级沟道,9个Ⅰ级沟道。库区内无淹没限制,骨干坝坝址以下有居民点分散分布,使得该部分Ⅲ级沟道无法用本骨干坝控制,剩余部分面积只能划拨到下游主沟廖齐沟坝系单元。该坝建设的目的在于控制支沟洪水,减少主沟道廖齐沟骨干坝的洪水压力,降低坝高,减少该坝的淹没损失。枢纽结构采用坝体和泄水洞两大件,洪水处理方式采用"全拦全蓄、滞洪排清"。

G₁₀——寺沟坝系单元:属于支沟坝系单元,控制主沟中游左岸的第三条大支沟(寺沟)Ⅲ₅的绝大部分,坝系单元控制面积为5.35km²,区间控制3个Ⅱ级沟道,12个Ⅰ级沟道。库区内无淹没限制。该坝建设的目的在于控制支沟洪水,减少主沟道廖齐沟骨干坝的洪水压力,使其降低坝高,减少该坝的淹没损失。枢纽结构采用坝体和泄水洞两大件,洪水处理方式采用"全拦全蓄、滞洪排清"。

G₁₁——廖齐沟坝系单元:属于支沟坝系单元,位于主沟道的中游段,是主沟上串联的第四个坝系单元,上游为庙山坝系单元,左岸为黑马山和寺沟坝系单元,下游为畔坡塌坝系单元。

廖齐沟坝系单元控制面积为6.25km²,区间控制2个Ⅲ级沟道,1个Ⅱ级沟道,4个Ⅰ级沟道。该坝址是这一段主沟上相对最理想的坝址,库区内由于乡村简易公路顺主沟直通沟掌,因此沿公路有淹没限制(中心小学与坝址高差 20m),布设该骨干坝的目的在于和主沟道中的其他骨干坝形成分段拦洪拦沙的格局,为下游的坝系单元减轻洪水负担,减低畔坡塌骨干坝的坝高。枢纽结构采用坝体和泄水洞两大件,洪水处理方式采用"全拦全蓄、滞洪排清"。

G_{12}——石槽沟坝系单元:属于支沟坝系单元,控制主沟中游右岸第二大支沟(庙沟)III_6 的大半部分,控制面积为 $3.80km^2$,区间控制 2 个 II 级沟道,8 个 I 级沟道。库区内无淹没限制,骨干坝坝址以下有居民点分散分布,使得该部分 III 级沟道无法用本骨干坝控制,剩余部分面积只能划拨到下游主沟景家坪坝系单元。该坝建设的目的在于控制支沟洪水,减少主沟道景家坪骨干坝的洪水压力,降低坝高,减少该坝的淹没损失。枢纽结构采用坝体和泄水洞两大件,洪水处理方式采用"全拦全蓄、滞洪排清"。

G_{13}——畔坡塌坝系单元:属于支沟坝系单元,位于主沟道的中下游段,是主沟上串联的第五个坝系单元,上游为廖齐沟坝系单元,右岸为石槽沟坝系单元,下游为景家坪坝系单元。

该坝系单元面积为 $4.13km^2$,区间控制 1 个 III 级沟道,5 个 I 级沟道。库区内无其他淹没限制,但与上游骨干坝的高差较小。枢纽结构按"三大件"布局。洪水处理采用调洪下泄的方式。

G_{14}——庙湾沟坝系单元:属于支沟坝系单元,控制主沟中游右岸第四大支沟(庙湾沟)III_6 的上半部分,属于支沟串联的顶部坝系单元,控制面积为 $3.17km^2$,区间控制 2 个 II 级沟道,5 个 I 级沟道。骨干坝是由现状大型淤地坝提高加固的坝系单元。现状坝高为 20m,已拦泥坝高为 18.8m,已淤地面积为 $8.7hm^2$。庙湾沟的居民点在库区内分散分布,淹没限制的最高坝高为 4m。枢纽结构按坝体和溢洪道两大件布局。洪水处理采用调洪下泄的方式。

G_{15}——董家峁坝系单元:属于支沟串联坝系单元,控制主沟中游右岸第四大支沟(庙沟)III_6的中游部分,是支沟中游承上启下的坝系单元,控制面积为2.54km^2,区间控制3个I级沟道。库区内有郭家河村的居民点分散分布,骨干坝最大限制坝高为19m,枢纽结构按"三大件"布局。洪水处理采用调洪下泄的方式。

G_{16}——石老壳坝系单元:属于支沟串联坝系单元,控制主沟中游右岸第四大支沟(庙沟)III_6的下游部分,上连董家峁坝系单元,下汇主沟最下游的景家坪坝系单元,属于支沟末尾坝系单元,控制面积为3.51km^2,区间控制8个I级沟道。库区内有郭家河村的居民点分散分布,骨干坝最大限制坝高为30m,枢纽结构按"三大件"布局。洪水处理采用调洪下泄的方式。

G_{17}——景家坪坝系单元:属于主沟串联坝系单元,位于主沟道的下游末段,是主沟上串联的第六个坝系单元,主沟上游为畔坡塌坝系单元,右岸为石老壳坝系单元。

该坝系单元面积为6.56km^2,区间控制1个III级沟道,1个II级沟道,8个I级沟道。库区内有强家坪村的居民点分散分布,骨干坝最大限制坝高为40m,枢纽结构按"三大件"布局。洪水处理采用调洪下泄的方式。

G_{18}——郝家沟坝系单元:属于支沟坝系单元,控制主沟下游左岸最后一个大支沟(郝家沟)III_8的上半部分,属于支沟串联的沟掌"边拦边种、拦种结合"的坝系单元。

该单元面积为6.44km^2,骨干坝由现状大型淤地坝提高加固。现状坝高为20.5m,已拦泥坝高为20m,已淤地面积为8.4hm^2,区间控制2个II级沟道,13个I级沟道。库区内有齐家圪崂村的居民点分散分布,骨干坝最大允许加高高度为15m,洪水处理方式采用全拦全蓄,骨干坝枢纽结构采用坝体和泄水洞两大件。该坝建设的目的在于控制支沟洪水,与下游道园树坪坝系单元结合分段控制III_8沟道的绝大部分面积,形成"分拦分治"的支沟子坝系体系。

G_{19}——道园树坪坝系单元:属于支沟串联坝系单元,控制主沟下游左岸最后一个大支沟(郝家沟)$Ⅲ_8$的下半部分,是支沟沟口坝系单元,控制面积为 3.45km²,区间控制 1 个Ⅱ级沟道,8 个Ⅰ级沟道。库区内无淹没限制,骨干坝枢纽结构采用坝体和泄水洞两大件。该坝建设的目的是与上游郝家沟坝系单元结合在$Ⅲ_8$沟道形成"上种下拦、分拦分治"的支沟子坝系体系。骨干坝坝址以下为坝系单元以外的流域未控区。

2)方案 2 的坝系布局

(1)布局策略。基于方案 1 仍有可能出现的超淹没限制,方案 2 布局设计时试图减少淹没损失,将主沟和支沟上淹没较多、库区水位线限制得较低的窑台、畔坡塌、董家峁、湫沟河四座骨干坝降低为中型坝,以达到避免淹没的目的。而把防洪压力释放到下游相对坝体加高条件较好的庙沟、景家坪、老石壳、廖齐沟。其他坝系单元布局不变,从而改变了坝系单元结构。

(2)骨干坝布局。经过调整后的方案 2 将流域坝系划分为 14 个坝系单元,其中沙柳滩(G_1)、庄库(G_3)、石子沟(G_4)、黑马山(G_6)、寺沟(G_8)、石槽沟(G_{10})、庙湾沟(G_{11})、郝家沟(G_{14})等 8 个支沟上游坝系单元和强家崖(G_2)、道园树坪(G_{15})2 个下串坝系单元的布局不变,而把主沟 5 个串联坝系单元调整为 3 个,庙湾沟中游串联的董家峁骨干坝按中型坝布局,扩大老石壳坝系单元的控制规模,8 个单元变为 4 个坝系单元,其布局变化如下:

G_5——庙山坝系单元:由于上游窑台骨干坝变成了中型坝,因此单元面积扩大为 7.59km²,区间控制 1 个Ⅳ级沟段,3 个Ⅲ级沟段,2 个Ⅱ级沟道,12 个Ⅰ级沟道。骨干坝和主沟道中的其他骨干坝"上下游分拦分治",枢纽结构采用坝体和泄水洞两大件,洪水处理方式采用"全拦全蓄、滞洪排清"。

G_9——廖齐沟坝系单元:由于上游湫沟河骨干坝变成了中型

坝,因此单元面积变为 7.53km², 区间控制 1 个Ⅳ级沟段,2 个Ⅲ级沟段,2 个Ⅱ级沟道,7 个Ⅰ级沟道。骨干坝和主沟道中的其他骨干坝"分拦分治",枢纽结构采用坝体和泄水洞两大件,洪水处理方式采用"全拦全蓄、滞洪排清"。

G_{13}——景家坪坝系单元:由于上游畔坡塌骨干坝变成了中型坝,因此单元面积变为 9.42km², 区间控制 1 个Ⅳ级沟段,2 个Ⅲ级沟段,1 个Ⅱ级沟道,13 个Ⅰ级沟道。骨干坝由于控制规模较大,枢纽结构采用"三大件",洪水处理方式采用"安全控制、调蓄下泄"。

G_{12}——老石壳坝系单元:由于上游董家峁骨干坝变成了中型坝,因此单元面积变为 6.05km², 区间控制 11 个Ⅰ级沟道。骨干坝由于控制规模较大,枢纽结构采用"三大件",洪水处理方式采用"安全控制、调蓄下泄"。

5. 坝系单元内中小型淤地坝配置

1)配置方法

在流域 1/10 000 地形图上初选中小型淤地坝坝址,并进行实地踏勘,根据单元坝系内各级沟道组成结构、沟道特征,考虑坝址地形条件,按照拦泥、淤地、发展生产的要求,结合流域经济发展、人口环境、农业生产结构调整需求,进行中小型淤地坝的布局配置。

2)配置原则

(1)中型坝的配置以维护坝系结构为前提,在保证坝系结构完善的条件下尽量发展可淤地面积。

(2)小型坝的配置按单元内土地资源需求分析所需要新增基本农田面积与骨干坝和中型坝可淤地面积之差作为发展目标。

(3)为实现坝地发展目标,在沟道条件允许的情况下尽可能布坝,优先发展坝地,对受地形条件限制难以建坝的则采取发展坡面基本农田。

(4)中小型坝坝址选择顺序遵循面积控制规模由大到小、沟道等级由高向低、沟道部位由下游向上游的原则。

3)中小型淤地坝配置

根据坝系单元的划分边界,结合两个方案中各个坝系单元内的沟道组成结构和特征,调查各级沟道的数量,遵循面积控制规模由大到小、沟道等级由高向低的原则,并在实地踏勘的基础上论证单元内有条件、有可能配置中小型淤地坝的数量、位置和控制规模;再根据单元内涉及的行政村数量和所占比例,结合各村的人口、基本农田现状、各业产值等社会经济情况,求证单元内需要发展的坝地面积,在遵循单元内部配置结构完整、合理的原则基础上,统筹坝地需求和建坝条件可能,进行中小型淤地坝的布局配置。

(1)方案1工程配置。

G_1——沙柳滩坝系单元:全部隶属于墩梁行政村,单元面积为 $6.15km^2$,占全村总土地面积的 54.2%,按面积均摊,则单元内的人口为579人,现状基本农田面积为 $45.3hm^2$,人均基本农田面积为 $0.08hm^2$,基本农田保证人均粮食235kg,按土地资源需求分析则需要新增基本农田面积 $28.0hm^2$。

根据流域沟道组成结构及特征分析统计,单元地处主沟上游的第一个Ⅲ级沟道Ⅲ$_1$ 的中游,上控4个Ⅱ级沟道,17个Ⅰ级沟道。

单元内可配置中型坝的沟道有3条,可配置小型坝的沟道有8条。骨干坝的布局定位后由于库区泥面(水位)的抬高和回水线的延伸,使2个Ⅱ级沟道失去配置中型坝的条件,另外2条Ⅱ级沟道,由于本身的沟道特征和地形条件,不适合建设中型坝,固而可在下游Ⅲ级沟道起点处布设1座中型坝。

在骨干坝和中型坝布局定位以后,通过量算控制面积、库容曲线、推算坝高和可淤地面积等一系列工程设计计算,确定单元内大中型淤地坝的可淤地面积为 $15.7hm^2$,已解决了单元内新增基本农田面积的 56.0%。剩余 $12.3hm^2$,作为小型坝发展坝地的目标,有建坝条件的沟道尽量用小型坝来完成,受地形条件限制难以建坝的则采取发展坡面基本农田。

通过野外实地踏勘,排除不具备建坝条件的 13 条 I 级沟道,2 座适宜建在 II_3 级沟道和 II_4 的上游,一座可布设到 I_6 的中游,即下游骨干坝库区回水上游附近坝址条件较好的地方。

经过坝系单元工程布局数量的综合分析,确定该单元内配置中型坝 2 座,小型坝 3 座。

布局定位后,通过量算控制面积、库容曲线、推算坝高和可淤地面积等一系列工程设计计算,确定单元内所有工程的可淤地面积,汇总得到该坝系单元的总可淤面积为 $17.4hm^2$,占单元内新增基本农田需求面积的 62.1%,其余 $10.6hm^2$ 要通过发展坡面基本农田来完成。

G_3——庄库坝系单元:单元面积为 $3.81km^2$,隶属于墩梁和窑台两个行政村,面积分别为 $2.08km^2$ 和 $1.73km^2$,分别占各村总土地面积的 18.3% 和 12.9%。按面积均摊后,两村合计单元内的人口为 296 人,现状基本农田面积为 $26.7hm^2$,人均基本农田面积为 $0.09hm^2$,基本农田保证人均粮食 271kg,按土地资源需求分析,则需要新增基本农田面积 $10.7hm^2$。

根据流域沟道组成结构及特征分析统计,骨干坝位于支沟 III_2 的下游,区间控制 2 个 II 级沟道,10 个 I 级沟道。

单元内可配置中型坝的沟道有 2 条,分别位于 2 个 II 级沟道的起点和下游部位。配置的目的是完善单元内的布局结构,是实现单元内坝系相对平衡的需要。

经过综合的坝系单元工程布局数量分析,确定该单元内配置中型坝 2 座。

布局定位后,通过量算控制面积、库容曲线、推算坝高和可淤地面积等一系列工程设计计算,确定单元内所有工程的可淤地面积,汇总得到该坝系单元的总可淤面积为 $15.1hm^2$,占单元内新增基本农田需求面积的 141.1%,超额完成了基本农田发展需求。

G_4——窑台坝系单元:单元面积为 4.99km²,隶属于墩梁、窑台两个行政村,按面积均摊后,单元内的人口为 308 人,现状基本农田面积为 33.4hm²,人均基本农田面积为 0.1hm²,基本农田保证人均粮食 294kg,按土地资源需求分析则需要新增基本农田面积 7.4hm²。

根据流域沟道组成结构及特征分析统计,骨干坝位于主沟Ⅳ的上游,区间控制 1 个Ⅳ级沟段,2 个Ⅲ级沟段,1 个Ⅱ级沟道,5 个Ⅰ级沟道。

单元内Ⅳ级和Ⅲ级沟段是骨干坝回水区,无法布坝,可配置中型坝的沟道有 1 条,位于Ⅱ级沟道的沟口,配置的目的是完善单元内的布局结构,是实现单元内坝系相对平衡的需要。

布局定位后,通过量算控制面积、库容曲线、推算坝高和可淤地面积等一系列工程设计计算,确定单元内所有工程的可淤地面积,汇总得到该坝系单元的总可淤面积为 19.9hm²,占单元内新增基本农田需求面积的 269%,超额完成了基本农田发展需求。

G_5——石子沟坝系单元:单元面积为 4.97km²,隶属于墩梁、窑台和黑圪塔 3 个行政村,面积分别为 2.58km²、1.65km² 和 0.74km²,分别占各村总土地面积的 22.7% 、12.3% 和 21.4%。按面积均摊后,三村合计单元内的人口为 370 人,现状基本农田面积为 36.7hm²,人均基本农田面积为 0.10hm²,基本农田保证人均粮食 298kg,按土地资源需求分析,则需要新增基本农田面积 13.0hm²。

根据流域沟道组成结构及特征分析统计,骨干坝位于支沟Ⅲ₃的下游,区间控制 3 个Ⅱ级沟道,10 个Ⅰ级沟道。

单元内Ⅲ级和Ⅱ级沟段是骨干坝回水区,无法布坝,只有下游直汇Ⅱ级沟道的上中游可配置中型坝 1 座,坝址位于Ⅱ₁₀级沟道的起点部位,下游为骨干坝回水区,另外两条Ⅱ级沟道中一条处于骨干坝回水线范围内,一条居民点分布于沟道中,无法布坝。

骨干坝和中型坝的布局定位后,通过量算控制面积、库容曲线、推算坝高和可淤地面积等一系列工程设计计算,确定单元内大中型淤地坝的可淤地面积为 $10.9hm^2$,已解决了单元内新增基本农田面积的 85%。剩余部分尽量用小型坝来完成,地形条件限制完不成的则采取发展坡面基本农田。

在 9 个 I 级沟道中,由于骨干坝和中型坝库区泥面(水位)的抬高和回水线的延伸,使 2 个直汇 III 级沟道的 I 级沟道失去配置小型坝的条件,另外 2 条 I 级沟道,由于本身的沟道特征和地形条件,不适合建设小型坝。

经过综合的坝系单元工程布局数量分析,确定该单元内配置中型坝 1 座。

布局定位后,通过量算控制面积、库容曲线、推算坝高和可淤地面积等一系列工程设计计算,确定单元内所有工程的可淤地面积,汇总得到该坝系单元的总可淤面积为 $12.1hm^2$,占单元内新增基本农田需求面积的 94%,其余 6% 要通过发展坡面基本农田来完成。

G_6——庙山坝系单元:单元面积为 $4.18km^2$,隶属于窑台、齐家河和黑圪塔三个行政村,面积分别为 $3.07km^2$、$0.88km^2$ 和 $0.23hm^2$,分别占各村总土地面积的 22.9%、12.3% 和 6.7%。按面积均摊后,三村合计单元内的人口为 245 人,现状基本农田面积为 $27.2hm^2$,人均基本农田面积为 $0.10hm^2$,基本农田保证人均粮食 332kg,按土地资源需求分析,则需要新增基本农田面积 $4.8hm^2$。

根据流域沟道组成结构及特征分析统计,骨干坝位于主沟 IV 的上游,区间控制 1 个 VI 级沟段、1 个 III 级沟段、1 个 II 级沟道和 5 个 I 级沟道。

单元内可配置中型坝 3 座,1 座布局在 III 级沟段的下游,1 座位于Ⅱ级沟道的下游,1座位于最大Ⅰ级沟道的下游。由于骨干坝和中型坝的库区回水线较长,故不需要配置小型坝。

布局定位后,通过量算控制面积、库容曲线、推算坝高和可淤地面积等一系列工程设计计算,确定单元内所有工程的可淤地面积,汇总得到该坝系单元的总可淤面积为 $13.7hm^2$,占单元内新增基本农田需求面积的 285% ,超额完成了基本农田发展需求。

G_7——黑马山坝系单元:单元面积为 $4.06km^2$,隶属于窑台、齐家河两个行政村和乡政府林场,面积分别为 $2.4km^2$ 、 $1.43km^2$ 和 $0.23km^2$,分别占各村总土地面积的 17.9% 、20.1%和 5.0% 。按面积均摊后,三村合计单元内的人口为 233 人,现状基本农田面积为 $23.6hm^2$,人均基本农田面积为 $0.10hm^2$,基本农田保证人均粮食 590.3kg,按土地资源需求分析则需要新增基本农田面积 $5.9hm^2$ 。

根据流域沟道组成结构及特征分析统计,骨干坝位于支沟Ⅲ$_5$的下游,区间控制 3 个Ⅱ级沟道,8 个Ⅰ级沟道。

单元内可配置中型坝 1 座,坝址位于Ⅱ$_{12}$沟道的中游部位;可配置小型坝 1 座,适宜建在Ⅱ$_{12}$沟道的起点,配置的目的是完善单元内的布局结构,是实现单元内坝系相对平衡的需要。

经过综合的坝系单元工程布局数量分析,确定该单元内配置中型坝 1 座,小型坝 1 座。

布局定位后,通过量算控制面积、库容曲线、推算坝高和可淤地面积等一系列工程设计计算,确定单元内所有工程的可淤地面积,汇总得到该坝系单元的总可淤面积为 $13.8hm^2$,占单元内新增基本农田需求面积的 234% ,超额完成了基本农田发展需求。

G_{10}——寺沟坝系单元:单元面积为 $5.35km^2$,隶属于齐家河、廖齐沟两个行政村和乡政府林场,面积分别为 $0.53km^2$ 、 $0.41km^2$ 和 $4.41km^2$,分别占各村总土地面积的 7.43% 、7.43% 和

95.04hm²，按面积均摊后，两村一场合计单元内的人口为 82 人，现状基本农田面积为 5.3hm²，人均基本农田面积为 0.06hm²，基本农田保证人均粮食 193kg，按土地资源需求分析，则需要新增基本农田面积 5.1hm²。

根据流域沟道组成结构及特征分析统计，骨干坝位于支沟Ⅲ₅的下游，区间控制 3 个Ⅱ级沟道，12 个Ⅰ级沟道，该Ⅲ级沟道绝大部分被骨干坝的淤泥面淤埋。

单元内可配置中型坝 2 座，一座位于Ⅲ₅沟道的上游部位，控制 2 个Ⅱ级沟道；一座坝址位于另外 1 个Ⅱ级沟道的沟口，控制整个Ⅱ级沟道。两座中型坝与骨干坝联合形成层次控制结构。

由于骨干坝和中型坝的回水较长，而且控制范围内的沟道组成结构较为简单，加之坡面大部分为林区，因此无需配置小型坝。

经过综合的坝系单元工程布局数量分析，确定该单元内配置中型坝 2 座。

布局定位后，通过量算控制面积、库容曲线、推算坝高和可淤地面积等一系列工程设计计算，确定单元内所有工程的可淤地面积，汇总得到该坝系单元的总可淤面积为 15.4hm²，占单元内新增基本农田需求面积的 302%，超额完成了基本农田发展需求。

G₁₁——廖齐沟坝系单元：单元面积为 6.25km²，隶属于齐家河、窑台、黑圪塔、廖齐沟 4 个行政村，面积分别为 4.29km²、0.12km²、0.82km²、1.02km²。按面积均摊后，四村合计单元内的人口为 444 人，现状基本农田面积为 37.7hm²，人均基本农田面积为 0.08 hm²，基本农田保证人均粮食 217kg，按土地资源需求分析，则需要新增基本农田面积 23.5hm²。

根据流域沟道组成结构及特征分析统计，骨干坝位于主沟Ⅳ级沟道的中游，区间控制 1 个Ⅳ级沟段，1 个Ⅲ级沟段，1 个Ⅱ级沟段和 2 个完整Ⅰ级沟道。

单元内只可配置 1 座中型坝，其作用一是用于辅助控制上游黑马山坝系单元不能控制的剩余Ⅲ级沟段,二是尽量分拦单元骨干坝的泥沙淤积压力。小型坝可配置2座,分别位于两条直汇Ⅳ级沟段的Ⅰ级沟道。

布局定位后,通过量算控制面积、库容曲线、推算坝高和可淤地面积等一系列工程设计计算,确定单元内所有工程的可淤地面积,汇总得到该坝系单元的总可淤面积为18hm²,占单元内新增基本农田需求面积的84%,其余16%要通过发展坡面基本农田来完成。

G_{12}——石槽沟坝系单元:单元面积为3.8km²,隶属于黑圪塔、廖齐沟、庙湾村和郭家河4个行政村,面积分别为1.66km²、0.83km²、0.87km²和0.44km²,分别占各村总土地面积的48.1%、15.0%、16.8%和7.76%,按面积均摊后,四村合计单元内的人口为285人,现状基本农田面积为33.9hm²,人均基本农田面积为0.12hm²,基本农田保证人均粮食356kg,按土地资源需求分析则需要新增基本农田面积8.6hm²。

根据流域沟道组成结构及特征分析统计,骨干坝位于支沟Ⅲ₆的下游,区间控制2个Ⅱ级沟道,6个Ⅰ级沟道。

单元内可配置2座中型坝,一座位于Ⅲ级沟道的起点部位,另一座位于沟道较长的Ⅰ级沟道中下部,拟采用定向爆破筑坝技术建造,属于试验坝。

布局定位后,通过量算控制面积、库容曲线、推算坝高和可淤地面积等一系列工程设计计算,确定单元内所有工程的可淤地面积,汇总得到该坝系单元的总可淤面积为12.4hm²,占单元内新增基本农田需求面积的146%,超额完成了基本农田发展需求。

G_{13}——畔坡塌坝系单元:单元面积为4.13km²,隶属于廖齐沟、郭家河、强家坪三个行政村,面积分别为3.26km²、0.17km²和0.70km²,分别占各村总土地面积的59.06%、3.0%和15.18%,按面积均摊后,三村合计单元内的人口为474人,现状基本农田面积为 26.6hm²,人均基本农田面积为 0.06hm²,基本农田保证人均粮食 168kg,按土地资源需求分析则需要新增基本农田面积 33.6hm²。

根据流域沟道组成结构及特征分析统计,骨干坝位于支沟Ⅳ级沟道的下游,区间控制 1 个Ⅳ级沟段,1 个Ⅲ级沟段,2 个Ⅱ级沟道,1 个直汇Ⅰ级沟道。

单元内可配置中型坝 2 座,一座为Ⅲ$_6$沟道下游的现状中型坝,需进行加固改造;一座位于Ⅰ$_{92}$的中游,其作用是尽量分担单元内骨干坝的拦泥压力,以达到降低骨干坝高的目的。再在一条直汇Ⅰ级沟道下游配置 1 座小型坝,从而完成单元内的坝系布局。

布局定位后,通过量算控制面积、库容曲线、推算坝高和可淤地面积等一系列工程设计计算,确定单元内所有工程的可淤地面积,汇总得到该坝系单元的总可淤面积为 13.4hm²,占单元内新增基本农田需求面积的 40%,其余 60%要通过发展坡面基本农田来完成。

G$_{14}$——庙湾沟坝系单元:单元面积为 3.17km²,隶属于庙湾村一个行政村,占该村总土地面积的 61.2%,按面积均摊到单元内后,其人口为 241 人,现状基本农田面积为 30.6hm²,人均基本农田面积为 0.13hm²,基本农田保证人均粮食 381kg,若按土地资源需求分析,则只需要新增 1.5hm² 基本农田。

该单元属于较大支沟的上游坝系单元,骨干坝位于支沟Ⅲ$_7$的上游,根据流域沟道组成结构及特征分析统计,区间控制两个Ⅱ级沟道,5 个Ⅰ级沟道。

单元内可配置中型坝 2 座,分别布设在两个Ⅱ级沟道的下游,配合骨干坝形成层次控制结构。小型坝可配置 1 座,布设在单元内沟掌部位。

布局定位后,通过量算控制面积、库容曲线、推算坝高和可淤地面积等一系列工程设计计算,确定单元内所有工程的可淤地面积,汇总得到该坝系单元的总可淤面积为 $13.4hm^2$,属于单元内超额新增的基本农田。

　　G_{15}——董家峁坝系单元:单元面积为 $2.54km^2$,隶属于庙湾村、郭家河两个行政村,面积分别为 $1.14km^2$ 和 $1.4km^2$,分别占各村总土地面积的 22.0% 和 24.7%。按面积均摊后,两村合计单元内的人口为 298 人,现状基本农田面积为 $33.3hm^2$,人均基本农田面积为 $0.11hm^2$,基本农田保证人均粮食 336kg,按土地资源需求分析,则需要新增基本农田面积 $4.3hm^2$。

　　该单元属于较大支沟的中游坝系单元,骨干坝库区不仅居民点很多,而且住的很低,根据流域沟道组成结构及特征分析统计,骨干坝位于支沟III_7 的中游,区间控制 1 个 II 级沟道,4 个 I 级沟道。

　　单元内有阎家河现状中型坝 1 座(XZ-3),坝高 24.3m,已淤23.0m,可淤地 $1.5hm^2$,已淤地 $1.5hm^2$,需在原坝址的上游另外建坝。

　　单元内另外可配置中型坝 2 座,一座位于所控制的 I_{102} 沟道的中游,分段拦蓄该沟道上游产生的洪水和泥沙,保护下游现状坝的安全生产,另一座布设在面积较大的 I 级沟道的中游。小型坝可配置 1 座,布设在另一个直汇的 I 级沟道。

　　布局定位后,通过量算控制面积、库容曲线、推算坝高和可淤地面积等一系列工程设计计算,确定单元内所有工程的可淤地面积,汇总得到该坝系单元的总可淤面积为 $11.7hm^2$,占单元内新增基本农田需求面积的 274%,超额完成了基本农田发展需求。

　　G_{16}——石老壳坝系单元:单元面积为 $3.51km^2$,隶属郭家河一个行政村,单元面积占该村总土地面积的 61.9%,按面积均摊后单元内的人口为 420 人,现状基本农田面积为 $42.3hm^2$,人均基本农田面积为 $0.1hm^2$,基本农田保证人均粮食 302kg,按土地资源需求分析,则需要新增基本农田面积 $10.9hm^2$。

该单元属于较大支沟的下游坝系单元(上控 2 个坝系单元)，Ⅲ级沟道为骨干坝库区，根据流域沟道组成结构及特征分析统计，骨干坝位于支沟Ⅲ$_7$的下游，区间控制 7 个Ⅰ级沟道。较大的五条上可配置小型坝。

布局定位后，通过量算控制面积、库容曲线、推算坝高和可淤地面积等一系列工程计算，确定单元内所有工程的可淤地面积，汇总得到该坝系单元的总可淤面积为 7.4hm^2，占单元内新增基本农田需求面积的 68%，其余 32%要通过发展坡面基本农田来完成。

G_{17}——景家坪坝系单元:属于流域Ⅳ级主沟最下游的控制性坝系单元，该单元面积为 6.56km^2，隶属于郭家河、强家坪、徐家坪和齐家圪崂 4 个行政村，所占面积分别为 0.15km^2、3.79km^2、1.89km^2 和 0.73km^2，占各村总土地面积的 2.65%、82.2%、24.6%和8.75%，按面积均摊后，四村合计单元内的人口为 734人，现状基本农田面积为 52.3hm^2，人均基本农田面积为 0.07hm^2，基本农田保证人均粮食 214kg，按土地资源需求分析，则需要新增基本农田面积 40.6hm^2。

根据流域沟道组成结构及特征分析统计，骨干坝位于主沟Ⅳ的下游，上控 5 个主沟单元，9 个支沟单元，区间控制 1 个Ⅳ级沟段，1 个Ⅳ级沟段，1 个直汇Ⅱ级沟道和 10 个Ⅰ级沟道。

在直汇Ⅱ级沟道内可配置 2 座中型坝，一座位于Ⅱ$_{20}$级沟道的沟口，该坝为现状中型坝，坝体已局部冲毁，须提高加固，在其上游的沟道中部另增建一座中型坝进行分段拦蓄。另在 4 个较大的Ⅰ级沟道分别配置 3 座小型坝。完成单元内的坝系布局。

布局定位后，通过量算控制面积、库容曲线、推算坝高和可淤地面积等一系列工程设计计算，确定单元内所有工程的可淤地面积，汇总得到该坝系单元的总可淤面积为 24.4hm^2，占单元内新增基本农田需求面积的 59%，其余 41%要通过发展坡面基本农田来完成。

G_{18}——郝家沟坝系单元：该单元属于大支沟$Ⅲ_8$的上游坝系单元，单元面积为 6.44km^2，隶属于齐家圪崂一个行政村，占该村总土地面积的 77.22%，按面积均摊后单元内的人口为 771 人，现状基本农田面积为 72.1hm^2，人均基本农田面积为 0.09hm^2，基本农田保证人均粮食 281kg，按土地资源需求分析，则需要新增基本农田面积 25.5hm^2。

根据流域沟道组成结构及特征分析统计，骨干坝位于支沟$Ⅲ_8$的上游，坝址为现状大型坝，现已淤满，生产利用多年，已达不到防洪标准，为了确保坝体安全，并可使生产保收，需进行提高加固配套，尽量拦蓄入库泥沙。

该单元区间控制 2 个Ⅱ级沟道，12 个Ⅰ级沟道。

单元内可配置中型坝 2 座，位于$Ⅱ_{23}$和$Ⅱ_2$的起点部位，配合骨干坝形成分级分段控制。另在沟掌Ⅰ级沟道布设 1 座小型坝。合计配置小型坝 7 座。

布局定位后，通过量算控制面积、库容曲线、推算坝高和可淤地面积等一系列工程设计计算，确定单元内所有工程的可淤地面积，汇总得到该坝系单元的总可淤面积为 20.3hm^2，占单元内新增基本农田需求面积的 80%，其余 20% 要通过发展坡面基本农田来完成。

G_{19}——道园树坪坝系单元：该单元属于大支沟$Ⅲ_8$的下游坝系单元(上控郝家沟坝系单元)，单元面积为 3.45km^2，隶属于强家坪、徐家坪、齐家圪崂 3 个行政村，面积分别为 0.12km^2、2.16km^2和 1.17km^2，分别占各村总土地面积的 2.6%、28.1% 和 14.0%。按面积均摊后，三村合计单元内的人口为 345 人，现状基本农田面积为 26.6hm^2，人均基本农田面积为 0.08hm^2，基本农田保证人均粮食 231kg，按土地资源需求分析，则需要新增基本农田面积 17.3hm^2。

根据流域沟道组成结构及特征分析统计，骨干坝位于支沟$Ⅲ_8$

的下游,区间控制 1 个Ⅲ级沟段(为骨干坝库区), 1 个Ⅱ级沟道,6 个Ⅰ级沟道。

由于沟道Ⅱ级沟道的中下游段也为骨干坝库区,起点处的上游有居民点分布,故无法配置中型坝,而可配置一座小型坝。

经过综合的坝系单元工程布局数量分析,确定该单元内配置小型坝 5 座。

布局定位后,通过量算控制面积、库容曲线、推算坝高和可淤地面积等一系列工程设计计算,确定单元内所有工程的可淤地面积,汇总得到该坝系单元的总可淤面积为 8hm^2,占单元内新增基本农田需求面积的 47%,其余 53% 要通过发展坡面基本农田完成。

小流域坝系总体布局规模(方案 1)见表 9-29,布局结构配置见表 9-30,单元规模配置见表 9-31。

(2)方案 2 工程配置。

根据方案 2 的布局理念、单元控制范围和划分结构,沙柳滩(G$_1$)、庄库(G$_3$)、石子沟(G$_4$)、黑马山(G$_6$)、寺沟(G$_8$)、石槽沟(G$_{10}$)、庙湾沟(G$_{11}$)、郝家沟(G$_{14}$)等 8 个支沟上游坝系单元,强家崖(G$_2$)第一主沟串联坝系单元,道园树坪(G$_{15}$)支沟下串坝系单元,由于功能和作用与方案 1 相同,因此各单元内中小型淤地坝的配置不变。其余 4 个单元内的中小型淤地坝配置如下。

G$_5$——庙山坝系单元:由于上游窑台骨干坝变成了中型坝,该单元变成了流域Ⅳ级主沟中上游串联的第三座控制性坝系单元,区间控制 1 个Ⅳ级沟段、3 个Ⅲ级沟段,2 个Ⅱ级沟道,12 个Ⅰ级沟道。骨干坝和主沟道中的其他骨干坝分拦分治,枢纽结构采用坝体和泄水洞两大件,洪水处理采用"全拦全蓄、滞洪排清"。

该单元面积 7.59km^2,隶属于窑台、齐家河、黑圪塔 3 个行政村,所占面积分别为 6.48km^2、0.88km^2 和 0.23km^2,占各村总土地面积的 48.3%、12.3% 和 6.7%。按面积均摊,三村合计单元

表 9-29　红石峁小流域坝系工程总体布局规模(方案 1)

坝型		数量 (座)	控制面积 (km²)	库容(万 m³)			淤地面积 (hm²)
				拦泥	滞洪	总库容	
现状坝	大型坝	3	17.64	422.8	78.4	501.2	27.7
	中型坝	3	0.32	78	8.8	86.8	11.0
	小型坝	1	0.32	7	1.9	8.9	1.1
	合计	7	17.64	507.8	89.1	596.9	39.8
新增	骨干坝 新建	14	63.75	1 193.3	712.01	1 905.38	130.73
	骨干坝 加固	2	9.61	100.2	99.7	199.9	11.4
	小计	16	73.36	1 293.5	811.71	2 105.3	142.13
	中型坝 新建	23	26.17	271.4	165.53	436.92	45.91
	中型坝 加固	4	4.0	42.3	31.2	73.5	4.1
	小计	27	30.17	313.7	196.7	510.4	50.1
	小型坝 新建	19	8.37	43.0	38.9	81.9	9.6
	小型坝 加固						
	小计	19	8.37	43.0	38.9	81.9	9.6
	合计	62		1 650.2	1 047.4	2 697.6	201.8
达到	骨干坝	16	73.36	1 716.3	890.1	2 606.5	169.8
	中型坝	28	30.15	390.7	206.6	597.2	61.0
	小型坝	19	8.37	50.4	40.4	90.8	10.8
	总计	63	73.36	2 157.4	1 137.1	3 294.5	241.6

注:达到规模中的控制面积为骨干坝的控制面积。

表9-30　红石峁小流域坝系工程布局配置结构（方案1）

（单位：km²）

流域内沟道			坝系单元			中型坝			小型坝		
编号	名称	集水面积	编号	骨干坝名称	控制面积	编号	名称	控制面积	编号	名称	控制面积
Ⅲ₁	沙柳滩	8.89	G₁	沙柳滩	6.15	Z₁	熊山	2.02	X₁	王家渠	0.54
							中型坝末控区		X₂	黄家峁则	0.51
									X₅	井沟	0.41
Ⅲ₂	师良山	3.86	G₃	庄库	3.81	Z₂	强家山	1.34			
						Z₃	高家塌	1.15			
						Z₆	石庙沟	1.28			
							中型坝末控区		X₁₁	孙家畔	0.54
									X₁₂	徐家河	0.50
Ⅲ₃	石子沟	6.72	G₅	石子沟	4.97	Z₉	高山沟	1.56			
							中型坝末控区		X₁₉	上新窑湾	0.42
									X₂₀	下新窑湾	0.29
Ⅲ₄	庙沟	5.97	G₇	黑马山	4.06		中型坝末控区				
Ⅲ₅	寺沟	5.98	G₁₀	寺沟	5.35	Z₁₁	马家坪北	1.95			
						Z₁₃	马家坪东	1.60			
Ⅲ₆	石槽沟	5.83	G₁₂	石槽沟	3.80	Z₁₄	石槽沟	1.64			
						Z₁₅	黑圪塔（定向）	0.76			

续表 9-30

流域内沟道			坝系单元			中型坝			小型坝		
编号	名称	集水面积	编号	骨干坝名	控制面积	编号	名称	控制面积	编号	名称	控制面积
$Ⅲ_7$	郭家河	11.36	G_{14}	庙湾沟	3.17	Z_{20}	中庄	1.08			
						Z_{21}	庙湾沟正沟坝	1.16			
			G_{15}	董家峁	2.54	Z_{22}	黑家沟	0.67			
						Z_{23}	阎家沟 2 号	0.63			
						XZ_3	阎家沟 1 号	0.26			
			G_{16}	老石壳	3.51		中型坝未控区		X_{33}	范家庄	0.41
									X_{37}	小庙沟坝	0.31
$Ⅲ_8$	郝家沟	10.47	G_{18}	郝家沟	6.44	Z_{26}	大沟	0.72			
						Z_{28}	温家坡	0.97			
			G_{19}	道园树坪	3.45		中型坝未控区		X_{48}	龙王庙拐沟	0.42
									X_{53}	柳树墕	0.60

续表 9-30

流域内沟道 编号	名称	集水面积	坝系单元 编号	骨干坝名称	控制面积	中型坝 编号	名称	控制面积	小型坝 编号	名称	控制面积
IV	红石峁沟	77.00	G_4	窑台	4.99	Z_4	高家渠	0.96	X_{10}	上张家河	0.57
						Z_{23}	强家崖	1.58	X_6	强家崖拐沟	0.53
			G_6	庙山坝	4.18	Z_5	简家渠	1.19			
						Z_7	石子沟	0.63			
						Z_8	榆树峁	0.80			
			G_{11}	廖齐沟	6.43	Z_{10}	庙沟	1.62	X_{21}	上春生沟	0.33
						Z_{24}	湫沟河	0.55			
						Z_{11}	上湫沟	0.91			
							中型坝未控区		X_{25}	新家坪东沟	0.39
			G_{13}	畔坡塌	4.13	Z_{16}	廖齐沟	0.76			
						Z_{17}	草沟	0.79	X_{29}	上张家沟	0.52
							中型坝未控区				
			G_{17}	景家坪	6.56	Z_{18}	大庙沟	0.68	X_{40}	高家新庄北沟	0.52
						Z_{31}	大庙沟2号	1.15	X_{41}	上王家坪坝	0.35
							中型坝未控区		X_{42}	王家坪坝	0.43

表9-31　红石峁小流域坝系工程配置规模(方案1)

编号	坝系单元名称	涉及行政村	坝控面积 (km²)	人口 (人)	现状基本农田 (hm²)	人均基本农田 (hm²)	基本农田保证人均粮食 (kg)	需要新增面积 (hm²)	单元内沟道组成分布 可配置中型坝沟道数量 (条)	可配置小型坝沟道数量 (条)	坝系单元布局数量规划配置分析 骨干坝 座数	淤地面积 (hm²)	中型坝 座数	淤地面积 (hm²)	需要配置小型坝 座数	淤地面积 (hm²)	实际配置小型坝 座数	淤地面积 (hm²)	淤地面积合计 (hm²)	坝地面积占需基本农田比例 (%)
G₁	沙柳滩	墕梁	6.15	579	45.3	0.08	235	28.0	3	5	1	12.7	1	3.0			3	1.7	17.4	62.1
G₃	庄库	墕梁	2.08	196	15.3	0.08	235	9.5	1	1			1	2.4						
	峁台	窑台	1.73	100	11.4	0.11	343	1.2	1	1	1	10.2	1	2.5						
	小计		3.81	296	26.7	0.09	271	10.7	2	2	1	10.2	2	4.9					15.1	141.1
G₄	峁台	墕梁	0.54	51	4.0	0.08	235	2.5									2	1.0		
	峁台	窑台	4.45	257	29.4	0.11	343	4.9	1	3	1	8.0	2	10.9						
	小计		4.99	308	33.4	0.1	294	7.4	1	3	1	8.0	2	10.9			2	1.0	19.9	269
G₅	石子沟	墕梁	2.58	243	19.0	0.08	235	11.8	2	2							1	0.6		
		窑台	1.65	95	10.9	0.11	343	1.2	1	1	1	8.7	1	2.2						
		黑疙塔	0.74	32	6.8	0.21	636	0.0		1							1	0.6		
	小计		4.97	370	36.7	0.10	298	13.0	3	3	1	8.7	1	2.2			2	1.2	12.1	93.8

续表 9-31

编号	坝系单元名称	涉及行政村	坝控面积 (km²)	人口 (人)	现状基本农田 (hm²)	人均基本农田 (hm²)	基本农田保证人均粮食 (kg)	需要新增面积 (hm²)	可配置中型坝沟道数量 (条)	可配置小型坝沟道数量 (条)	骨干坝座数	中型坝淤地面积 (hm²)	中型坝座数	需要配置小型坝淤地面积 (hm²)	需要配置小型坝座数	实际配置小型坝淤地面积 (hm²)	实际配置小型坝座数	淤地面积合计 (hm²)	坝地面积占基本农田增需比例 (%)
G₆	庙山坝	窑台	3.07	177	20.3	0.11	343	2.2	3	1									
		齐家河	0.88	58	4.8	0.08	247	2.6	3			9.7							
		黑圪塔	0.23	10	2.1	0.21	636	0.0		1	1								
		小计	4.18	245	27.2	0.1	332	4.8	3	1	1	9.7	3	4.0	3			13.7	285.4
G₇	黑马山	窑台	2.40	138	15.8	0.11	343	1.7	1	2									
		齐家河	1.43	95	7.8	0.08	247	4.2	3	3		10.4	1	2.6		0.8	2		
		林场	0.23	0	0.0	0.0		0.0	1	1	1								
		小计	4.06	233	23.6	0.10	250.3	5.90		5	1	10.4	1	2.6		0.8	5	13.8	233.9

续表 9-31

编号	坝系单元名称	涉及行政村	坝控面积(km²)	人口(人)	现状基本农田(hm²)	人均基本农田(hm²)	基本农田保证人均粮食(kg)	需要新增面积(hm²)	可配置中型坝沟道数量(条)	可配置小型坝沟道数量(条)	骨干坝座数	骨干坝淤地面积(hm²)	中型坝座数	中型坝淤地面积(hm²)	小型坝(需要)座数	小型坝(需要)淤地面积(hm²)	小型坝(实际)座数	小型坝(实际)淤地面积(hm²)	淤地面积合计(hm²)	坝地面积占需增基本农田比例(%)
G₁₀	寺沟	齐家河	0.53	35	2.9	0.08	247	1.6												
		廖齐沟	0.41	47	2.4	0.05	152	3.5												
		林场	4.41		0.0	0.0	0	0.0	2	4										
		小计	5.35	82	5.3	0.06	193	5.1	2	4	1	9.7	2	5.7	8	3.5			15.4	302
G₁₁	廖齐沟	齐家河	4.29	285	23.4	0.08	247	14.6	1	1										
		窑台	0.12	7	0.8	0.11	343	0.1												
		黑龙塔	0.82	36	7.6	0.21	636	0.0												
		廖齐沟	1.02	116	5.9	0.05	152	8.8												
		小计	6.25	444	37.7	0.08	217	23.5	1	1	1	11.3	3	5.9	18	8.4	2	0.8	18	84

续表9-31

编号	坝系单元名称	涉及行政村	坝控面积 (km²)	人口 (人)	现状基本农田 (hm²)	人均基本农田 (hm²)	基本农田保证人均粮食 (kg)	需要新增面积 (hm²)	可配置中型坝沟道数量 (条)	可配置小型坝沟道数量 (条)	骨干坝座数	骨干坝淤地面积 (hm²)	中型坝座数	中型坝淤地面积 (hm²)	需要配置小型坝座数	需要配置小型坝淤地面积 (hm²)	实际配置小型坝座数	实际配置小型坝淤地面积 (hm²)	淤地面积合计 (hm²)	坝地面积占需基本农田比例 (%)
G12	石槽沟	照坡塔	1.66	72	15.4	0.21	636	0.0	2	1			2	3.9						
		廖齐沟	0.83	94	4.8	0.05	152	7.2								0.2				
		庙湾村	0.87	66	8.4	0.13	381	0.0			1	7.0				0.0				
		郭家河村	0.44	53	5.3	0.10	302	1.4							3	1.4				
		小计	3.80	285	33.9	0.12	356	8.6	2	1	1	7.0	2	3.9	3	1.5			12.4	145.9
G13	畔坡塌	廖齐沟	3.26	370	18.8	0.05	152	28.1	2	3					56	26.0				
		郭家河	0.17	20	2.1	0.10	302	0.5									1	0.6		
		强家坬	0.7	84	5.7	0.07	203	5.0			1	8	2	4.8	1	0.5				
		小计	4.13	474	26.6	0.06	168	33.6	2	3	1	8	2	4.8	57	21.3	1	0.6	13.4	40

续表9-31

编号	坝系单元名称	涉及行政村	坝控面积(km²)	人口(人)	现状基本农田(hm²)	人均基本农田(hm²)	基本农田保证人均粮食(kg)	需要新增面积(hm²)	可配置中型坝沟道数量(条)	可配置小型坝沟道数量(条)	骨干坝座数	中型坝淤地面积(hm²)	中型坝座数	需要配置小型坝座数	需要配置小型坝淤地面积(hm²)	实际配置小型坝座数	实际配置小型坝淤地面积(hm²)	淤地面积合计(hm²)	坝地面积占需增基本农田比例(%)
G₁₄	庙湾沟	庙湾村	3.17	241	30.6	0.13	381	1.5	2	1	1	13.4	2					18.2	1 213
G₁₅	董家畔	庙湾村	1.14	130	16.4	0.13	381	0.0	1	1			1						
		郭家河	1.4	168	16.9	0.10	302	4.3	3	1		7.5	2			1	0.5		
		小计	2.54	298	33.3	0.11	336	4.3	4	1	1	7.5		8	3.9	1	0.5	11.7	272
G₁₆	老石崖	郭家河	3.51	420	42.3	0.10	302	10.9		5	1	7.0	3	1	0.5	1	0.4	7.4	68
G₁₇	景家坪	郭家河	0.15	18	1.8	0.10	302	0.5											
		强家坪	3.79	457	31.0	0.07	203	26.9	2	3		13	2	52	24.0	3	1.5		
		徐家坪	1.89	182	12.3	0.07	203	10.7											
		齐家圪崂	0.73	77	7.2	0.09	281	2.5		1				5	2.5	1	0.5		
		小计	6.56	734	52.3	0.07	214	40.6	2	4	1	13	2	44	20.4	3	1.5	24.1	59

续表9-31

编号	坝系单元名称	涉及行政村	坝控面积 (km²)	人口	现状基本农田 (hm²)	人均基本农田 (hm²)	基本农田保证人均粮食 (kg)	需要新增面积 (hm²)	单元内沟道组成分布 可配置中型坝沟道数量 (条)	单元内沟道组成分布 可配置小型坝沟道数量 (条)	骨干坝座数	骨干坝淤地面积 (hm²)	中型坝座数	中型坝淤地面积 (hm²)	需要配置小型坝座数	需要配置小型坝淤地面积 (hm²)	实际配置小型坝座数	实际配置小型坝淤地面积 (hm²)	淤地面积合计 (hm²)	坝地面积占需增基本农田比例 (%)
G_{18}	郝家沟	齐家圪崂	6.44	771	72.1	0.09	281	25.5	2	3	1	16.7	2	3.1	17	7.9	1	0.5	20.3	80
G_{19}	道园树坪	强家坪	0.12	14	1.0	0.07	203	0.9							2	0.9				
		徐家坪	2.16	208	14.1	0.07	203	12.3		4	1			7.6	10	4.7	1	0.4		
		齐家圪崂	1.17	123	11.5	0.09	281	4.1		1					9	4.1	1	0.4		
	小计		3.45	345	26.6	0.08	231	17.3		5	1			7.6	21	9.6	1	0.4	8	47
	合计		73.4	6125	553.6	1.7	5477.8	240.7	29.0	49.0	18.0	160.8	28	69.1	222	97.8	19	9.6	241.6	102

内的人口为 442 人,现状基本农田面积为 49.7hm^2,人均基本农田面积为 0.11hm^2,基本农田保证人均粮食 337kg,按土地资源需求分析,则需要新增基本农田面积 7.1hm^2。

根据流域沟道组成结构及特征分析统计,骨干坝位于主沟Ⅳ的中上游,上控 1 个主沟单元,2 个支沟单元,区间控制 1 个Ⅳ级沟段,2 个Ⅲ级沟段,2 条Ⅱ级沟道和 10 个Ⅰ级沟道。

在区间控制Ⅳ级沟段的中游配置 1 座中型坝(方案 1 中的窑台骨干坝),用于分段拦截主沟泥沙,在Ⅲ$_3$ 石子沟坝系单元的下游沟段配置 1 座中型坝,用于分段拦截支沟泥沙;在 2 条Ⅱ级沟道配置 2 座中型坝,一座位于Ⅱ$_7$ 的沟口,该坝为现状小型坝,须提高加固,另一座中型坝配置在Ⅱ$_{11}$ 的下游,进行分层拦蓄;再在直汇Ⅲ$_3$、面积较大的Ⅰ$_{49}$ 沟道的下游配置一座中型坝,用于毛沟控制。

小型坝可配置 6 座,1 座位于Ⅱ$_7$ 的起点处(该坝原为小型坝,库区淤积得很好,淤地面积为 2.0hm^2,但由于运行多年,早已被洪水毁坏,坝体所剩无几,需进行重建),3 座布设在 2 个中型坝控制区的上游,2 座布设在直汇Ⅳ级主沟的下游,形成弥补拦蓄。

在骨干坝的控制下,通过 5 座中型坝的分层分段拦蓄和 6 座小型坝的弥补拦蓄,形成一个区域内相对完整的坝系单元体系,从而完成单元内的坝系布局。

布局定位后,通过量算控制面积、库容曲线、推算坝高和可淤地面积等一系列工程设计计算,确定单元内所有工程的可淤地面积,汇总得到该坝系单元的总可淤面积为 25.6hm^2,占单元内新增基本农田需求面积的 341.9%,超额完成了基本农田发展需求。

G$_9$——廖齐沟坝系单元:该单元为流域Ⅳ级主沟中上游串联的第四座控制性坝系单元,区间控制 1 个Ⅳ级沟段,2 个Ⅲ级沟段,1 个Ⅱ级沟道,7 个Ⅰ级沟道。骨干坝和主沟道中的其他骨干坝分拦分治,枢纽结构采用坝体和泄水洞两大件,洪水处理方式采用"全拦全蓄、滞洪排清"。

由于上游漱沟河骨干坝变成了中型坝,单元面积变为 7.53km^2,隶属于齐家河、廖齐沟、窑台和黑圪塔 4 个行政村,面积分别为 4.29km^2、2.3km^2、0.12km^2 和 0.82km^2,分别占各村总土地面积的 60.2%、41.7%、0.9%和 23.8 %。按面积均摊后,四村合计单元内的人口为 683 人,现状基本农田面积为 45.8hm^2,人均基本农田面积为 0.07hm^2,基本农田保证人均粮食 201kg,按土地资源需求分析则需要新增基本农田面积 43.8hm^2。

在区间控制Ⅲ$_4$ 黑马山骨干坝控制后的剩余下游沟段布设 1 座中型坝,用于分段拦截支沟泥沙;在Ⅱ$_{14}$漱沟河的下游和中游分别布设 2 座中型坝,用于分段串联分担拦截泥沙;通过 3 座中型坝实现单元内的分层拦蓄。

小型坝可配置 3 座,一座位于直汇Ⅲ$_4$ 的Ⅰ$_{60}$ 的上游,两座布设在直汇Ⅳ级主沟的中游,形成弥补拦蓄。

在骨干坝的主要控制下,通过 3 座中型坝的分层分段拦蓄和 3 座小型坝的弥补拦蓄,形成一个区域内相对完整的坝系单元体系,从而完成单元内的坝系布局。

布局定位后,通过量算控制面积、库容曲线、推算坝高和可淤地面积等一系列工程设计计算,确定单元内所有工程的可淤地面积,汇总得到该坝系单元的总可淤面积为 17.2hm^2,占单元内新增基本农田需求面积的 39.3%,其余 60.7%要通过发展坡面基本农田来完成。

G$_{12}$——老石壳坝系单元:该单元为流域Ⅲ$_7$ 支沟上串联的第二座控制性坝系单元,区间控制 1 个Ⅲ级沟段和 11 个Ⅰ级沟道。骨干坝和支沟中的庙湾沟骨干坝对Ⅲ$_7$ 支沟进行分拦分治。枢纽结构采用"三大件",洪水处理方式采用"低拦高调、安全控制、滞洪排清、调蓄下泄"。

由于上游董家峁骨干坝变成了中型坝,因此单元面积变为 6.05km², 隶属郭家河和庙湾村两个行政村,单元面积分别为 4.91km² 和 1.14km², 占各村总土地面积的 86.4% 和 22.0%。按面积均摊后单元内的人口为 675 人, 现状基本农田面积为 70.2hm², 人均基本农田面积为 0.10hm², 基本农田保证人均粮食 312kg, 按土地资源需求分析则需要新增基本农田面积 15.2hm²。

该单元属于较大支沟的下游坝系单元, 骨干坝库区不仅居民点很多, 而且住的很低, 根据流域沟道组成结构及特征分析统计, 骨干坝位于支沟Ⅲ₇ 的中游, 区间控制 1 个Ⅱ级沟道,4 个Ⅰ级沟道。

单元内有阎家河现状中型坝一座, 枢纽结构完好, 为现状生产坝, 可在其上游淤泥面附近新布设一座中型坝, 分段拦蓄该沟道上游产生的洪水和泥沙, 保护下游现状坝的安全生产; 另外在面积较大的 Ⅰ₁₁₂ 沟道的中游布设一座中型坝, 用于进行毛沟控制。在单元控制区间的Ⅲ₇ 支沟中段(方案 1 中董家峁骨干坝)布设一座中型坝, 用于干沟分段拦蓄。小型坝可配置 6 座, 分别布设在 6 条直汇干沟的 Ⅰ级沟道。

在骨干坝的主力控制下, 通过 4 座中型坝的分段分层拦蓄和 6 座小型坝的弥补拦蓄, 形成一个区域内相对完整的坝系单元体系, 从而完成单元内的坝系布局。

布局定位后, 通过量算控制面积、库容曲线、推算坝高和可淤地面积等一系列工程计算, 确定单元内所有工程的可淤地面积, 汇总得到该坝系单元的总可淤面积为 14.0hm², 占单元内新增基本农田需求面积的 92.1%, 其余 7.9% 要通过发展坡面基本农田来完成。

G_{13}——景家坪坝系单元:该单元为流域Ⅳ级主沟中上游串联的第五座控制性坝系单元, 是坝系的最后一座出口坝系单元, 区间控制 1 个Ⅳ级沟段,2 个Ⅲ级沟段,1 个Ⅱ级沟道,13 个Ⅰ级沟道。

骨干坝和主沟道中的其他骨干坝分拦分治,枢纽结构采用"三大件",洪水处理方式采用"低拦高调、安全控制、滞洪排清、调蓄下泄"。

由于上游畔坡塌骨干坝变成了中型坝,因此单元面积变为$9.42km^2$,隶属于郭家河、强家坪、徐家坪、廖齐沟和齐家圪崂5个行政村,所占面积分别为$0.33km^2$、$4.49km^2$、$1.89km^2$、$1.98km^2$和$0.73km^2$,占各村总土地面积的5.8%、97.4%、24.6%、35.9%和8.8%。按面积均摊后,五村合计单元内的人口为1 064人,现状基本农田面积为$71.6hm^2$,人均基本农田面积为$0.07hm^2$,基本农田保证人均粮食202kg,按土地资源需求分析,则需要新增基本农田面积$63.2hm^2$。

根据流域沟道组成结构及特征分析统计,骨干坝位于主沟Ⅳ的下游,上控3个主沟单元,7个支沟上游控制单元和1个支沟串联单元,区间控制1个Ⅳ级沟段,2个Ⅲ级沟段,1条直汇Ⅱ级沟道和12个Ⅰ级沟道。

在区间控制Ⅳ级沟段的中游配置1座中型坝(方案1中的畔坡塌骨干坝),用于分段拦截主沟泥沙,在Ⅲ$_6$石槽沟坝系单元的下游沟段配置1座中型坝(该坝为现状中型坝XZ-2,需进行提高加固),用于分段拦截支沟泥沙;在Ⅱ$_{20}$沟道配置2座中型坝,一座位于沟口,该坝为现状中型坝,须提高加固,另一座配置在Ⅱ$_{20}$的起点处,进行分段分担拦蓄;再在直汇Ⅲ$_6$、面积较大的Ⅰ$_{92}$沟道的下游配置1座中型坝,用于毛沟控制。

小型坝可配置7座,分别布设在单元内面积较大的Ⅰ级沟道上,形成弥补拦蓄。

在骨干坝的主力控制下,通过5座中型坝的分层分段拦蓄和7座小型坝的弥补拦蓄,形成一个区域内相对完整的坝系单元体系,从而完成单元内的坝系布局。

布局定位后,通过量算控制面积、库容曲线、推算坝高和可淤地面积等一系列工程设计计算,确定单元内所有工程的可淤地面积,汇总得到该坝系单元的总可淤面积为30.9hm²,占单元内新增基本农田需求面积的48.9%,其余51.1%要通过发展坡面基本农田来完成。

小流域坝系总体布局规模(方案2)见表9-32,布局结构配置见表9-33,单元规模配置见表9-34。

4)坝系配置规模评价

(1)工程数量规模。

方案1:总共配置淤地坝63座,其中配置骨干坝16座(新建骨干坝14座,加固骨干坝2座);中型坝28座(现状保留1座,现状小型坝提高加固成中型坝1座,现状中型坝加固3座,新建24座);小型坝19座(新建)。从工程所处的沟道位置来看,Ⅰ级沟道布坝21座(小型坝14座,中型坝7座),Ⅱ级沟道布坝20座(小型坝5座,中型坝15座),Ⅲ级沟道布坝17座(中型坝6座,骨干坝11座),Ⅳ级沟道布坝5座(骨干坝5座),详见表9-35。整个坝系骨干坝和中小型淤地坝的工程数量配置比例为1:1.8:1.2,其中支沟直控坝系单元为1:1.8:1,支沟串联坝系单元为1:1:1,主沟串联坝系单元为1:2.2:1.6。

方案2:总共配置淤地坝98座,其中配置骨干坝14座(新建骨干坝11座,加固骨干坝3座);中型坝30座(现状保留1座,现状小型坝提高加固成中型坝1座,现状中型坝加固2座,新建26座);小型坝54座(新建)。从工程所处的沟道位置来看,Ⅰ级沟道布坝51座(小型坝44座,中型坝7座),Ⅱ级沟道布坝24座(小型坝10座,中型坝14座),Ⅲ级沟道布坝18座(中型坝7座,骨干坝11座),Ⅳ级沟道布坝5座(中型坝2座,骨干坝3座),详见表9-36。整个坝系骨干坝和中小型淤地坝的工程数量配置比例为1:1.4:3.0,其中支沟独立坝系单元为1:1.4:3.2,支沟串联坝系单元为1:1:3.7,主沟串联坝系单元为1:1.5:2.8。

表 9-32　　红石峁小流域坝系工程总体布局规模(方案2)

坝型		数量(座)	控制面积(km²)	库容(万 m³)			淤地面积(hm²)
				拦泥	滞洪	总库容	
现状坝	大型坝	3	17.64	422.8	78.4	501.2	27.7
	中型坝	3	0.32	78	8.8	86.8	11.0
	小型坝	1	0.32	7	1.9	8.9	1.13
合计		7	17.64	507.8	89.1	596.9	39.8
新增	骨干坝 新建	11	62.18	1 195.3	721.3	1 901.6	123.1
	骨干坝 加固	3	11.19	124.8	129.8	254.6	8.3
	小计	14	73.37	1 320.1	851.1	2 156.2	131.4
	中型坝 新建	26	32.28	334.8	187.2	522.0	59.0
	中型坝 加固	3	2.4	24.9	13.9	38.8	2.4
	小计	29	34.68	359.7	201.1	560.8	61.5
	小型坝 新建	54	20.25	105.0	93.2	198.2	23.3
	小型坝 加固						
	小计	54	20.25	105	93.2	198.2	23.3
合计		97	73.37	1 784.7	1 145.4	2 915.2	216.2
达到	大型坝	14	73.37	1 742.9	929.5	2 657.4	159.1
	中型坝	30	35	437.6	209.9	647.6	72.5
	小型坝	54	20.25	112.0	95.1	207.1	24.5
合计		98	73.37	2 292.5	1 234.5	3 512.1	256.1

注:达到规模中的控制面积为骨干坝的控制面积。

表9-33　　红石峁小流域坝系布局配置(方案2)

流域内沟道			坝系单元 骨干坝			中型坝			小型坝		
编号	名称	集水面积	编号	名称	控制面积	编号	名称	控制面积	编号	名称	控制面积
III₁	沙柳滩	8.89	G₁	沙柳滩	6.15	Z₁	熊山	2.02	X₃	王家渠	0.17
									X₄	卧虎山	0.29
						中型坝未控区			X₁	王家渠	0.54
									X₂	黄家峁则	0.51
									X₅	井沟	0.41
									X₆	强家崖拐沟	0.53
III₂	师良山	3.86	G₂	强家崖	1.58	无			X₇	强家山拐沟	0.49
			G₃	庄库	3.81	Z₂	强家山	1.34	X₈	高家渠	0.47
						Z₃	高家焉	1.15			
						Z₄	高家渠	0.96			
III₃	石子沟	6.72	G₄	石子沟	4.97	中型坝未控区			X₁₁	孙家畔	0.54
									X₁₂	徐家河	0.50
III₄	庙沟	5.97	G₆	黑马山	4.06	Z₁₀	高山沟	1.56	X₁₇	新庄梁	0.35
									X₁₈	高家渠东沟	0.38
						中型坝未控区			X₁₉	上新畲湾	0.42
									X₂₀	下新畲湾	0.29

续表 9-33

流域内沟道			坝系单元			中型坝			小型坝		
编号	名称	集水面积	编号	骨干坝名	控制面积	编号	名称	控制面积	编号	名称	控制面积
III_5	寺沟	5.98	G_8	寺沟	5.35	Z_{11}	漱沟	0.91	X_{22}	王家新庄	0.43
						Z_{12}	马家坪北	1.95	X_{23}	任家山	0.47
									X_{24}	野狼沟	0.34
III_6	石槽沟	5.83	G_{10}	石槽沟	3.80	Z_{16}	上石槽沟	1.64	X_{27}	刘家辛庄沟掌坝	0.26
						Z_{17}	黑圪塔(定向)	0.76	X_{28}	刘家辛庄	0.48
			G_{11}	庙湾沟	3.17	Z_{18}	大庙沟	0.68			
						Z_{19}	中庄	1.08	X_{32}	福孜沟	0.39
III_7	郭家河	11.36	G_{12}	老石壳	6.05	Z_{20}	黑家沟	0.67			
						Z_{21}	阎家沟 2 号	0.63			
						Z_{22}	董家峁	1.08			
						XZ_{23}	阎家沟 1 号	0.26			
						中型坝未控区			X_{33}	范家庄	0.41
									X_{34}	郭家河拐沟	0.27
									X_{35}	南郭家河	0.32
									X_{36}	甘沟坝	0.48
									X_{37}	小庙沟坝	0.31
									X_{38}	南郭家梁坪	0.32

续表 9-33

流域内沟道			坝系单元			中型坝				小型坝		
编号	名称	集水面积	编号	骨干坝名	控制面积	编号	名称	控制面积	编号	名称	控制面积
Ⅲ₈	郝家沟	10.47	G₁₄	郝家沟	6.44	Z₂₈	温家坡	0.97	X₄₃	白杨树沟坝	0.35
						Z₂₉	大沟	0.72	X₄₇	西杜家坡	0.29
						中型坝末控区			X₄₄	西山沟	0.47
									X₄₅	老草湾坝	0.26
									X₄₆	老嘴坝	0.32
			G₁₅	道园树坪	3.45	无			X₄₈	龙王庙拐沟	0.42
									X₄₉	芦草沟	0.37
									X₅₀	郝家崖	0.24
									X₅₁	上拐沟	0.27
									X₅₂	山容子	0.22
									X₅₃	柳树墕	0.38
									X₅₄	下拐沟	0.23

续表9-33

流域内沟道			坝系单元			中型坝			小型坝		
编号	名称	集水面积	编号	骨干坝名称	控制面积	编号	名称	控制面积	编号	名称	控制面积
IV	红石峁沟	77.00	G_5	庙山坝	7.59	Z_5	高家渠	0.96	X_{10}	上张家河	0.57
						Z_6	石庙沟	1.28			
						Z_7	阎家渠	1.19	X_{13}	阎家渠	0.47
									X_{14}	阎家渠拐沟	0.21
						Z_8	石子沟	0.63	X_{16}	黑圪塔北沟	0.44
						Z_9	榆树峁	0.80	X_9	庄科台	0.31
									X_{15}	椿树坪东沟	0.20
							中型坝未控区		X_{21}	上春生沟	0.33
			G_9	廖齐沟	7.53	Z_{13}	庙沟	1.62			
						Z_{14}	上漩沟	0.91			
						Z_{15}	下漩沟	0.55			
							中型坝未控区		X_{25}	新家坪东沟	0.39
									X_{26}	老圪塔沟坝	0.24

续表 9-33

流域内沟道			坝系单元			中型坝			小型坝		
编号	名称	集水面积	编号	骨干坝名	控制面积	编号	名称	控制面积	编号	名称	控制面积
IV	红石峁沟	77.00	G_{13}	景家坪	9.42	Z_{23}	廖家沟	0.76			
						Z_{24}	草沟	0.79			
						Z_{27}	大庙沟 1 号	0.68			
						Z_{26}	大庙沟 2 号	1.15			
						Z_{25}	畔坡塌	2.58			
							中型坝未控区		X_{29}	上张家沟	0.52
									X_{30}	中张家沟	0.42
									X_{31}	关庙沟坝	0.28
									X_{39}	畔坡渠坝	0.38
									X_{40}	高新庄北沟	0.52
									X_{41}	上王家坪坝	0.35
									X_{42}	王家坪坝	0.43

表9-34　红石峁小流域坝系布局规模配置（方案2）

编号	坝系单元名称	涉及行政村	坝控面积(km²)	人口(人)	现状基本农田(hm²)	人均基本农田(hm²)	基本农田保证人均粮食(kg)	需要新增面积(hm²)	可配置中型坝沟道数量(条)	可配置小型坝沟道数量(条)	骨干坝座数	骨干坝淤地面积(hm²)	中型坝座数	中型坝淤地面积(hm²)	需要配置小型坝座数	需要配置小型坝淤地面积(hm²)	实际配置小型坝座数	实际配置小型坝淤地面积(hm²)	淤地面积合计(hm²)	坝地面积占需基本农田比例(%)
G₁	沙柳滩	墩梁	6.15	579	45.3	0.08	235	28.0	1	5	1	12.7	1	3.0	29	12.4	5	2.2	17.9	63.8
G₂	强家畔	墩梁	0.54	51	4.0	0.08	235	2.5							6	2.5				
		畜台	1.04	60	6.9	0.11	343	0.7	1	1	1	10.7					1	0.6		
		小计	1.58	111	10.9	0.1	294	3.2	1	1	1	10.7			6	2.5	1	0.6	11.3	353.1
G₃	庄库	墩梁	2.08	196	15.3	0.08	235	9.5	1	1			1	2.4	16	7.1	1	0.6		
		畜台	1.73	100	11.4	0.11	343	1.2	1	1	1	10.2	1	2.5			1	0.5		
		小计	3.81	296	26.7	0.09	271	10.7	2	2	1	10.2	2	4.9	16	7.1	2	1.1	16.2	151.2
G₄	石子沟	墩梁	2.58	243	19.0	0.08	235	11.8	2	2					27	11.8	2	1.2		
		畜台	1.65	95	10.9	0.11	343	1.2	1		1	8.7	1	2.2						
		黑圪塔	0.74	32	6.8	0.21	636	0.0		1										
		小计	4.97	370	36.7	0.10	298	12.9	3	3	1	8.7	1	2.2	27	11.8	2	1.2	12.0	93.1

续表9-34

编号	坝系单元名称	涉及行政村	坝控面积(km²)	人口(人)	现状基本农田(hm²)	人均基本农田(hm²)	基本农田保证人均粮食(kg)	需要新增面积(hm²)	单元内沟道组成分布 可配置中型坝沟道数量(条)	可配置小型坝沟道数量(条)	骨干坝座数	中型坝 座数	中型坝 淤地面积(hm²)	需要配置小型坝 座数	需要配置小型坝 淤地面积(hm²)	实际配置小型坝 座数	实际配置小型坝 淤地面积(hm²)	淤地面积合计(hm²)	坝地面积占需增基本农田比例(%)
G₅	庙山坝	蛤台	6.48	374	42.8	0.11	343	4.6	5	5		5			10.6	5	2.0		
		齐家河	0.88	58	4.8	0.08	247	2.6					12.4			1	0.5		
		黑圪塔	0.23	10	2.1	0.21	636	0.0											
		小计	7.59	442	49.7	0.11	337	7.1	5	5	1	5	12.4	0	10.6	6	2.5	25.6	357.4
G₆	黑马山	蛤台	2.4	138	15.8	0.11	343	1.7		3		1			2.6	2	0.8		
		齐家河	1.43	95	7.8	0.08	247	4.2		4	1		7.7			3	1.2		
		林场	0.23	0	0.0														
		小计	4.06	233	23.6	0.10	590	5.90	1	7	1	1	7.7		2.6	5	2.0	12.3	208.1

续表9-34

编号	坝系单元名称	涉及行政村	坝控面积 (km²)	人口 (人)	现状基本农田 (hm²)	人均基本农田 (hm²)	基本农田保证人均粮食 (kg)	需要新增面积 (hm²)	可配置中型坝沟道数量 (条)	可配置小型坝沟道数量 (条)	骨干坝座数	淤地面积 (hm²)	中型坝座数	淤地面积 (hm²)	需要配置小型坝座数	淤地面积 (hm²)	实际配置小型坝座数	淤地面积 (hm²)	淤地面积合计 (hm²)	坝地面积占需增基本农田比例 (%)
G8	寺沟	齐家河	0.53	35	2.9	0.08	247	1.6												
		廖齐沟	0.41	47	2.4	0.05	152	3.5							8	3.5				
		林场	4.41	0	0.0		0	0.0	2	5	1	9.7	2	5.7			3	1.4	1.4	
		小计	5.35	82	5.3	0.06	193	5.1	2	5	1	9.7	2	5.7	8	3.5	3	1.4	16.8	329.7
G9	廖齐沟	齐家河	2.3	153	12.6	0.08	247	6.8												
		廖齐沟	4.29	487	24.8	0.05	152	37.0	2	2	1	10.7	2	3.7	7	3.0				
		窑台	0.12	7	0.8	0.11	343	0.1	1						61	26.3				
		黑圪塔	0.82	36	7.6	0.21	636	0.0					1	2.1			2	0.7	0.7	
		小计	7.53	683	45.8	0.07	201	43.8	3	2	1	10.7	3	5.8	68	29.3	2	0.7	17.2	39.3

续表 9-34

坝系单元名称	编号	涉及行政村	坝控面积 (km²)	人口 (人)	现状基本农田 (hm²)	人均基本农田 (hm²)	基本农田保证人均粮食 (kg)	需要新增面积 (hm²)	单元内沟道组成分布 可配置小型坝沟道数量 (条)	单元内沟道组成分布 可配置中型坝沟道数量 (条)	坝系单元布局数量规模配置分析 需要配置 骨干坝座数	需要配置 中型坝 淤地面积 (hm²)	需要配置 中型坝座数	需要配置 小型坝 淤地面积 (hm²)	需要配置 小型坝座数	实际配置 小型坝座数	实际配置 小型坝 淤地面积 (hm²)	淤地面积合计 (hm²)	坝地面积占需增基本农田比例 (%)
石槽沟	G10	黑龙塔	1.66	72	15.4	0.21	636	0.0								2	0.9	0.9	
		廖不沟	0.83	94	4.8	0.05	152	7.2	4	2	1	7.0	2						
		庙湾村	0.87	66	8.4	0.13	381	0.0											
		郭家河	0.44	53	5.3	0.10	302	1.4						3.9	3				
		小计	3.8	285	33.9	0.12	356	8.5	4	2	1	7.0	2	3.9	3	2	0.9	11.7	137.8
庙湾沟	G11	庙湾村	3.17	241	30.6	0.13	381	0.0	3	2	1	6.5	2	4.8		1	0.4	11.7	
老石壳	G12	郭家河	4.91	588	59.2	0.10	302	15.2	5	1	1	7.0	2	3.5	11	5	2.1	2.1	
		庙湾村	1.14	87	11.0	0.13	381	0.0	1	2			1	1.0		1	0.4	0.4	
		小计	6.05	675	70.2	0.10	312	15.2	6	3	1	7.0	3	4.5	11	6	2.4	14.0	92.1

续表9-34

编号	坝系单元名称	涉及行政村	坝控面积 (km²)	人口 (人)	现状基本农田 (hm²)	人均基本农田 (hm²)	基本农田保证人均粮食 (kg)	需要新增面积 (hm²)	可配置中型坝沟道数量 (条)	可配小型坝沟道数量 (条)	骨干坝 座数	骨干坝 淤地面积 (hm²)	中型坝 座数	中型坝 淤地面积 (hm²)	需要配置小型坝 座数	需要配置小型坝 淤地面积 (hm²)	实际配置小型坝 座数	实际配置小型坝 淤地面积 (hm²)	淤地面积合计 (hm²)	坝地面积占需增基本农田比例 (%)
G13	景家坪	郭家河	0.33	39	4.0	0.10	302	1.0							2	1.0				
		强家坪	4.49	541	36.7	0.07	203	31.8	3	4			3	8.2	55	23.7	4	1.8		
		徐家坪	1.89	182	12.3	0.07	203	10.7			1	17.3								
		廖齐沟	1.98	225	11.4	0.05	152	17.1	2	3			2	2.1	35	15.0	3	1.5		
		齐家圪崂	0.73	77	7.2	0.09	281	2.5							6	2.5				
		小计	9.42	1 064	71.6	0.07	202	63.2	5	7	1	17.3	5	10.3	98	42.2	7	3.3	30.9	48.9

续表 9-34

编号	坝系单元名称	涉及行政村	坝控面积 (km²)	人口 (人)	现状基本农田 (hm²)	人均基本农田 (hm²)	基本农田保证人均粮食 (kg)	需要新增面积 (hm²)	可配置中型坝沟道数量 (条)	可配置小型坝沟道数量 (条)	骨干坝座数	骨干坝淤地面积 (hm²)	中型坝座数	中型坝淤地面积 (hm²)	需要配置小型坝座数	需要配置小型坝淤地面积 (hm²)	实际配置小型坝座数	实际配置小型坝淤地面积 (hm²)	淤地面积合计 (hm²)	坝地面积占需增基本农田比例 (%)
G14	郝家沟	齐家圪崂	6.44	771	72.1	0.09	281	25.5	2	7	1	14.5	2	3.2	18	7.9	7	2.9	20.5	80.4
G15	道园树坪	强家坪	0.12	14	1.0	0.07	203	0.9							2	0.9				
		徐家坪	2.16	208	14.1	0.07	203	12.3		3					11	4.7	3	0.9		
		齐家圪崂	1.17	123	11.5	0.09	281	4.1		2	1	7.6			9	4.1	2	0.7		
	小计		3.45	345	26.6	0.08	231	17.2		5	1	7.6			22	9.6	5	1.5	9.1	53.2
	合计		73.4	6177	549.0	0.09	268.5	246.4	31	62	14	142.5	29.9	61.5	227.0	98.4	54.0	23.3	227.3	92.2

表 9-35 红石峁小流域坝系工程数量规模(方案1)

分类		骨干坝(座)				中型坝(座)				小型坝(座)			合计(座)
		现状	新建	加固	小计	现状	新建	加固	小计	现状	新建	小计	
坝系单元	直控支沟单元	0	6	2	8		13	1	14	0	8	8	30
	串联支沟单元		3		3	1	2		3		3	3	9
	串联主沟单元		5		5		8	3	11		8	8	24
	合计	0	14	2	16	1	23	4	28	0	19	19	63
坝系单元以外													0
沟道分级分布	Ⅰ级沟道	0				1	6		7	0	14	14	21
	Ⅱ级沟道						13	2	15		5	5	20
	Ⅲ级沟道		9	2	11		5	1	6	0		0	17
	Ⅳ级沟道		5		5				0			0	5
	合计	0	14	2	16	1	24	3	28	0	19	19	63

表 9-36 红石峁小流域坝系建设数量规模(方案2)

分类		骨干坝(座)				中型坝(座)				小型坝(座)			合计(座)
		现状	新建	加固	小计	现状	新建	加固	小计	现状	新建	小计	
坝系单元	直控支沟单元	0	6	2	8	1	13		14	0	27	27	49
	串联支沟单元		2		2		3		3		11	11	16
	串联单元主沟		3	1	4		10	3	13		16	16	33
	合计	0	11	3	14	1	26	3	30	0	54	54	98
坝系单元以外													
沟道分级分布	Ⅰ级沟道	0			0	1	6		7	0	44	44	51
	Ⅱ级沟道				0		12	2	14		10	10	24
	Ⅲ级沟道		8	3	11		6	1	7			0	18
	Ⅳ级沟道		2	1	3		2		2			0	5
	合计		10	4	14	1	26	3	30	0	54	54	98

(2)库容规模。

方案1:坝系新增总库容2 697.6万 m³,其中新增拦泥库容1 650.2万 m³,新增滞洪库容为1 047.4万 m³。

骨干坝、中型坝和小型坝新增总库容分别为2 105.3万 m³、510.4万 m³和81.9万 m³,配置比例为100%:24.3%:3.9%;新增拦泥库容分别为1 293.5万 m³、312.7万 m³和43.4万 m³,配置比例为100%:24.2%:3.3%。

若按沟道级别进行分类,则Ⅰ、Ⅱ、Ⅲ、Ⅳ各级沟道的新增总库容分别为131.1万 m³、287.1万 m³、1 579.4万 m³和700.0万 m³,各级沟道的新增总库容占坝系新增总库容的比例分别为4.9%、10.6%、58.5%和26%。各级沟道的新增拦泥库容分别为77.6万 m³、172.6万 m³、1 094.1万 m³和305.2万 m³,占总数的比例分别为4.7%、10.5%、66.3%和18.5%,详见表9-37。

方案2:坝系总库容为3 512.1万 m³,新增2 915.2万 m³;拦泥库容为2 292.5万 m³,新增1 784.8万 m³;滞洪库容为1 234.5万 m³,新增1 130.4万 m³。在新增库容中,骨干坝、中型坝和小型坝的总库容分别新增2 156.2万 m³、560.8万 m³和198.1万 m³,总库容配置比例为1:0.26:0.09;拦泥库容分别新增1 320.1万 m³、359.7万 m³和105.0万 m³,拦泥库容配置比例为1:0.27:0.08。

若按沟道级别进行分类,则Ⅰ、Ⅱ、Ⅲ、Ⅳ各级沟道的新增总库容分别为227.5万 m³、293.3万 m³、1 646.7万 m³和747.7万 m³,各级沟道的新增总库容占坝系新增总库容的比例分别为7.8%、10.1%、56.5%、25.7%。各级沟道的新增拦泥库容配置分别为128.8万 m³、183.1万 m³、1 039.0万 m³和433.9万 m³,各级沟道新增的拦泥库容占坝系新增总拦泥库容的比例分别为7.2%、10.3%、58.2%和24.3%(见表9-38)。

表9-37　　　　红石峁小流域坝系建设库容配置规模（方案1）

分类		骨干坝（万m³）			中型坝（万m³）			小型坝（万m³）			合计（万m³）					
		总	拦泥	滞洪	总	拦泥	滞洪	总	拦泥	滞洪	总	占总库容比例(%)	拦泥	占总拦泥库容比例(%)	滞洪	占总滞洪库容比例(%)
坝系单元	直控支沟单元	1 110.1	784.7	325.4	294	190.5	103.5	36.8	18.9	17.9	1 440.9	53.4	994.1	60.2	446.8	42.6
	串联支沟单元	295.2	203.6	91.6	21.0	13.5	7.5	13.1	6.9	6.2	329.3	12.2	224	13.6	105.3	10
	串联单元主沟	700	305.2	394.8	195.4	109.7	85.7	32.0	17.2	14.8	927.4	34.4	432.1	26.2	495.3	47.4
	单元合计	2 105.3	1 293.5	811.8	510.4	313.7	196.7	81.9	43	38.9	2 697.6	100.0	1 650.2	100.0	1 047.4	100.0
坝系单元以外																
沟道分级分布	I级沟道				73.7	47.3	26.4	57.4	30.0	27.4	131.1	4.9	77.3	4.7	53.8	5.1
	II级沟道				262.6	159.6	103.0	24.5	13	11.5	287.1	10.6	172.6	10.5	114.5	10.9
	III级沟道	1 405.3	988.3	417.0	174.1	106.8	67.3				1 579.4	58.5	1 095.1	66.3	484.3	46.3
	IV级沟道	700	305.2	394.8							700.0	26	305.2	18.5	394.8	37.7
	沟道合计	2 105.3	1 293.5	811.8	510.4	313.7	196.7	81.9	43.0	38.9	2 697.6	100.0	1 650.2	100.0	1 047.4	100.0

表9-38　红石峁小流域坝系建设容库配置规模（方案2）

分类	骨干坝（万m³）			中型坝（万m³）			小型坝（万m³）			合计（万m³）					
	总	拦泥	滞洪	总	拦泥	滞洪	总	拦泥	滞洪	总	占总库容比例（%）	拦泥	占总拦泥库容比例（%）	滞洪	占总滞洪库容比例（%）
坝系单元　直控支沟单元	1 121.7	683.8	437.9	294.1	188.6	105.5	103.1	54.7	48.4	1 518.9	52.1	927.1	51.9	591.8	52.4
坝系单元　串联支沟单元	325.2	230.0	95.2	38.5	24.7	13.8	33.8	17.9	15.9	397.5	13.6	272.6	15.3	124.9	11.0
坝系单元　串联单元主沟	709.3	406.3	303.0	228.2	146.3	81.9	61.3	32.5	28.8	998.8	34.3	585.1	32.8	413.7	36.6
坝系单元　单元合计	2 156.2	1 320.1	836.1	560.8	359.6	201.2	198.2	105.1	93.1	2 915.2	100.01	1 784.8	100	1 130.4	100.0
坝系单元以外 沟道分级分布 I级沟道				73.7	47.3	26.4	153.7	81.5	72.2	227.5	7.8	128.8	7.2	98.7	8.7
Ⅱ级沟道				248.9	159.6	89.3	44.4	23.5	20.9	293.3	10.1	183.1	10.3	110.2	9.7
Ⅲ级沟道	1 489.8	938.4	551.4	156.9	100.6	56.3				1 646.7	56.5	1 039.0	58.2	607.7	53.8
Ⅳ级沟道	666.4	381.7	284.7	81.3	52.2	29.1				747.7	25.7	433.9	24.3	313.8	27.8
流域合计	2 156.2	1 320.1	836.1	560.8	359.7	201.1	198.1	105.0	93.1	2 915.2	100.0	1 784.8	100	1 130.4	100

(3)淤地面积规模。

方案 1：坝系总可淤地面积为 201.8hm²，其中骨干坝为 142.2hm²，中型坝为 50.1hm²，小型坝为 9.7hm²，可淤地面积的大中小配置比例为 1∶0.32∶0.16。若按沟道级别进行分类，则Ⅰ、Ⅱ、Ⅲ、Ⅳ各级沟道的总可淤地面积配置分别为 14.9hm²、29.3hm²、107.7hm² 和 50.1hm²，各级沟道的可淤地面积占坝系总可淤地面积的比例分别为 7.4%、14.5%、53.3% 和 24.8%（见表 9-39。）

表 9-39　红石峁小流域坝系工程可淤地面积配置规模（方案 1）

分类		骨干坝（hm²）	中型坝（hm²）	小型坝（hm²）	合计	
					数量（hm²）	占总可淤面积比例（%）
坝系单元	直控支沟单元	70.1	31.2	4.1	105.4	52.2
	串联支沟单元	22.1	2.2	1.3	25.6	12.7
	串联单元主沟	50	16.7	4.3	71	35.1
	单元合计	142.2	50.1	9.7	202	100.0
坝系单元以外合计						
	Ⅰ级沟道		8.1	6.8	14.9	7.4
	Ⅱ级沟道		26.4	2.9	29.3	14.5
	Ⅲ级沟道	92.1	15.6		107.7	53.3
	Ⅳ级沟道	50.1			50.1	24.8
流域合计		142.2	50.1	9.7	202	100.0

方案 2：坝系总可淤地面积为 216.3hm²，其中骨干坝为 131.4hm²，中型坝为 61.5hm²，小型坝为 23.3hm²，可淤地面积的大中小配置比例为 1∶0.59∶0.18。若按沟道级别进行分类，则Ⅰ、Ⅱ、Ⅲ、Ⅳ各级沟道的总可淤地面积配置分别为 26.2hm²、31.6hm²、97.8hm² 和 60.7hm²，各级沟道的可淤地面积占坝系总可淤地面积的比例分别为 12.1%、14.6%、45.2% 和 28.1%，详见表 9-40。

表 9-40 红石峁小流域坝系建设可淤地面积配置规模(方案 2)

分类		骨干坝 (hm²)	中型坝 (hm²)	小型坝 (hm²)	合计	
					数量 (hm²)	占总可淤面积比例(%)
坝系单元	直控支沟单元	65.3	31.3	12.1	108.8	50.3
	串联支沟单元	14.6	4.5	4.0	23.1	10.7
	串联单元主沟	51.5	25.6	7.2	84.3	39.0
	单元合计	131.4	61.5	23.3	216.3	100.0
坝系单元以外合计						
	Ⅰ级沟道		8.1	18.1	26.2	12.1
	Ⅱ级沟道		26.3	5.2	31.6	14.6
	Ⅲ级沟道	81.5	16.3		97.8	45.2
	Ⅳ级沟道	49.9	10.8		60.7	28.1
	流域合计	131.4	61.5	23.3	216.3	100.0

从坝系整体布局配置规模分析来看,这两个布局方案皆可实现防洪目标、拦泥目标和流域基本农田发展需求目标,皆可作为坝系建设实施方案。

6.方案对比分析

1)防洪能力对比

防洪体系是坝系的骨架,是维系坝系安全运行的中枢,主要由骨干坝来承担,因此坝系防洪能力分析针对骨干坝进行。根据流域水沙运动规律、工程空间分布特点和工程运行方式进行防洪能力分析。

所谓坝系建成后防洪能力分析,主要是分析坝系建成后各坝防洪能力随时间变化的情况。需要说明的是,骨干坝的淤积考虑了中小型淤地坝减淤;骨干坝淤积预测采用流域多年平均侵蚀模数。

当坝系工程建成后,随着时间的推移,坝系工程库容因淤积而逐年减少,防洪能力也随之下降,这是一个动态变化过程。本次坝系防洪能力分析将分析期 30 年划分为 6 个阶段,即 5 年、10 年、

15 年、20 年、25 年、30 年,对 6 个时段末坝系工程的防洪能力进行分析。放水工程由于泄量较小,在防洪能力分析时忽略不计。

(1)坝系防洪能力分析。小流域坝系布局方案 1 规划新建 14 座,加固改建 2 座,到建设期末骨干坝总数达到 16 座;方案 2 规划新建 11 座,加固改建 3 座,到建设期末骨干坝总数达到 14 座。设计滞洪标准皆为 300 年一遇。防洪能力分析是对全流域坝系(骨干坝)在不同频率暴雨下,在不同时段,对骨干坝控制流域内洪水的情况进行分析,进而分析坝系总体防洪能力。坝系防洪能力分析以骨干坝控制集水区内不同频率下的洪水总量与现有实际剩余库容比较,取最接近且小于剩余库容值的洪水量值对应频率,即为本坝可抵御洪水的最大频率。分析结果见表 9-41、表 9-42。

表 9-41　　红石峁小流域坝系防洪能力分析结果(方案 1)

编号	坝系单元名称	控制面积 (km²)	不同时段末的抵御洪水频率(%)					
			5	10	15	20	25	30
G_1	沙柳滩	6.15	0.2	0.2	0.2	0.2	0.5	2
G_2	强家崖	1.58	0.2	0.2	0.2	1	10	—
G_3	庄库	3.81	0.2	0.2	0.2	0.2	0.2	1
G_4	窑台	3.41	0.2	0.2	0.2	0.5	3.33	—
G_5	石子沟	4.97	0.2	0.2	0.2	0.2	0.5	3.33
G_6	庙山坝	4.18	0.2	0.2	0.2	0.2	1	
G_7	黑马山	4.06	0.2	0.2	0.2	0.2	0.33	1
G_9	湫沟河	1.46	0.2	0.2	0.2	0.2	0.2	1
G_{10}	寺沟	5.35	0.2	0.2	0.2	0.2	0.2	1
G_{11}	廖齐沟	4.79	0.2	0.2	0.2	0.5	5	—
G_{12}	石槽沟	3.8	0.2	0.2	0.2	0.2	0.2	1
G_{13}	畔坡塌	4.13	0.2	0.2	0.2	0.33	0.33	0.33
G_{14}	庙湾沟	3.17	0.2	0.2	0.2	0.33	0.33	0.33
G_{15}	董家峁	2.54	0.2	0.2	0.2	0.2	0.2	0.2
G_{16}	老石壳	3.51	0.2	0.2	0.2	0.2	0.2	0.2
G_{17}	景家坪	6.56	0.2	0.2	0.2	0.33	0.33	0.33
G_{18}	郝家沟	6.44	0.2	0.2	0.2	0.5	3.33	—
G_{19}	道园树坪	3.45	0.2	0.2	0.2	0.2	1	10

（2）防洪能力对比分析。从各时段末防洪能力计算结果表可以看出：方案 1 和方案 2 坝系的防洪能力较现状坝系的防洪能力有了较大的提高，坝系建成后的 15 年内均能抵御 500 年一遇的设计校核洪水，但随着时间的推移，其防洪能力开始下降，15 年以后其防洪能力已不能抵御 300 年一遇的洪水，其坝系的整体防洪能力已不能满足坝系防洪需要。因此，坝系建成 15 年后应考虑加固改建或增设溢洪道，以提高坝系的整体防洪能力。

表 9-42　　　红石峁小流域坝系防洪能力分析结果（方案 2）

编号	坝系单元名称	控制面积 （km²）	不同时段末的抵御洪水频率（%）					
			5	10	15	20	25	30
G_1	沙柳滩	6.15	0.2	0.2	0.2	0.2	0.5	2
G_2	强家崖	1.58	0.2	0.2	0.2	1	10	—
G_3	庄库	3.81	0.2	0.2	0.2	0.2	0.2	1
G_4	石子沟	4.97	0.2	0.2	0.2	0.2	0.5	3.33
G_5	庙山坝	7.59	0.2	0.2	0.2	0.2	0.5	5
G_6	黑马山	4.06	0.2	0.2	0.2	0.2	0.33	1
G_8	寺沟	5.35	0.2	0.2	0.2	0.2	0.2	1
G_9	廖齐沟	5.91	0.2	0.2	0.2	0.2	0.2	0.5
G_{10}	石槽沟	3.8	0.2	0.2	0.2	0.2	0.2	1
G_{11}	庙湾沟	3.17	0.2	0.2	0.2	0.33	0.33	0.33
G_{12}	老石壳	6.05	0.2	0.2	0.2	0.2	0.33	0.33
G_{13}	景家坪	9.41	0.2	0.2	0.2	0.2	0.33	0.33
G_{14}	郝家沟	6.44	0.2	0.2	0.2	0.5	3.33	—
G_{15}	道园树坪	3.45	0.2	0.2	0.2	0.2	1	10

2）拦泥能力对比

方案 1 和方案 2 骨干坝坝控面积均为 73.35km²，占流域水土流失面积的 95.26%。坝系的拦泥能力取决于坝系在设计淤积年

限内的设计淤积库容。方案1在设计淤积年限内新增淤积库容为
1 649.2万 m³,方案2在设计淤积年限内新增淤积库容为1 784.7
万 m³。由此可见,方案2的拦泥能力大于方案1的拦泥能力。如
图9-2所示。

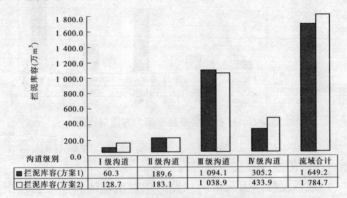

沟道级别	Ⅰ级沟道	Ⅱ级沟道	Ⅲ级沟道	Ⅳ级沟道	流域合计
■ 拦泥库容(方案1)	60.3	189.6	1 094.1	305.2	1 649.2
□ 拦泥库容(方案2)	128.7	183.1	1 038.9	433.9	1 784.7

图9-2　红石峁坝系拦泥能力方案对比图

3)淤地面积对比

方案1规划建设骨干坝16座,其中新建14座、加固改建2
座;建设中型坝27座,小型淤地坝19座,淤积年限内新增可淤地
面积202hm²。方案2规划建设骨干坝14座,其中新建11座、改
建加固3座,建设中型坝29座,小型淤地坝54座,淤积年限内新
增可淤地面积216.3hm²。可见方案1在设计淤积年限内的淤地
面积小于方案2在设计淤积年限内的淤地面积。如图9-3所示。

4)保收能力对比

坝系工程实施后,随着坝地面积的逐年增加,坝系的保收能力
亦相应增加。有关的研究表明:在10年一遇设计洪水频率下,对
于该流域坝地种植高秆作物(玉米、高粱、向日葵等)最大淹水深小
于0.8m,淤积厚度小于0.3m,淹水历时小于5昼夜时,则认为此
条件下坝地可以实现保收,本次坝系防洪保收能力分析只针对10

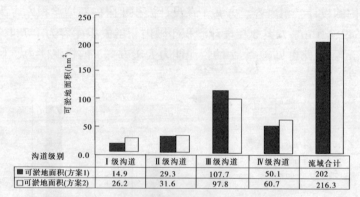

沟道级别	Ⅰ级沟道	Ⅱ级沟道	Ⅲ级沟道	Ⅳ级沟道	流域合计
■ 可淤地面积(方案1)	14.9	29.3	107.7	50.1	202
□可淤地面积(方案2)	26.2	31.6	97.8	60.7	216.3

图 9-3　红石峁坝系淤地能力方案对比图

年一遇的洪水条件。且按照骨干坝子系统进行分析计算,骨干坝控制范围外的淤地坝按单坝进行计算。

(1)坝系保收能力分析的思路。①对由坝体和放水工程组成的"两大件"工程,通过计算坝内淹水深度和淤积厚度,当分别小于0.8m 和 0.3m 时,认为该坝系(坝)可以保收,否则不能保收。②对设有溢洪道的工程,在达到设计淤地面积之前,按"两大件"工程进行计算,达到设计淤地面积之后,其淤地面积认定为全部保收。

(2)坝系保收能力分析。分别计算各坝系单元各个时段末的保收能力,计算期为 30 年,划分为 6 个时段,分析计算坝系在开始建设后的第 5 年、第 10 年、第 15 年、第 20 年、第 25 年和第 30 年,所遇到频率为 10%的次暴雨洪水时坝地内淹水深度和年平均淤积厚度。由于在淤地坝的设计时已考虑了放水时间,即在 47 天内不管水淹深度有多深都可以放完,故在防洪保收分析时不考虑淹水时间的影响,只考虑淤积厚度对作物的影响。

经计算,方案 1 在设计频率为 10%的洪水条件下,工程建成 5年末、10 年末、15 年末、20 年末、25 年末的防洪保收率分别为29.5%、65.0%、78.5%、81.7%、82.6%、82.7%,计算结果见

表9-43。方案2在设计频率为10%的洪水条件下，工程建成5年末、10年末、15年末、20年末、25年末的防洪保收率分别为28.2%、62.0%、77.8%、81.4%、82.5%、82.7%，计算结果见表9-44。

5)水资源利用

(1)地表水资源总量。小流域多年平均地表径流量361.9万 m^3，径流主要来源于汛期6~9月份暴雨产生的洪水，洪水呈现峰高、量大、历时短、含沙量高的特点，多年平均汛期径流量为229.9万 m^3，占年均径流量的63.5%。

(2)坝系工程可能具有的蓄水能力分析。根据坝系工程各类坝的运用方式，中小型淤地坝一般以淤地为主，不计算蓄水能力；骨干坝一般具有"上拦下保"的作用，淤积年限长，具有一定的拦蓄地表径流的能力，其蓄水库容一般为未淤满前的拦泥库容，当骨干坝淤满后就失去蓄水能力，因此其蓄水能力随着淤积量的增加而减少。

(3)骨干坝蓄水量分析。根据骨干坝建设过程及淤积年限，一般假定当年建设的骨干坝当年竣工，第二年可拦蓄径流和泥沙。根据骨干坝控制范围面积和流域多年平均径流量，推算出每座骨干坝区间的径流量与该坝的拦泥库容比较，得出骨干坝可拦蓄的地表径流量，其蓄水能力一般随着淤积量的增加而减小。根据骨干坝建设过程和淤积过程得出其淤积过程线和蓄水能力过程线图9-4、图9-5。

由图9-4、图9-5可以看出，骨干坝的累积拦泥量是逐年增加的，到了第5年，也就是坝系完全建成后，骨干坝蓄水量达到最大值，以后随着现状坝和新建、加固坝的不断淤积，其蓄水能力逐年减小，部分新建骨干坝到了20年以后其拦泥库容已基本淤满，失去了拦泥能力。骨干坝的蓄水能力在骨干坝建设期，其蓄水能力是逐年增加的，骨干坝全部建设完成后在一定的时期内其蓄水能力维持最大值，其后其淤积量越来越大，蓄水能力也就逐年减小，到淤积库容淤满后就失去了蓄水能力。

表 9-43　红石峁小流域坝系防洪保收能力分析计算结果（方案 1）

子坝系名称	第5年末			第10年末			第15年末			第20年末			第25年末			第30年末		
	保收面积(hm²)	淤地面积(hm²)	保收率(%)	保收面积(hm²)	淤地面积(hm²)	保收率(%)	保收面积(hm²)	淤地面积(hm²)	保收率(%)	保收面积(hm²)	淤地面积(hm²)	保收率(%)	保收面积(hm²)	淤地面积(hm²)	保收率(%)	保收面积(hm²)	淤地面积(hm²)	保收率(%)
沙柳滩	0.0	8.7	0.0	6.1	11.3	54.1	8.1	13.3	60.9	10.5	15.7	66.8	12.7	17.9	70.9	12.7	17.9	70.9
庄庠	0.0	4.3	0.0	4.8	8.3	58.0	7.4	10.9	68.0	9.6	13.1	73.3	11.7	15.2	77.0	12.7	16.2	78.4
簸台	0.0	5.1	0.0	6.9	7.9	87.1	8.5	9.6	89.3	9.2	10.2	90.0	9.2	10.2	90.0	9.2	10.2	90.0
石子沟	0.0	4.2	0.0	0.0	7.3	0.0	5.8	9.2	63.2	7.7	11.1	69.3	8.7	12.1	71.9	8.7	12.1	71.9
庙山坝	0.0	5.1	0.0	6.7	8.0	83.5	10.3	11.6	88.6	13.0	14.3	90.8	13.7	15.0	91.2	13.7	15.0	91.2
黑马山	0.0	4.4	0.0	5.3	7.4	72.4	8.8	10.8	81.3	11.3	13.3	84.7	13.0	15.0	86.5	13.0	15.0	86.5
淋沟河	0.0	1.8	0.0	2.1	3.1	67.7	3.7	3.7	100.0	4.3	4.3	100.0	4.6	4.6	100.0	4.8	4.8	100.0
寺沟	0.0	5.8	0.0	3.0	9.3	32.3	9.5	13.0	72.7	11.5	15.0	76.3	13.3	16.9	78.9	13.3	16.9	78.9
廖子沟	0.0	4.9	0.0	7.0	10.4	67.1	11.3	14.8	76.8	11.3	14.7	76.7	11.3	14.7	76.7	11.3	14.7	76.7

续表 9-43

子坝系名称	第5年末			第10年末			第15年末			第20年末			第25年末			第30年末		
	保收面积(hm²)	淤地面积(hm²)	保收率(%)	保收面积(hm²)	淤地面积(hm²)	保收率(%)	保收面积(hm²)	淤地面积(hm²)	保收率(%)	保收面积(hm²)	淤地面积(hm²)	保收率(%)	保收面积(hm²)	淤地面积(hm²)	保收率(%)	保收面积(hm²)	淤地面积(hm²)	保收率(%)
石槽沟	0.0	4.3	0.0	2.3	6.9	33.6	6.6	8.8	75.6	8.0	10.2	79.0	9.5	11.6	81.6	9.5	11.6	81.6
畔坡塌	6.2	8.4	73.9	7.2	10.1	71.4	8.8	11.7	75.3	10.2	13.1	77.8	10.7	13.6	78.7	10.7	13.6	78.7
庙湾沟	7.7	11.5	66.8	13.0	13.5	96.7	13.5	13.9	96.8	18.2	18.7	97.6	18.2	18.7	97.6	18.2	18.7	97.6
董家峁	0.0	2.8	0.0	2.4	5.1	47.3	4.3	7.0	61.9	7.5	10.2	73.7	7.5	10.2	73.7	7.5	10.2	73.7
老石壳	0.0	3.8	0.0	0.0	5.5	0.0	5.2	7.2	72.6	6.4	8.4	76.6	7.0	9.0	78.1	7.0	9.0	78.1
景家坪	0.0	7.4	0.0	6.7	11.5	57.9	10.3	15.2	68.1	13.0	17.8	72.9	13.0	17.8	72.9	13.0	17.8	72.9
郝家沟	9.0	13.2	68.2	17.9	20.7	86.2	20.2	23.1	87.6	24.0	26.9	89.4	24.0	26.9	89.4	24.0	26.9	89.4
道固树坪	0.0	3.7	0.0	4.2	5.8	73.0	5.8	7.4	78.9	7.2	8.8	82.3	7.6	9.2	83.1	7.6	9.2	83.1
合计	32.2	109.3	29.5	106.0	163.1	65.0	158.8	202.3	78.5	193.4	236.9	81.7	206.4	249.8	82.6	207.6	251.0	82.7

表9-44　红石峁小流域坝系防洪保收能力分析计算结果(方案2)

干坝系名称	第5年末 保收面积 (hm²)	第5年末 淤地面积 (hm²)	第5年末 保收率 (%)	第10年末 保收面积 (hm²)	第10年末 淤地面积 (hm²)	第10年末 保收率 (%)	第15年末 保收面积 (hm²)	第15年末 淤地面积 (hm²)	第15年末 保收率 (%)	第20年末 保收面积 (hm²)	第20年末 淤地面积 (hm²)	第20年末 保收率 (%)	第25年末 保收面积 (hm²)	第25年末 淤地面积 (hm²)	第25年末 保收率 (%)	第30年末 保收面积 (hm²)	第30年末 淤地面积 (hm²)	第30年末 保收率 (%)
沙柳滩	0.0	8.7	0.0	6.1	11.3	54.1	8.1	13.3	60.9	10.5	15.7	66.8	12.7	17.9	70.9	12.7	17.9	70.9
庄车	0.0	4.3	0.0	4.8	8.3	58.0	7.4	10.9	68.0	9.6	13.1	73.3	11.7	15.2	77.0	12.7	16.2	78.4
石子沟	0.0	4.2	0.0	0.0	7.3	0.0	5.8	9.2	63.2	7.7	11.1	69.3	8.7	12.1	71.9	8.7	12.1	71.9
庙山坝	0.0	8.7	0.0	14.3	16.6	85.9	19.8	22.1	89.4	24.4	26.7	91.2	26.0	28.3	91.7	26.0	28.3	91.7
黑马山	0.0	4.4	0.0	5.3	7.4	72.4	8.8	10.8	81.3	11.3	13.3	84.7	13.0	15.0	86.5	13.0	15.0	86.5
寺沟	0.0	5.8	0.0	3.0	9.3	32.3	9.5	13.0	72.7	11.5	15.0	76.3	13.3	16.9	78.9	13.3	16.9	78.9
廖齐沟	0.0	6.5	0.0	9.4	13.9	68.0	13.1	17.5	74.7	15.6	20.0	77.9	17.3	21.7	79.6	17.3	21.7	79.6
石槽沟	0.0	4.3	0.0	2.3	6.9	33.6	6.6	8.8	75.6	8.0	10.2	79.0	9.5	11.6	81.6	9.5	11.6	81.6
庙湾沟	7.7	11.5	66.8	13.0	13.5	96.7	13.5	13.9	96.8	18.2	18.7	97.6	18.2	18.7	97.6	18.2	18.7	97.6
老石壳	0.0	6.8	0.0	2.3	11.3	20.3	8.7	13.3	65.3	12.0	16.6	72.1	18.0	23.9	75.2	18.0	23.9	75.2
景家坪	4.0	14.6	27.6	12.3	20.1	61.4	17.7	25.4	69.5	23.7	31.4	75.4	27.3	35.0	77.9	27.3	35.0	77.9
郝家沟	9.0	13.2	68.2	17.9	20.7	86.2	20.2	23.1	87.6	24.0	26.9	89.4	24.0	26.9	89.4	24.0	26.9	89.4
道园树坪	0.0	3.7	0.0	0.0	5.8	0.0	5.8	7.4	78.9	7.2	8.8	82.3	7.6	9.2	83.1	7.6	9.2	83.1
合计	30.0	106.7	28.2	101.2	163.3	62.0	155.6	200.0	77.8	194.2	238.7	81.4	218.0	263.7	82.5	219.0	264.7	82.7

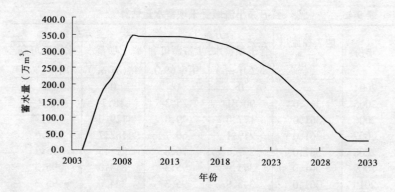

图 9-4　红石峁流域骨干坝蓄水量变化曲线(方案 1)

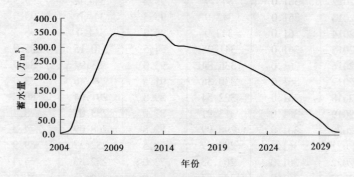

图 9-5　红石峁流域骨干坝蓄水量变化曲线(方案 2)

(4)水资源利用评价。小流域骨干坝可能的蓄水量见表9-45。由此可见,小流域坝系建设完成后,方案 1 在 30 年内骨干坝总蓄水量为 6 590 万 m³,占该流域总产流量的 53.9%;2009～2015 年骨干坝年蓄水能力最大,年蓄水量 344 万 m³,占流域年径流量的 95%。方案 2 在 30 年内骨干坝总蓄水量为 5 880 万 m³,占该流域总产流量的 48%;2009～2014 年骨干坝年蓄水能力最大,年蓄水量 344 万 m³,占流域年径流量的 95%。

表 9-45　　　　　　　　　红石峁小流域骨干坝蓄水量估算

年份	地表径流量（万 m³）	方案 1		方案 2	
		骨干坝蓄水量(万 m³)	水资源可利用率(%)	骨干坝蓄水量(万 m³)	水资源可利用率(%)
2004		0	0	0	0
2005	361.0	90.81	25.2	18.7	5.2
2006	361.0	177.0	49.0	129.0	35.7
2007	361.0	219.1	60.7	182.7	50.6
2008	361.0	277.4	76.8	271.5	75.2
2009	361.0	343.9	95.3	344.0	95.3
2010	361.0	343.9	95.3	344.0	95.3
2011	361.0	343.9	95.3	344.0	95.3
2012	361.0	343.9	95.3	344.0	95.3
2013	361.0	343.9	95.3	344.0	95.3
2014	361.0	343.9	95.3	344.0	95.3
2015	361.0	341.05	94.5	310.15	85.9
2016	361.0	336.84	93.3	305.94	84.7
2017	361.0	330.36	91.5	299.46	83.0
2018	361.0	322.54	89.3	291.64	80.8
2019	361.0	313.91	87.0	283.01	78.4
2020	361.0	298.99	82.8	268.09	74.3
2021	361.0	283.27	78.5	252.37	69.9
2022	361.0	263.53	73.0	232.63	64.4
2023	361.0	245.63	68.0	214.73	59.5
2024	361.0	227.17	62.9	196.27	54.4
2025	361.0	194.3	53.8	163.4	45.3
2026	361.0	172.21	47.7	141.31	39.1
2027	361.0	138.94	38.5	108.04	29.9
2028	361.0	107.71	29.8	76.81	21.3
2029	361.0	80.91	22.4	50.01	13.9
2030	361.0	51.27	14.2	20.37	5.6
2031	361.0	30.97	8.6		
3032	361.0	16.38	4.5		
2033	361.0	6.05	1.7		
合计	12 220.6	6 589.92	53.9	5 880.0	48.1

6)投资效益对比

（1）投资对比。

方案1:工程总投资2 975.97万元,其中建筑工程2 569.86万元,独立费用237.65万元,预备费168.45万元。经济净现值2 940万元,效益费用比1.7,内部收益率10.9%,投资回收年限7.25年。

方案2:工程总投资3 034.57万元,其中建筑工程2 622.46万元,独立费用240.34万元,预备费171.73万元。经济净现值2 108万元,效益费用比1.45,内部收益率9.04%(见表9-46)。

表 9-46　　　　　　红石峁小流域坝系布局方案比较

项目			单位	方案1	方案2	较优方案
建设条件				较好	有限制	方案1
水沙控制能力	坝系中骨干坝控制面积		km²	73.4	73.4	相当
	骨干坝面积控制率		%	95%	95%	相当
	骨干坝滞洪库容		万m³	890.1	851	方案2
	防御洪水频率		%	0.3	0.3	相当
拦沙能力	坝系在淤积年限内总拦沙量		万t	1 649	1 784.7	方案2
	泥沙拦截率		%	95	95	相当
淤地能力保收能力	坝系淤地面积		hm²	241.6	246.2	方案2
	建成后第15年末保收率		%	78.5	77.8	方案1
	建成后第20年末保收率		%	81.7	81.4	方案1
	建成后第25年末保收率		%	82.6	82.5	方案1
	保收率>80%设计淤积年限		年	18	18.2	方案1
投资效益	估算总投资		万元	2 975.97	3 034.57	方案1
	静态累计经济效益		万元	12 721.88	10 282.97	方案1
	动态(i=7%)	净现值	万元	2 940	2 108	方案1优
		效益费用比		1.7	1.45	方案1优
		内部回收率	%	10.9	9.04	方案1优
		投资回收年限	年	7.25	9.2	方案1优
水资源利用			万m³/a	219	196	方案1
有效运行期			年	20	20	相当
方案比选			推荐方案1			

(2)投资回收年限与有效运行期对比。根据投资估算与效益分析计算,方案1的投资回收年限为7.25年,有效运行期为20年;方案2的投资回收年限为9.2年,有效运行期为20年。方案1的投资回收期短于方案2,有效运行期相当。

两方案的各项技术指标分析对比见表9-46。

7. 方案推荐

通过对两个方案建设条件与水沙控制程度、防洪保收能力和投资经济效益指标等方面进行综合对比,同时充分考虑到当地群众和地方政府的意见,为确保坝系建设方案的顺利实施,确定方案1作为选用方案(见表9-47)。

表9-47　　　　　　　　　红石峁小流域坝系建设规模

坝型			数量(座)	控制面积(km^2)	库容(万 m^3)			淤地面积(hm^2)
					拦泥	滞洪	总库容	
现状坝	大型坝		3	17.64	422.8	78.4	501.2	27.7
	中型坝		3	0.32	78	8.8	86.8	11.0
	小型坝		1	0.32	7	1.9	8.9	1.1
	合计		7	17.64	507.8	89.1	596.9	39.8
新增	骨干坝	新建	14	63.75	1 193.3	712	1 905.4	130.7
		加固	2	9.61	100.2	99.7	199.9	11.4
	小计		16	73.36	1 293.5	811.7	2 105.3	142.1
	中型坝	新建	23	25.17	271.3	165.6	436.8	45.9
		加固	4	3.98	41.4	32.2	73.6	4.2
	小计		27	29.15	312.7	197.8	510.4	50.1
	小型坝	新建	19	8.37	43	38.5	81.9	9.64
		加固						
	小计		19	8.37	43	38.5	81.9	9.64
	合计		62		1 649.2	1 048	2 697.6	201.8
达到	骨干坝		16	73.36	1 716.3	890.1	2 606.5	174.2
	中型坝		28	30.4	390.7	206.6	597.2	58.2
	小型坝		19	8.4	50	40.4	90.8	24.5
	总计		63	73.36	2 157	1 137.1	3 294.5	241.6

注:达到规模中的控制面积为骨干坝的控制面积。

第十章 单坝扩大初步设计实例

第一节 概述

1.基本情况

某骨干坝位于陕西省姬家峁小流域,距县城 28km,坝址位于东经 111°22′10″,北纬 36°46′35″,属黄河的三级支流。工程所在流域为典型的黄土丘陵沟壑区第二副区,地形梁峁起伏,支离破碎,沟壑密度为 4.7km/km², 沟壑面积占总面积的 67.3%。工程控制流域面积 3.0km², 主沟道长 2.6km,沟道比降 4.61%,沟道断面呈"∪"形。

该工程是某坝系内上游右岸支沟的一座控制性治沟骨干坝,工程建成后,前期可拦蓄洪水径流,发展灌溉面积 13.33hm², 并保护下游 6.67hm² 农田的安全生产;后期可拦泥 44.6 万 t,新增坝地 7.33hm², 促进流域内坡耕地退耕还林还草。同时,工程坝顶可兼做乡村道路,改善当地交通条件,带动本地经济的发展。主要技术经济指标见表 10-1。

工程所在小流域涉及 4 个自然村,流域内总户数 92 户,人口 413 人,劳力 138 个,人口密度 118 人/km²; 流域内耕地面积 96.33hm², 人均耕地 0.23hm², 粮食总产 10.8 万 kg,人均产粮 262kg,人均纯收入 800 元。流域现有梯田 20.67hm², 坝地 2.33hm², 疏林地及植树折合面积 41.13hm², 人工种草 23.33hm², 治理面积 87.47hm², 治理度 29.2%。流域内土地资源较为丰富,长期以来以粮食种植为主,经济作物较少,农林牧副各业中,主要为农业产值,约 17.8 万元,占总产值的 53.8%。流域社经情况见表 10-2。

表 10-1 某治沟骨干坝主要技术经济指标简表

	河　系	某河	主要工程量	土　方	68 640m³
	建设地点	某县某小流域		石　方	445m³
	建设性质	新建		混凝土	8.6m³
工程规模	控制面积	3.0km²		合　计	69 094m³
	总库容	55.5 万 m³		投工	12 100(工日)
	拦泥库容	33 万 m³	投资	总投资	55.30 万元
	淤地面积	7.33hm²		中央补助	44.24 万元
	淤积年限	10 年		地方匹配	6.00 万元
拦河坝	型式	均质土坝		群众自筹	5.06 万元
	最大坝高	20m	效益	防洪保护	6.67hm²
	坝顶长	75m		灌溉	13.33hm²
	坝体方量	6.2 万 m³		养鱼	
	施工方式	碾压	单位库容投资		0.99 元/m³
	投资	38.65 万元	单位拦泥投资		1.67 元/m³
输水洞	型式	拱涵	单位工程量投资		8.0 元/m³
	洞身长度	93m	单位淤地投资		82 950 元/hm²
	断面尺寸　宽×高	0.8m×1.2m	单位工程量换库容		8.03m³/m³
	直径		单位淤地面积拦泥		45 000m²/hm²
放水设备	型式	卧管	主要材料用量	水泥	45t
	总高度	12.0m		钢材	0.25t
	每台高度	0.4m		木材	4m³
	断面尺寸　宽×高	0.45m×0.45m		炸药	
	直径			柴油	40.3t
溢洪道	型式		计划施工时	开工日期	××年××月
	总长度			竣工日期	××年××月
	断面高×宽			总工期	一年

表 10-2 流域社会经济情况

人口总数(人)	劳力(个)	人口密度(人/km²)	人均耕地(hm²)	人均基本农田(hm²)	产　值(万元)					
					农业	林业	牧业	副业	合计	人均
413	138	118	0.23	0.055	17.8	9.2	6.1	0.0	33.1	0.08

2.水文气象

该流域属大陆性季风气候,冬季受蒙古冷高压控制,形成风多气寒少雨雪;夏季受太平洋副热带高压控制,形成炎热干旱多暴雨;春秋为过渡季节。据县气象站实测资料,多年平均气温11.3℃,年极端最高气温40.1℃,极端最低气温 −19.6℃,年平均干燥度2.48,无霜期170天。

流域多年平均降水量475mm,降水年内分配不均,集中于7、8、9三个月份,约占全年降水量的63.2%,且多以暴雨形式出现,往往造成洪灾与水土流失。冬季雨雪较贫乏,只有19.7mm,占全年降水量的4.1%。流域平均年径流深50mm,年内变化与降水的年内变化一致。流域侵蚀模数为10 000t/(km²·a)。流域水文气象特征见表10-3。

表10-3　　　　　　　　　流域水文气象特征

年降水量(mm)			多年平均暴雨次数（次/年）	多年平均径流量（万 m³）	气温(℃)			无霜期(d)	≥10℃积温(℃)
最大	最小	多年平均			最大	最小	多年平均		
718	185	475	9.6	383	40.1	−19.6	11.3	170	3 085

3.工程地质

该流域地质构造属于鄂尔多斯台地,上部覆盖了较厚的分类黄土层。坝址处河谷深切,沟底宽度80m,沟深约100m,岸坡坡度35°~65°,坝址基础和两岸岩石出露,主要为灰色砂岩,泥沙质胶结,左岸岩石出露约10m,左岸为陡崖;右岸岩石出露约15m,坡度相对较缓。岩石上部分别覆盖50~20m厚的黄土层,土壤主要为中粉质壤土、黄绵土和红胶土,其中以中粉质壤土为主,约占70%,广泛分布于梁、峁和坡面。土壤塑性较好,黏粒含量在15%~20%之间,其特性和储量均能满足筑坝要求。

根据现场查勘,坝址两岸结构完整,无软弱带和裂隙发育,两岸边坡无冲沟和滑塌体,右岸岩石出露相对较高,表面无严重风化,坡度较缓,适宜布设放水工程。

第二节 枢纽布置

1.枢纽组成

布置原则:

(1)充分考虑该工程在小流域坝系中的上拦下保作用,最大限度地拦蓄洪水泥沙;

(2)坝轴线应顺直,涵洞轴线布设应尽量与坝轴线垂直,并布设在岩基上,避免产生不均匀沉降;

(3)充分利用地形条件,合理布设,节省投资;

(4)力求建筑物布置简单明了,美观实用,施工期短;

(5)泄水建筑物的水流流态应满足要求,出口离下游坝脚应有一定距离,并采用消能措施,防止淘刷坝脚。

根据布置原则,结合该工程在小流域坝系中的作用和运行方式,以及对枢纽布设的要求,结合坝址地形条件,确定工程枢纽组成为"两大件",由坝体和放水涵卧管组成。

2.工程等别及建筑物级别

该骨干坝控制流域面积 $3.0 km^2$,规划工程总库容为 55.5 万 m^3,根据《水土保持治沟骨干工程技术规范》(SL289－2003),确定本工程规模为五等,工程所属建筑物皆为 5 级。工程设计洪水标准为:20 年一遇洪水设计,200 年一遇洪水校核,淤积年限取 10 年。

第三节 水文计算

该流域由于无洪水、泥沙观测资料,水文计算采用《某省某地区水文手册》提供的资料,参考相邻流域已建工程的观测资料,并结合工程实际进行计算。

1.设计洪峰流量计算

该工程由于集水面积较小,无实测资料,其设计洪峰流量应采用不同的方法进行计算,比较、分析后合理确定。在一般常用的几种水文计算方法中,经验公式法和洪水调查法推算洪水资料,适用于面积较大的小流域,而治沟骨干坝大多修筑在 $10km^2$ 以下的支毛沟中,流域面积相对较小,因此以上两种方法只能作为估算,作为对比、分析的参考数据。在水文计算中较常用的是以 24 小时暴雨资料推求设计洪水的方法。

1)设计暴雨量的计算

根据雨量资料先推算设计暴雨,再由设计暴雨间接推算设计洪水时,通常假定设计暴雨和设计洪水的频率相应。设计暴雨量可采用当地《水文手册》中给定的方法和参数进行计算。计算时,先按工程所在小流域位置,由《水文手册》中查出小流域所在地的年最大 24 小时暴雨量均值 H_{24} 及变差系数 C_v、偏差系数 C_s 与变差系数 C_v 的比值 C_s/C_v 等,由 C_v 及设计暴雨频率 $P\%$,从皮尔逊-Ⅲ型曲线上查出相应的模比系数 K_P 值;然后用下式计算设计频率的 24 小时暴雨量。

$$H_{24P} = K_P \cdot \overline{H}_{24}$$

式中:H_{24P} 是频率为 P 的 24 小时暴雨量,mm;$\overline{H}_{24}$ 为多年最大 24 小时暴雨均值,mm;K_P 是频率为 P 的皮尔逊-Ⅲ型曲线模比系数。

2)设计洪峰流量的计算

用暴雨资料计算洪峰流量,经多年实践表明适用于小流域治沟骨干坝建设,能够充分利用当地现有的降雨资料,其关键在于结合各地的水文特点和实际情况,正确地选用计算方法和所用参数。依据当地《水文手册》提供的计算方法,采用下式计算:

$$Q_P = CH_{24P}F^{2/3}$$

式中：Q_P 为频率为 P 的洪峰流量，m^3/s；C 为洪峰地理参数，查表得 $C = 0.17$；F 为坝控面积，$F = 3.0km^2$。

2. 设计洪水总量的计算

采用当地水文手册中的经验公式

$$W_P = K \cdot R_P \cdot F$$

式中：W_P 为频率为 P 的洪水总量，万 m^3；K 为小面积折减系数，查水文手册得 $K = 0.8$；R_P 为设计暴雨的一次洪水模数，万 m^3/km^2。

由设计暴雨查水文手册附表得 $R_{5\%} = 4.21$，$R_{0.5\%} = 9.38$。

3. 输沙量的计算

年输沙量应包括悬移质和推移质两部分，采用下式计算：

$$W_{sb} = W_s + W_b$$

式中：W_{sb} 为多年平均总侵蚀量，t/a；W_s 为多年平均悬移质输沙量，t/a；W_b 为多年平均推移质输沙量，t/a。

1）悬移质输沙量计算

小流域无泥沙观测资料，采用水文手册中输沙模数（侵蚀模数）图查算法：

$$W_s = \sum M_{si} F_i$$

式中：M_{si} 为分区输沙模数，$t/(km^2 \cdot a)$，根据有关水文图集和手册中输沙模数等值线图或表查算；F_i 为分区面积，km^2，取 $3.0km^2$。

2）推移质输沙量计算

由于流域对推移质输沙量尚未进行观测，采用比例系数法计算：

$$W_b = \beta W_s$$

式中：β 为比例系数，可采用当地调查值或采用相似流域实测值，黄土丘陵沟壑区 β 一般可采用 0.1。

水文计算成果见表10-4。

表 10-4　　　某骨干坝不同频率 24 小时暴雨量、洪峰流量、洪水总量和年输沙量成果

洪水频率 P(%)	10	5	0.5
24 小时暴雨量(mm)	104.31	131.1	223.44
设计洪峰流量(m³/s)	50.4	68.6	158.5
设计洪水总量(万 m³)	6.9	10.1	22.5
年输沙量(万 m³/a)	3.3		

第四节　土坝设计

1. 坝型选择

该骨干坝坝址两岸土料丰富,经现场查勘,土料储量和土料性质均满足筑坝要求,取土条件便利,砂、石料在坝址附近可就地开采,取运容易,施工方便。按照因地制宜、就地取材的原则,坝型确定为均质土坝。

该流域沟道内无常流水,考虑到坝址两岸的地形地质条件和土料特性,采用碾压法施工。

2. 筑坝土料选择

经实地勘测,坝址两岸分布土料主要为中粉质壤土,通过试验测定,其黏粒含量为 16%,塑性指数为 9,崩解速度为 8min,渗透系数为 3×10^{-5} cm/s,有机质含量 <3%,水溶盐含量 <8%,天然干容重为 1.42t/m³,土粒相对密度为 2.7,含水量为 13%。石料为石灰质砂岩,容重为 2 600kg/m³,抗冻性能良好;砂料质地坚硬、清洁,杂质含量 <3%,颗粒级配符合要求。从以上测试数据可以看出,坝址两岸的土、砂、石料的性质均能够满足工程施工的要求,运距较短,运输条件便利。

3.坝体断面

1)坝高确定

坝高由拦泥坝高、滞洪坝高和安全超高3部分组成,即

$$H = H_L + H_Z + \Delta H$$

$$V_L = N \cdot W_{沙}$$

$$V_{总} = V_L + V_Z$$

式中:H 为坝高,m;H_L 为拦泥坝高,m;H_Z 为滞洪坝高,m;ΔH 为安全超高,m;$V_{总}$ 为总库容,万 m^3;V_Z 为滞洪库容,万 m^3;V_L 为拦泥库容,万 m^3;$W_{沙}$ 为年输沙量,万 m^3/a;N 为设计淤积年限,a。

拦泥坝高由拦泥库容查水位—库容曲线确定;滞洪坝高由200年一遇一次校核洪水总量查水位—库容曲线确定。计算成果为:

拦泥库容、坝高:$V_L = 33$ 万 m^3;$H_L = 14.5m$,设计淤积高程为 $\Delta_L = 114.50m$。

滞洪库容、坝高:$V_Z = W_{200} = 22.5$ 万 m^3;$H_Z = 4.3m$,滞洪水位高程为 $\Delta_Z = 118.80m$。

安全超高:依据规范取 $\Delta H = 1.2m$。

工程设计总库容:$V_{总} = 55.5$ 万 m^3。

工程设计坝高:$H = 20.0m$。

2)坝顶宽度

按照《水土保持治沟骨干工程技术规范》(SL289-2003)表 4.1.4-2,并参考已建工程经验,该骨干坝坝顶有交通要求,按交通需要确定该骨干坝坝顶宽度为 5.0m。

3)坝坡

根据《水土保持治沟骨干工程技术规范》(SL289-2003)表 4.1.4-3,结合工程施工要求,迎水坡坡比为1:2.5;背水坡采用

两级坡率,在坝高 10m 以下坡比为 1:2.25,10m 以上为 1:2.0;变坡处设马道,马道宽为 1.5m。

4)排水设施

根据该工程的运用条件,为降低坝体浸润线,增加坝体稳定性,防止坝坡土的渗透破坏和冻胀,考虑到流域内石料丰富,在背水坡坝脚处设棱柱式反滤体。根据渗流计算结果,参考已建工程的经验,拟定反滤体高度为 4.0m,顶宽 2.0m,上游边坡 1:1.75,下游边坡 1:1.5。

5)坝面护坡及排水

工程竣工后,为防止雨水冲刷,对土坝上游淤积面以上坝坡和下游坝坡设置护坡,护坡措施采用生物护坡,即上下游坝坡处密植紫穗槐,坝顶两边栽植油松。

在下游坝坡处设置纵、横向排水沟,即坝体与两岸交会处顺坝坡布设横向排水沟,在马道内侧布设一条纵向排水沟,纵、横向排水沟相互连通。排水沟采用浆砌石结构,断面尺寸参考已建工程经验,取 0.3m×0.3m。

4.渗流计算

渗流计算是为了确定坝体浸润线的位置,为坝体稳定分析和选定排水设施提供依据,并确定坝坡及坝基的渗透比降,以判断其渗透稳定性。

1)渗流计算条件

本工程为均质土坝,下游有棱体排水,筑坝材料为中粉质壤土,假定坝体和坝基的渗透系数相同,为 $3×10^{-5}$ cm/s。考虑到该工程的运用方式,确定上游水位为设计水位,下游相应的最低水位为零时,作为渗流计算的控制条件,并相应计算上游水位为校核水位时的渗流计算。

2)坝体浸润线出逸点高度

工程下游设棱柱式反滤体,坝基渗透系数与坝体相同,计算浸润线时近似按不透水坝基进行计算,求出的浸润线偏安全。计算公式采用《碾压式土石坝设计》(黄河水利出版社)中的推荐公式,坐标原点位于棱体上游边坡与坝底交点,轴向下游为正,轴向上为正。棱体处的渗流水深计算如下:

$$h_0 = H_2 + \sqrt{L_1^2 + (H_1 - H_2)^2} - L_1$$

$$L_1 = \Delta L + L = \frac{m_1}{2m_1 + 1} H_1 + L$$

式中:h_0 为棱体起端处渗流水深,m;L_1 为渗径的水平投影长,m;H_1 为上游水深,m;H_2 为下游水深,m;L 为水位入渗点至棱体内坡与坝体交点的水平投影长,m;ΔL 为等效宽度,m;m_1 为上游坝坡。

则计算得:设计水位时,上游水深 16.5m,下游水深 0m,$h_0 = 1.63$m;校核水位时,上游水深 18.5m,下游水深 0.5m,$h_0 = 2.16$m。

3)渗流量计算

采用《碾压式土石坝设计》(黄河水利出版社)中的推荐公式计算:

$$q = k \cdot \frac{H_1^2 - h_0^2}{2L_1}$$

式中:q 为单宽渗流流量,m³/(s·m);k 为渗透系数,cm/s;其他符号含义同前。

则计算结果为:设计水位时,$q = 6.1 \times 10^{-7}$ m³/(s·m);校核水位时,$q = 1.1 \times 10^{-6}$ m³/(s·m)。

4)浸润线方程

坝体浸润线方程采用下式计算:

$$y^2 = 2\frac{q}{k}x + h_0^2$$

则:设计水位时,$y^2 = 2.52x + 1.51$;校核水位时,$y^2 = 4.22x + 4.66$。

5. 坝坡稳定计算

坝坡稳定计算是为了保证土坝在自重,各种情况下的孔隙水压力和一些外荷载(如水压力等)作用下具有足够的稳定性,不至于产生通过坝体或坝体和坝基的整体剪切破坏。

1)坝坡稳定计算方法

该工程的运用方式为滞洪拦泥,前期按水库运用需做坝坡稳定计算。碾压坝在工程投入正常运行后,坝体形成稳定渗流,在设计和校核洪水位时水压力对上游坝坡稳定有利,故仅核算下游坝坡稳定分析。按照《水土保持治沟骨干工程技术规范》(SL289 - 2003)的规定,坝坡整体稳定计算,按平面问题圆弧滑动面,采用简化毕肖普法计算(见图10-1),公式如下:

$$K = \frac{\sum \{[(W \pm V)\sec\alpha - ub\sec\alpha]\tan\varphi' + c'b\sec\alpha\}[1/(1 + \tan\alpha\tan\varphi'/K)]}{\sum[(W \pm V)\sin\alpha + M_c/R]}$$

式中:K 为抗滑稳定安全系数;W 为土条重量;V 为垂直地震惯性力(向上为负,向下为正);u 为作用于土条底面的孔隙压力;α 为条块重力线与通过此条块底面中点的半径之间的夹角;b 为土条宽度;c'、φ' 为土条底面的有效应力抗剪强度指标;M_c 为水平地震惯性力对圆心的力矩;R 为圆弧半径。

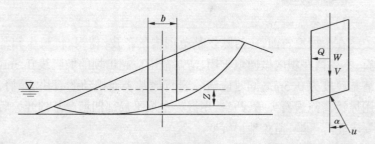

图10-1　圆弧滑动条分法示意图

2)材料物理、力学参数选用

经实验测定,并参考已建工程的有关资料,坝体材料参数选用如表 10-5 所示。

表 10-5 土坝材料参数

项目	天然干容重(tg/km^3)	天然含水量(%)	内摩擦角$\varphi(°)$	凝聚力$C(kPa)$	压缩系数(MPa^{-1})	压缩模量(MPa)	渗透系数(cm/s)
土层	1.42	13	22	16	0.2	8	3×10^{-5}

3)坝坡稳定计算工况

按照《水土保持治沟骨干工程技术规范》(SL289－2003)的规定,结合工程实际运用中可能发生的工况,计算所用的工况如下:

(1)正常运用情况:设计水位时的下游坝坡。

(2)非常运用情况:校核水位时可能形成稳定渗流的下游坝坡。

计算结果为:正常运用情况,抗滑稳定安全系数为 1.58＞1.25;非常运用情况,抗滑稳定安全系数为 1.36＞1.15。满足坝体抗滑稳定要求。

6.基础处理

1)清基

在土坝填筑前,应清除坝基范围内的草皮、树根、耕植土和乱石,不得留在坝内做回填土用;清基范围应超出坝的坡脚线 0.5m,清基厚度为 0.5m。同时应清除岩石地基表面松动的石块、碎屑,用风镐清除岩石尖角、凸脊,用混凝土填平局部凹塘。基础开挖后要求轮廓平顺,避免地形突变。

2)削坡

按照《水土保持治沟骨干工程技术规范》(SL289－2003)的要求,坝体与岸坡结合应采用斜坡平顺连接,经现场查勘,坝址左岸坡度较陡,可削坡至1∶1.0,右岸坡度较缓,应削坡至1∶1.5。

3)结合槽

为增加坝体稳定性,防止坝体与坝基结合处形成集中渗流,保证坝体与基础紧密结合,在坝轴线处从沟底到岸坡布设一道结合槽,采用梯形断面,底宽1.5m,深2.0m,边坡1∶1.0。

第五节　放水工程设计

1.放水工程布置与组成

该骨干坝主要任务是滞洪拦泥,即在设计洪水情况下,将洪水泥沙全部拦蓄,减少主沟道工程的淤积速度,延长其使用寿命,放水工程进水形式采用分级卧管。根据现场查勘情况,坝址右岸下部为岩石基础,上部土质完整坚硬,岸坡较缓,布置放水卧管开挖量较小,且放水涵洞可直接布设在岩石基础上。因此,卧管布置在上游右岸,坡度为1∶2.5,采用浆砌石砌筑,卧管下接消力池,后经涵洞输水、陡坡泄水后输入河槽。根据实际地形,陡坡段末端为坚硬岩层,直接将水流引入河床,故不设末端消能设施。

2.放水卧管设计

1)设计放水流量的确定

根据该工程的运用方式,考虑今后坝地防洪保收的要求,按3天泄完10年一遇一次洪水总量计算。由水文计算知:$W_{10} = 6.9$万 m^3。

计算公式:$Q_设 = W_P / (3 \times 86\,400)$

计算成果:$Q_设 = 0.27 m^3 / s$

2)卧管放水孔尺寸的确定

卧管进水形式采用平面圆孔进水,由钢筋混凝土孔塞调节控制水量。按同时开启上下三孔放水设计,设计卧管台高为0.4m,第一孔水头为0.4m,第二孔水头为0.8m,第三孔水头为1.2m,则

放水孔径为:

$$d = 0.68 \times \sqrt{\frac{q}{\sqrt{H_1} + \sqrt{H_2} + \sqrt{H_3}}}$$

式中:d 为放水孔直径,m;q 为放水流量,m³/s;H_1、H_2、H_3 为孔上水深,m。

计算成果:$d = 0.22$m,取 $d = 0.25$m。

3)消力池设计

消力池深度、长度取决于第二共轭水深

$$h'' = \frac{h'}{2}(\sqrt{1 + \frac{8\alpha Q^2}{gb^2 h'^3}} - 1)$$

式中:h' 为第一共轭水深,m;h'' 为第二共轭水深,m;b 为卧管宽度,m;α 为系数,采用 1.1;Q 为卧管加大流量,m³/s;g 为重力加速度,取 9.81m/s²。

则:$h'' = \frac{0.15}{2}(\sqrt{1 + \frac{8 \times 1.1 \times (0.32)^2}{9.81 \times (0.45)^2 \times (0.15)^3}} - 1) = 0.87$m。

消力池深度

$$d_0 = 1.25(h'' - h_0)$$

式中:h'' 为第二共轭水深,m;h_0 为坝下输水洞正常水深,m。

则:$d_0 = 1.25(0.87 - 0.60) = 0.34$m,取消力池深度 $d_0 = 0.6$m。

消力池长度

$$L_k = (4 \sim 7)h''$$

取 5 倍的 h'',则 $L_k = 5 \times 0.87 = 4.3$m。

消力池宽:$b_0 = b_1 + 0.4 = 0.45 + 0.4 = 0.85$m。

4)卧管断面及结构设计

卧管断面尺寸确定时,考虑到由于水位变化而导致的放水孔调节,比正常运用时的流量加大 20%,即 $Q_{加} = 0.32$m³/s。当卧管底宽 0.45m、比降 1:2.5、正常水深为 0.15m 时,由明渠均匀流公式计算放水流量。

$$Q = \omega C (Ri)^{1/2}$$

式中：Q 为泄水流量，m^3/s；ω 为过水断面面积，m^2；i 为卧管比降；C 为系数，$C = \dfrac{1}{n} R^{1/6}$；n 为糙率，取 0.025；R 为水力半径，$R = \omega/X = 0.45 \times 0.15/(0.45 + 0.15 \times 2) = 0.09$。

则：$Q = 0.45 \times 0.15 \times 1/0.025 \times 0.09^{1/5} \times (0.09 \times 0.4)^{1/2} = 0.38 m^3/s > Q_加$。

考虑到放水孔水流跌落卧管时的水柱跃起，方形卧管高度取正常水深的 3 倍，即 $3 \times 0.15 = 0.45 m$，故确定卧管断面尺寸为 $0.45 m \times 0.45 m$。

卧管顶高程为 120.00m，卧管最低放水孔高程在淤积高程以下，即 108.0m 处；最高放水孔高程与滞洪水位齐平，即 118.8m 处；通气孔高度为 1.2m，则放水卧管垂直总高度为 12.0m，斜长 32.3m，27 个台阶。其结构为浆砌石砌筑，全部采用 M7.5 水泥砂浆砌块石，盖板厚取 0.35m，基础厚 0.5m，侧墙底宽 0.75m，基础外伸长 0.15m，卧管底部每隔 10m 做一道 $0.5 m \times 0.5 m$ 的抗滑齿墙，以增加底板的稳定。消力池结构为浆砌石矩形结构，基础厚 0.6m，外伸长 0.20m，采用 M10 水泥砂浆砌块石。

3. 输水涵洞设计

涵洞进口高程 107.00m，即坝高 7.0m 处，基础为砂岩，比降 1%，涵洞全长 93m。由公式

$$Q = \omega C \sqrt{Ri}$$

计算得洞内正常水深 0.6m，宽度为 0.8m 时：

$$Q = 0.6 \times 0.8 \times 1/0.025 \times 0.24^{1/6} \times (0.24 \times 0.01)^{1/2}$$
$$= 0.79 m^3/s > Q_加 = 0.32 m^3/s$$

涵洞设计为无压流，其净高的 75% 为正常水深，则涵洞净高为：$h = 0.6 \div 75\% = 0.8 m$。

　　按《规范》要求,为便于施工及检修,涵洞净高不得小于1.2m,因此涵洞断面选用0.8m×1.2m。

　　涵洞结构为浆砌石拱形结构,拱圈厚0.35m,起拱半径0.40m,平桩高0.8m,拱座底宽0.95m,垫层厚0.5m,外伸0.1m,涵洞全部采用M7.5水泥砂浆砌块石,涵洞底部每隔15m设一道截水环,以防止渗流,截水环厚0.5m,伸出外壁0.5m。

4. 陡坡段设计

　　输水涵洞后接陡坡,陡坡进口高程为106.00m,根据地形条件,坡比采用1:4,斜长33m,陡坡出口高程为100.5m,总落差5.5m,采用矩形断面,M7.5水泥浆砌石砌筑,底部每隔10m砌一道抗滑齿墙,尺寸为0.5m×0.5m,陡坡断面尺寸由水力计算确定。

　　1)陡坡段水力计算

　　(1)陡坡起点水深。陡坡起点水深为临界水深 h_k

$$h_k = \sqrt[3]{\frac{aq^2}{g}}$$

式中:q 为单宽流量,m^3/s;a 为流速分布不均匀系数,取1.1;g 为重力加速度,取9.81m/s^2。

　　则:$h_k = \sqrt[3]{\frac{1.1 \times 0.71^2}{9.81}} = 0.38(m)$。

　　(2)正常水深 h_0。正常水深 h_0 由公式 $Q = \omega C \sqrt{Ri}$ 试算求得。

　　则:$h_0 = 0.21m$。

　　由于 $h_0 < h_k$,故水流呈降水曲线。

　　(3)水面线计算。采用能量平衡法逐段累计法计算,即:

$$\left(h_2 + \frac{a_2 v_2}{2g}\right) - \left(h_1 + \frac{a_1 v_1}{2g}\right) = \Delta L(i - J)$$

式中:h_1、h_2 为断面1、断面2的水深,m;v_1、v_2 为断面1、断面2的平均流速,m/s;a_1、a_2 为断面1、断面2流速不均匀系数;g 为重力加速度,取 9.81m/s^2 ;ΔL 为 1、2 断面间的距离,m;i 为陡坡的坡度;J 为平均水面坡降,$J = 1/2(J_1 + J_2)$,任意断面的水面坡度可按下式计算:

$$J = n^2 Q^2 / \omega^2 R^{4/3}$$

陡坡段水面曲线计算结果见表 10-6。

表 10-6　　　　　　　陡坡段水面曲线计算结果

断面	h	ω	v	$\dfrac{av^2}{2g}$	$h + \dfrac{av^2}{2g}$	X	R	$R^{4/3}$	J	$\overline{J}$	$i-\overline{J}$	ΔL	$\Sigma\Delta L$
1	0.48	0.384	2.06	0.24	0.72	1.76	0.22	0.13	0.02	0.025	0.175	0.11	0.11
2	0.4	0.32	2.46	0.34	0.74	1.6	0.2	0.12	0.03	0.037 5	0.162	0.37	0.48
3	0.35	0.28	2.82	0.45	0.80	1.5	0.19	0.11	0.045	0.066	0.134	1.34	1.71
4	0.28	0.224	3.53	0.70	0.98	1.36	0.16	0.09	0.086	0.141	0.059	8.03	9.74
5	0.21	0.168	4.7	1.24	1.45	1.22	0.14	0.07	0.197				

表中计算的水面线长度为 9.74m,小于实际陡坡长度 33m,因此陡坡末端水深即为正常水深。

2)陡坡断面及结构设计

因陡坡末端水流流速小于 10m/s,故不考虑掺气增加的水深,陡坡侧墙高度可按计算的水深加安全超高,超高取 0.5m,则陡坡断面尺寸确定为:陡坡进口断面为 0.8m×1.0m,陡坡出口断面为 0.8m×0.7m,长 33m,底板厚 0.5m;陡坡末端流速为 4.7m/s,满足砌石允许流速要求。

5. 工程量计算

1)坝体土方量计算

坝体碾压土方量按横断面法计算,根据坝址横断面图,将其分为三部分进行计算,清基和结合槽开挖方量按面积×厚度和面积×长度进行计算。经计算,碾压土方量为 6.2 万 m^3 ,清基方量为 0.35 万 m^3 ,结合槽开挖量为 0.11 万 m^3 ,干砌块石 131.5 m^3 ,铺筑反滤料 122.8 m^3 。

2)放水工程方量计算

砌石工程按各部断面面积×长度,开挖工程量按断面面积×长度计算。经计算,放水工程开挖土方量 940 m^3 ,开挖石方量 60 m^3 ,浆砌石方量为 445 m^3 ,混凝土 8.6 m^3 。

第六节　施工组织设计

1. 施工条件

1)交通、水电、气候等因素

该骨干坝位于该小流域主沟道中上游,距县城约 28km,紧靠国家二级公路,交通运输条件便利,仅需对坝址至沟口的 1km 简易土路进行拓宽改造即可以满足施工车辆的通行。10kV 低压电网已通到农户,用电负荷能够满足施工要求,需架设施工线路 0.5km。流域属北温带干旱半干旱大陆性季风气候,冰冻期从每年的 11 月至次年 2 月,年施工期为 8 个月,春、夏、秋均可施工,工程可在一年内完成。

2)建筑材料来源

该骨干坝的主要建筑材料为土料、石料、砂子和水泥,坝址两岸及上下游均有土料、石料分布,土料主要为中粉质壤土,储量和特性满足碾压筑坝要求,岩石为新生代砂岩,质地坚硬,储量丰富,力学性质符合放水工程的砌筑要求,可就地就近取材。砂子、水泥等材料可从县城购买,采购运输方便。

3)劳动力技能

流域内有劳力 138 个,当地群众对淤地坝建设有较高的积极性,在几十年的沟道工程建设中积累了丰富的施工经验,农业生产剩余劳力完全可满足工程建设需要,加之该项目实行招标投标制,专业化的施工管理为施工质量提供了有效保证。

2. 施工场地布设

坝址上游有较为平坦的开阔地,可作为料场、混凝土拌和设备及砂浆拌和站的布设,水泥仓库及主要设备放置于料场上部的临时工棚内。

土料场可选择在坝址两岸上、下游 100m 范围内就地推土,低土低用、高土高用,石料场根据储量、可开采量、运距和石料堆放点等因素,选择在坝址右岸上、下游 500m 范围内就地、就高开采石料,采石场覆盖层不能过厚,风化层不能过深,以减少清基工作量。料石以右岸山坡上较完整的岩体开采为主,块石以河道中冲积的块石和右岸山体开采中不规则的块石为主。

工地施工用水取用坝内拦蓄的径流,抽水设施放在上游水畔对施工没有干扰的地方,施工所和民工居住应尽量利用坝址周围的民房或窑洞。

工程完工后,各类施工场地、开挖面、弃土场等应进行平整,采取措施,恢复植被。

3. 施工导流

(1)因工程为跨年度施工,为保证度汛,应考虑施工导流。本工程施工导流方式,根据地形和坝体碾压土方量情况,采用涵洞导流,其度汛洪水重现期为 5 年。

(2)坝体防洪度汛标准为 20 年一遇洪水重现期,在具体计算时,以涵洞进口以上库容能够容纳 20 年一遇一次洪水总量为依据,由 $W_{20}=10.1$ 万 m^3,查水位—库容曲线,当 $H_{涵}=7.0m$ 时,$V_{涵}=9$ 万 m^3,则防汛库容为 $V_{防}=10.1+9=19.1$ 万 m^3,对应坝高为 10.0m,安全超高取 2.0m,防汛总坝高为 12.0m。

(3)施工期应有可靠的度汛措施,应尽量避免临汛开工,坝体在汛前必须达到防汛坝高,否则应采用抢修小断面的施工方法,但坝体各段高差不宜大于 3.0m。

4. 施工进度

根据工程施工导流和度汛要求,本工程总工期为一年,其中施工准备期15天,先期安排放水工程中输水涵洞等隐蔽工程的施工,然后安排坝体碾压,充分利用有利坝体施工季节,合理确定上坝强度,保证按期完成施工任务。

具体计划为4月份正式开工,6月份完成坝体清基、结合槽开挖、放水涵洞的基础开挖和砌筑,9~11月份开始坝体碾压,第二年的3~6月份完成坝体填筑、反滤体铺筑、坝面排水和放水卧管的施工,工程施工总进度计划详见表10-7。

表 10-7　　　　　　　某骨干坝工程施工总进度

项目	单位或分部工程	第一年							第二年			
		4月	5月	6月	7月	8月	9月	10月	3月	4月	5月	6月
施工准备	成立施工指挥部,施工场地布置,其他工作	—										
土坝	清基	—										
	基础处理	—	—									
	碾压土						—	—	—	—	—	—
	反滤体铺筑									—		
放水工程	基础开挖	—	—									
	涵洞砌筑	—	—									
	卧管及消力池砌筑									—	—	
	陡坡砌筑								—	—		

5.施工要求

1)坝体施工

(1)铺土。坝体铺土前,应对坝基表面洒水,使其含水量控制在要求范围内。铺土方向应沿坝轴线方向延伸,厚度要均匀,宽度一次铺够,尽量避免接缝,上坝前应将块状土敲碎。人工夯实铺土厚度不超过15cm,夯实后10cm;履带拖拉机碾压时,铺土厚度不超过30cm,压实后21cm。每次铺土前,要将上次已压实的土面适当洒水湿润刨毛,以利上、下层结合。

沿坝轴线方向铺土,应尽量平起平筑,若不能平起时,要仔细做好接缝处理,其横向(顺水流方向)接缝的结合坡度不陡于1:3.0。如高差大于1m时,应开挖结合槽。坝体分段施工时,应清除接头表土,削成台阶,形成梳状齿槽。

(2)压实。本骨干坝主要采用履带拖拉机碾压,采用"进退距法",两次错车压迹应重叠10～15cm。沿坝轴方向,用1～2档速度进行碾压。

当坝面狭窄或土坝与岸坡、土坝与涵洞结合部位机械碾压不到的地方要采用人工夯实。夯实方法为梅花套打法,夯迹应重合1/3。

(3)反滤体铺筑。反滤体应在清基平整后铺筑。每层用料颗粒粒径应不超过邻层较小颗粒的4～5倍,最小的一层粒径应不小于0.10mm。铺筑时,细粒料应浇水略加夯打,并预留相当层厚5%的沉陷量。

应先铺底面上的反滤层,次堆棱柱体,再铺斜向反滤层。堆石的上、下层面应犬牙交错,不得有水平通缝,层厚为0.5～1.0m。反滤体外坡石料应采用平砌法砌筑。应确保反滤料的设计厚度,作好铺设反滤层的防护。

(4)坝体竣工时的坝顶高程,应预留足够的沉陷值,可取设计坝高的3%,即0.6m。

2)放水工程施工

(1)施工流程。放水工程施工主要为卧管和涵洞砌筑,砌石工程的砌筑工艺流程为:施工准备→地基土石方开挖→地基承载力检验→选料、砂浆配合比检查→第一层砌体的处理与排放→铺浆、分层砌筑→砌体养护→砌体表面勾缝→质量自检。

(2)料石和块石的选择。料石为长方形,厚度一般为20～40cm,长度应大于厚度的1.5倍;块石近似矩形,外形应大致方正,厚度一般为20～30cm,每块重量不得低于25kg。

(3)施工方法。砌筑基础和侧墙时,土质地基不坐浆,岩石基础应清基后坐浆,每层石料大面向下,上下前后错缝,内外搭接,石块间均应以砂浆粘接,砌缝应随时用灰浆或混凝土填实,石料之间砌缝控制在2～4cm。

侧墙砌筑前,应确定中线和边线的位置,砌筑有斜面的侧墙时,应在其周围用样板挂线,砌体外层预留2cm的勾缝槽;侧墙与底板应分开施工,可先施工侧墙,后施工底板。

砌筑拱圈时,以拱的全长和全厚同时由两端起拱线处对称向拱顶砌筑;相邻两行拱石的砌缝应错开,错缝距离不得小于10cm,必须保持拱的平顺曲线形状。当砂浆强度能承受住静荷载的应力时,才允许拆除支承架。

(4)质量要求。放水工程砌筑施工应满足"平、稳、满、错"的要求,即"平"指同一层的石块应大致砌平,相邻石块高差不宜过大,以利于上下层水平缝结合密实;"稳"指单块石料的安砌要求自身稳定,大面朝下放置,不得倒置或依赖支撑维持稳定;"满"指砌体的上下左右砌缝中的胶结材料必须饱满密实,使各块石之间能胶结成整体;"错"指同一砌筑层内石块应相互错缝砌筑,不允许出现顺流向的通缝。浆砌石的外露灰缝,在砂浆未凝固前,应将虚浆挖去,再用水泥砂浆勾缝,勾缝前要先用水将接缝洒湿。

第七节　工程概算

1.编制依据

《黄河水土保持生态工程设计概(估)算编制办法及费用标准》;

《黄河水土保持生态工程概算定额》;

某骨干坝扩大初步设计说明书;

工程所在省及地方政府的有关规定。

2.取费标准

1)基础单价

(1)人工预算单价。该工程所在地为六类工资地区,根据《黄河水土保持生态工程设计概(估)算编制办法及费用标准》的有关规定,人工预算单价取13.08元/工日。

(2)主要材料预算价格。水泥、砂子、石料、柴油等均根据工地实际情况和材料市场价格经计算确定材料预算价格。

(3)水电基础单价。采用工程所在地物价部门规定价作为预算价格。

(4)施工机械台班费。根据《黄河水土保持生态工程概算定额》中的施工机械台班费定额,并结合当地施工水平编制。

2)工程单价

工程单价由直接费、间接费、计划利润和税金4部分组成。

(1)直接费。包括基本直接费和其他基本直接费,基本直接费由人工费、材料费和机械使用费组成,其他基本直接费按基本直接费的2%计。

(2)间接费。按直接费的百分率计算,其间接费率为:土石方工程3%,混凝土工程3.5%,植物工程4%。

(3)计划利润。该工程为组织民工施工,不计此项费用。

(4)税金。该工程为组织民工施工,不计此项费用。

3)临时工程

临时工程不发生费用不列。

4)独立费用

(1)建设管理费。包括建设单位经常费、工程建设监理费、项目建设管理费、建设及施工场地征用费等。

建设单位经常费取建安工作量的 1%;工程建设监理费按建安工作量的 2.8% 计算;项目建设管理费按建设单位经常费及工程建设监理费之和的 15% 计取;建设及施工场地征用费不予计取。

(2)科研勘测设计费。包括科学研究试验费、规划统筹费、勘测设计费。

科学研究试验费不发生不列;勘测设计费按建筑工程、设备安装工程及临时工程之和的 3.0% 计算;规划统筹费按勘测设计费的 10% 计算。

(3)施工期水土保持监测费:按建安工作量的 0.2% 计取。

(4)工程质量监督费:按建安工作量的 0.15% 计取。

5)总概算编制

(1)基本预备费按建筑工程、设备安装工程、临时工程及独立费用之和即基本费的 2% 计算。

(2)价差预备费:不发生不列。

(3)工程静态投资:基本费加基本预备费构成工程静态投资。

(4)工程总投资:基本费、基本预备费、价差预备费之和构成工程总投资。

3. 概算成果及资金筹措

该骨干坝工程概算总投资 55.30 万元,其中建筑工程 48.90 万元,临时工程费 1.5 万元,独立费用 3.82 万元,预备费用 1.08 万元。总工日 1.21 万个,概算成果见表 10-8。

该项目属于社会公益性建设项目,其主要目的是减少入黄泥沙、改善当地农业生产条件和生态环境,促进群众脱贫致富。由于

表 10-8　　　　　　　　　总概算表　　　　　　（单位：万元）

编号	工程或费用名称	建安工程费	设备购置费	独立费用	合计	占基本费%	资金来源		
							国家	地方	群众
①	②	③	④	⑤	⑥	⑦			
一	建筑工程	48.9			48.9	90.2			
1	拦河坝工程	38.65			38.65	71.3			
2	放水洞工程	10.25			10.25	18.9			
3	溢洪道工程				0				
二	设备及安装工程				0				
三	临时工程				1.5	2.8			
1	房屋建筑工程				0				
2	施工道路工程				0				
四	独立费用			3.82	3.82	7.0			
1	建设管理费			2.14	2.14	4.0			
2	科研勘测设计费			1.51	1.51	2.8			
3	施工期水土保持监测费			0.1	0.1	0.2			
4	工程质量监督费			0.07	0.07	0.1			
5	植物措施管护费				0				
	基本费(一+二+三+四)				54.22	100			
五	预备费				1.08				
1	基本预备费(2%)				1.08				
2	价差预备费(P=0)								
六	静态投资				55.3				
七	总投资				55.3				

项目所在地为国家贫困县,群众生活贫困,为确保项目顺利实施,项目建设资金的筹措采取国家投资为主,国家投资占总投资的 80%,即 44.24 万元,地方配套及群众投劳占 20%,即 11.06 万元。

第八节 效益分析

1. 基础效益

某骨干坝修建后,在设计淤积年限内,可拦截泥沙约 45 万 t,年最大拦蓄洪水能力为 22.5 万 m^3,使坝控范围内的洪水泥沙基本拦蓄。

2. 经济效益

经济效益分为直接经济效益和间接经济效益。某骨干坝的直接经济效益为坝地种植效益和灌溉效益,间接经济效益为拦泥效益和防洪保护效益。

1) 坝地种植效益

工程淤积年限期满后,坝地开始产生直接种植效益。该坝可淤成坝地 7.3 hm^2,其利用率按 80% 计算,则可利用坝地 5.9 hm^2。其产量按 7 500 kg/hm^2 计算,粮食单价为 1 元/kg,则坝地每公顷效益为 7 500 元/hm^2,扣除每公顷坝地种植成本投入(种子、化肥、农药的成本等)3 000 元,每年可净收入约 2.6 万元,按 30 年种植期计算,累计种植效益为 78 万元。

2) 灌溉效益

某骨干坝在前期运行时可拦蓄洪水径流,在建成第二年就可以蓄水,所以工程对下游及两岸川台地及坝地均可起到灌溉作用,提高作物产量。灌溉面积按 13.3 hm^2 计算,灌溉后粮食增产量按 1 500 kg/hm^2 计算,粮食单价为 1 元/kg,每公顷农田每年需灌溉 4 次,每次灌溉成本为 225 元。故经灌溉后产出扣除成本,粮食净增产效益为 600 元/hm^2,按 10 年计算期计算,累计灌溉增产效益近

8.0万元。

3)拦泥效益

该工程10年可拦泥约45万t,根据上游减少的下泄泥沙量替代下游河道相应节省的清淤及加堤费用计算,每拦截1t泥沙,可节省费用3.75元,则10年计算期内拦泥效益为168.75万元。

4)防洪保护效益

工程可保护下游6.6hm²川台地和坝地的安全生产,并可对其进行灌溉,防洪保护效益按可保护农田面积计算,灾害率取20%,产量按7 500kg/hm²、粮食单价1元/kg计算,则工程30年计算期内防洪保护效益为29.7万元。

3. 生态效益

某骨干坝建成后对坝控面积内的洪水泥沙可就地拦蓄,使流域内严重的水土流失得到了有效控制,一是避免了土壤养分的流失,改善了作物生长的土壤环境,有利于作物的生长发育,提高了作物单产量;二是淤成坝地后,其保水保肥效能增强,坝地粮食产量可达坡耕地的5~8倍,促进流域退耕还林和封育治理的顺利开展;三是可有效地减少进入下游河道的泥沙,延缓下游河道的淤积;四是能有效防止沟道下切和沟岸扩张,抬高侵蚀基准面,稳定沟坡;五是拦洪蓄清,调节河川径流,合理利用水资源,改善当地的小气候环境。

4. 社会效益

工程建成后淤成的坝地,改善了当地农业生产条件,促使当地农民改变过去广种薄收的习惯,农业生产将逐渐向集约化经营发展,提高了劳动生产率,土地利用结构得到进一步合理调整。而且通过工程建设,坝顶作为乡村公路,改善了当地的交通条件,促进了农村经济的发展。

第九节　工程管护

1. 管护单位

工程竣工验收后应及时交付使用,签订工程管护合同,按照《谁受益谁管护》的原则,某骨干坝由某乡作为管护单位,某村派专人具体负责工程管护工作,管护人员可配置 2~3 人,并具有初中以上文化程度,应进行必要的技术培训,掌握工程维护和控制运用的基本要求。

2. 管护范围

根据工程安全和管理工作的需要,本工程的管护范围为:最高洪水位以下库区范围,大坝及下游坡脚以外 50m 范围内,放水工程边线以外 15m 范围内。工程竣工后,经当地政府批准,划定工程管护范围,设立标记,工程管护人员有权制止在管护范围内进行的一切可能影响工程安全的活动。

3. 管护职责

工程管护人员应在每年汛前、汛后、蓄泄水前后对工程进行定期检查,土坝应注意坝身和岸坡有无裂缝、塌坑、滑坡及隆起现象,背水坡有无散浸、集中渗漏和管涌迹象;放水工程应检查有无沉陷、断裂、堵塞现象。发现问题应及时进行修补和清除,对较大的损坏,必须及时查明情况,上报有关业务主管部门,制订维修方案,确保工程的正常运行。

4. 运行方式

某骨干坝具有滞洪、拦泥、淤地等综合功能,工程未淤满前,一般采用缓洪拦泥运用方式,平时蓄水水位应不高于设计水位,汛期洪水应随来随放,保持足够的滞洪库容;库内淤积面达到设计高程后,应空库运行,充分利用坝地发展生产,当坝前淤泥面高于淤积高程时,应考虑加高坝体;放水工程泄水流量不得超过最大设计流量,每次开启三孔同时放水,防止进水量过大造成涵洞承压,放水孔在平时应全部关闭,按需要开放。

5．工程防汛

某骨干坝的防汛工作,竣工前由建设单位负责,竣工验收后由工程管护单位负责,并纳入地方政府防汛的职责范围。按照分级管理,分级负责的原则,县水利局与工程所在地的乡政府、村委会签订安全度汛责任书。

每年汛前,管护单位应配合业务主管部门对工程进行一次全面检查,发现险情及时组织抢险,并负责组织好抢险队伍,准备充足的防汛物料,保证工程安全度汛。

第十一章 土坝断面工程图的开发实例

对 AutoCAD 进行二次开发用到的主要工具有 ObjectArx, VBA, VLisp。它们都有各自的优缺点：ObjectArx 功能强大，编程效率高，但它的缺点是编程者必须掌握 VC++；VBA 和 VLisp 虽然简单易上手，但它们对于开发大型的程序好像无能为力，而 C# 恰恰是一种能结合它们的优点而尽量避免各自缺点的语言。C# 是通过 AutoCAD ActiveX 这座桥梁来和 AutoCAD 之间进行通讯的。AutoCAD ActiveX 使用户能够从 AutoCAD 的内部或外部以编程方式来操作 AutoCAD。它是通过将 AutoCAD 对象显示到"外部世界"来做到这一点的。一旦这些对象被显示，许多不同的编程语言和环境就可以访问它们。

下面通过一个如何自动生成土坝断面的例子，简要介绍一下 C# 对 AutoCAD 的开发方法，希望对读者有所启迪。

第一节 原始数据的获得

通过各种程序的工程计算，土坝断面技术经济指标一般都以数据形式保存下来，这里对数据库操作我们不做介绍。假设一种简单情况基础数据已得到，并以文件的方式保存在 c 盘上。在 c 盘新建一个 1.txt 文档，输入：

20

2.5

2

5

分别代表土坝坝高、上游坡比、下游坡比、坝顶宽，这样形成一个简单坝断面。

第二节　C♯具体开发 AutoCAD 步骤

1. 具体配置

版本采用 Visual Studio.net2003 和 AutoCAD2006 进行二次开发。

2. 准备工作

运行 Visual Studio.net 后用 C♯建立一个类库文件(可起名为 test 文件),同时在工程中添加相关的引用和命名空间。用 Auto-CAD 2006.NET API 进行 AutoCAD 的二次开发,必须添加的引用是 acdbmgd.dll 和 acmgd.dll,这可以在 AutoCAD2006 的安装目录下找到。通过"项目"中"填加引用",引入以上两个文件。然后在程序的开头加入以下命名空间:

using Autodesk.AutoCAD.ApplicationServices;

using Autodesk.AutoCAD.EditorInput;

using Autodesk.AutoCAD.Runtime;

using Autodesk.AutoCAD.DatabaseServices;

using Autodesk.AutoCAD.Geometry;

通过以上步骤添加对 AutoCAD 类库引用,就可以使用 C♯进行工程开发了。

3. 读取原始数据

通过 C♯语言读取 1.txt 有关数据并储存下来,我们就可以得到土坝断面有关基础资料,方法如下:

```
float[ ] f = new float[4];
Stream s = new FileStream("c:\1.txt",FileMode.Open);
BufferedStream bs = new BufferedStream(s);
StreamReader br = new StreamReader(bs);
int i = 0;
```

```
string lstr="";
while((lstr=br.ReadLine())! =null)
{{f[i]=float.Parse(lstr);
  i++;
  }
Point3d pt1=new Point3d(0,0,0);
……
```

以上是 C♯ 对数据操作的简单处理,读者可以参考相关教材学习。通过上述办法我们把有关 4 个坐标点保存下来,以进行绘图。

4. 在 AutoCAD 中画图并标识

AutoCAD 自带多种 api 函数库文件,方便了用户的二次开发,如 line,mtext 等函数库分别有画线和文字功能。通过下面的方法,在 AutoCAD 中进行画线:

```
Line l1=new Line();//autocad 自带 line 函数画图
l1.StartPoint=pt1;
l1.EndPoint=pt2…;
```

这样我们就定义了一个线段,并需要把它装入实体中(任何操作均应装入实体中,否则在 AutoCAD 中不能正确显示)。

5. 程序的引用

程序经编译后生成 test.dll 文件,然后启动 AutoCAD,在命令行中键入 netload 命令,在弹出的对话框中选择刚编译好的 dll 文件。在命令行中键入 drawpic(就是你声明的 AutoCAD.net 命令),会自动产生一个土坝断面如图 11-1。

6. 完整程序

完整程序如下:

```
using System;
using Autodesk.AutoCAD.ApplicationServices;
using Autodesk.AutoCAD.EditorInput;
```

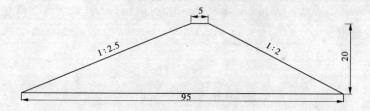

图 11-1

using Autodesk.AutoCAD.Runtime;

using Autodesk.AutoCAD.DatabaseServices;

using Autodesk.AutoCAD.Geometry;

using System.IO;

/*以上是对 C♯及 AutoCAD 命名空间的引用*/

namespace try//命名空间

{

/// ＜summary＞

/// Class1 的摘要说明。

/// ＜/summary＞

public class Class1//类声明

{

public Class1()

{

}

[CommandMethod("drawpic")]//声明 AutoCAD.net 命令

public void drawpic()

{ float[ ] f=new float[4];//定义一个浮点数组共 4 个数据，分别表示坝高、上游坡度、下游坡度、坝顶宽

Stream s=new FileStream("c:\1.txt",FileMode.Open);

BufferedStream bs=new BufferedStream(s);

StreamReader br＝new StreamReader(bs);//读取 c 盘文件相关数据

int i＝0;

string lstr＝"";

while((lstr＝br.ReadLine())!＝null)

{f[i]＝float.Parse(lstr);

i++;

}//把数据并保存在数组 f 中。

Point3d pt1＝new Point3d(0,0,0);

Point3d pt2＝new Point3d(f[0]*f[1],f[0],0);

Point3d pt3＝new Point3d(pt2.X+f[3],f[0],0);

Point3d pt4＝new Point3d(pt3.X+f[2]*f[0],0,0);

//声明土坝断面 4 个空间坐标点,并把左下角定义为零点。

Line l1＝new Line();//autocad.net 的 api 函数

l1.StartPoint＝pt1;//线段起点

l1.EndPoint＝pt2;//线段终点

Line l2＝new Line();

l2.StartPoint＝pt2;

l2.EndPoint＝pt3;

Line l3＝new Line();

l3.StartPoint＝pt3;

l3.EndPoint＝pt4;

Line l4＝new Line();

l4.StartPoint＝pt4;

l4.EndPoint＝pt1;//画出 4 段线段,构成土坝断面

AlignedDimension ad1＝new AlignedDimension();//标注尺寸

ad1.XLine1Point＝pt1;

ad1.XLine2Point＝pt4;//坝底尺寸标注

ad1.DimLinePoint = new Point3d(pt4.X - pt1.X, pt1.Y - 2, 0);

ad1.Dimscale = 0.3;//字体缩小

AlignedDimension ad2 = new AlignedDimension();

ad2.XLine1Point = pt2;

ad2.XLine2Point = pt3;//坝顶尺寸

ad2.DimLinePoint = new Point3d(pt3.X - pt2.X, pt2.Y + 2, 0);

ad2.Dimscale = 0.3;

AlignedDimension ad3 = new AlignedDimension();

ad3.XLine1Point = pt4;

ad3.XLine2Point = new Point3d(pt4.X, pt3.Y, 0);

ad3.DimLinePoint = new Point3d(pt4.X + 2, pt3.Y - pt4.Y, 0);

ad3.Dimscale = 0.3;//标注坝高,并将字体变小

MText text1 = new MText();

text1.Contents = f[1].ToString();

text1.Location = new Point3d((pt2.X - pt1.X)/2 + pt1.X - 2, (pt2.Y - pt1.Y)/2 + pt1.Y, 0);//写上游坡比

text1.Rotation = Math.Atan(1/f[1]);

text1.TextHeight = 0.5;

MText text2 = new MText();

text2.Contents = f[2].ToString();

text2.Location = new Point3d((pt4.X - pt3.X)/2 + pt3.X + 2, (pt3.Y - pt4.Y)/2 + pt4.Y, 0);

text2.Rotation = 0 - Math.Atan(1/f[2]);

```
text2.TextHeight=0.5;//标注下游坡比,按比例调整
Database Db = HostApplicationServices.WorkingDatabase; //
保存空间
Transaction trans = Db.TransactionManager.StartTransaction
();//开始 autocad 的事务处理
Editor ed=
Autodesk.AutoCAD.ApplicationServices.Application.Document
Manager.MdiActiveDocument.Editor; //autocad 中错误报告输出
try
{//把获得的数据如线段、文字装入模块中
    BlockTable bt =
    (BlockTable)trans.GetObject(Db.BlockTableId,
OpenMode.ForWrite, false);//块定义
BlockTableRecord btr=
(BlockTableRecord)trans.GetObject(bt[BlockTableRecord.Model
Space],
    OpenMode.ForWrite, false);//块记录
    btr.AppendEntity(l1);//把实体装入块
    btr.AppendEntity(l2);
    btr.AppendEntity(l3);
    btr.AppendEntity(l4);
    btr.AppendEntity(ad1);
    btr.AppendEntity(ad2);
    btr.AppendEntity(ad3);
    btr.AppendEntity(text1);
    btr.AppendEntity(text2);
    trans.AddNewlyCreatedDBObject(l1,true);
    trans.AddNewlyCreatedDBObject(l2,true);
```

```
        trans.AddNewlyCreatedDBObject(l3,true);
        trans.AddNewlyCreatedDBObject(l4,true);
        trans.AddNewlyCreatedDBObject(ad1,true);
        trans.AddNewlyCreatedDBObject(ad2,true);
        trans.AddNewlyCreatedDBObject(ad3,true);
        trans.AddNewlyCreatedDBObject(text1,true);
        trans.AddNewlyCreatedDBObject(text2,true);//让处理
知道最新加入的实体
        trans.Commit();//所有处理完后提交
    }
    catch //错误信息的处理
    {
        ed.WriteMessage("错误！无法进行");
    {
    finally
    {
        trans.Dispose();//删除处理信息
    {
        }
        }
}
```

参 考 文 献

[1] 水利电力部.水土保持治沟骨干工程暂行技术规范(SD175-86).北京：水利水电出版社,1987

[2] 黄河上中游管理局.淤地坝设计、淤地坝规划、淤地坝施工.北京：中国计划出版社,2004

[3] 陈伯让.关于黄土高原地区淤地坝规划主要问题的说明.中国水利,2002(9)

[4] 郑新民.黄土高原沟壑区坝系建设有关问题探讨.中国水利,2003(9)

[5] 田永宏,等.坝系建设关键探索.中国水利,2003(9)

[6] 郑宝明,等.黄土丘陵沟壑区第一副区小流域坝系建设理论与实践.郑州：黄河水利出版社,2004

[7] 陕晋水坠坝试验研究工作组.水坠坝.北京：水利水电出版社,1980

[8] 水利电力部.水坠坝设计及施工暂行规定(SD124-84).北京：水利电力出版社,1984

[9] 中华人民共和国水利电力部.水土保持技术规范(SD238-87).北京：水利电力出版社,1988

[10] 黄河水利委员会黄河上中游管理局.黄河水土保持志.郑州：河南人民出版社,1993

[11] 阎文哲,孟博,等.水土保持治沟骨干工程技术讲座.中国水土保持,1997(1~11)

[12] 黄河水利科学技术丛书.黄土高原水土保持.郑州：黄河水利出版社,1996

[13] 方学敏,曾茂林.黄河中游淤地坝坝系相对稳定问题研究.泥沙研究,1996(9)

[14] 黄河水利委员会.李仪祉水利论著选集.北京：水利电力出版社,1988

[15] 陕西省水土保持局.水土保持.北京：农业出版社,1972

[16] 武汉水利电力学院.水工建筑物.长春：吉林科学技术出版社,1985

[17] 水利电力部水利水电规划设计院.土石坝.北京：水利电力出版社,1982

[18] 黄河上中游管理局.淤地坝防洪保收技术.郑州：黄河水利出版社,1997

[19] 北京林业大学.水土保持学.北京:林业出版社,1998

[20] 水利电力部第五工程局.土坝设计.北京:水利电力出版社,1983

[21] 黄河水利委员会.黄河的治理与开发.上海:上海教育出版社,1984

[22] 周月鲁,等.水土保持治沟骨干工程设计技术.郑州:黄河水利出版社,
2002

[23] 天津大学.水工建筑物.北京:中国水利水电出版社,1997

[24] 清华大学.水工建筑物.北京:中国水利水电出版社,1997

[25] 张正宇,等.现代水利工程爆破.北京:中国水利水电出版社,2003

[26] 水利部.碾压式土石坝设计规范.北京:中国水利水电出版社,2002

[27] 管枫年,等.涵洞.北京:水利电力出版社,1983

[28] 水利部.土石坝安全监测技术规范(SL60－94).北京:水利电力出版社,
1994

[29] 林昭.碾压式土石坝设计.郑州:黄河水利出版社,2003